Danila Piotti
Giulia de Savorgnani
Elena Carrara

LIVELLO B1|B2

UNIVERS ITALIA 2.0

corso di italiano
libro dello studente e esercizi

ALMA Edizioni

2

NUOVA EDIZIONE

INTRODUZIONE

UniversItalia 2.0 è un corso di lingua italiana per stranieri principianti, concepito espressamente per studenti universitari: il corso si rivolge sia agli studenti che studiano italiano come materia principale sia a quelli che lo studiano come materia facoltativa.

Scopo di **UniversItalia 2.0** è far sì che gli studenti siano in grado di comunicare correttamente in italiano in breve tempo e di farsi capire nelle situazioni quotidiane in diversi contesti comunicativi. Inoltre il manuale, grazie al contenuto mirato per temi e argomenti, prepara ad esami, a soggiorni all'estero e a stage in Italia.

Con **UniversItalia 2.0 B1/B2** lo studente raggiunge il livello B2 del Quadro comune europeo di riferimento per le lingue. Le pagine opzionali del *Progetto* a fine unità e i numerosi esercizi dell'eserciziario fungono da approfondimento di ciò che si è imparato.

Il manuale sviluppa sistematicamente le quattro abilità linguistiche (comprensione scritta, comprensione orale; produzione scritta e produzione orale). Ogni unità contiene i seguenti elementi ricorrenti:

▶ la pagina di apertura con foto che sintetizzano gli obiettivi didattici e permettono un'introduzione stimolante al tema dell'unità;

▶ testi ed ascolti autentici che stimolano lo sviluppo di una coscienza interculturale e che parallelamente servono a sviluppare la comprensione orale e scritta, ma anche ad introdurre le strutture grammaticali e lessicali;

▶ parti analitiche (*Ritorno al testo* e *Occhio alla lingua*) in cui si chiede allo studente di scoprire da solo come funziona la lingua;

▶ esercizi guidati e semi guidati per esercitare le strutture e il vocabolario introdotto;

▶ focus sulla produzione libera sia orale che scritta;

▶ una sezione facoltativa molto creativa e concentrata sull'utilizzo pratico della lingua, la pagina del *Progetto*, con cui si conclude ogni unità;

▶ spiegazioni grammaticali dettagliate e tabelle chiare e schematiche alla fine di ogni unità.

L'eserciziario offre:

▶ numerosi e svariati tipi di esercizi per fissare e ripetere le strutture e il vocabolario introdotti nell'unità;

▶ testi ed ascolti autentici supplementari, con cui consolidare le abilità *leggere* e *ascoltare*;

▶ informazioni sulla vita e sulla civiltà italiana (*Lo sapevate che...?*).

UniversItalia 2.0 contiene inoltre due test di autovalutazione concepiti secondo il modello delle liste di autovalutazione del Portfolio europeo. Questi test hanno lo scopo di aiutare lo studente a riflettere in modo autonomo sui propri progressi e di prendere coscienza dei propri punti di forza e di debolezza. In appendice di questo volume si trovano le tabelle dei verbi irregolari, delle preposizioni e delle espressioni italiane più diffuse presenti nel libro, così come le trascrizioni e le soluzioni dell'eserciziario.

Il volume **UniversItalia 2.0 B1/B2** è accompagnato da due CD audio.

Per semplificare le consegne e gli esempi si è preferito utilizzare sempre soltanto la forma maschile. Ciononostante si intendono sempre entrambi i generi.

E per finire, vi auguriamo buon lavoro e buon divertimento con **UniversItalia 2.0!!**

Il team di **UniversItalia 2.0**

▶‖ **1.2**   numero della traccia audio su CD   ≝ **2**   esercizio corrispondente nell'eserciziario

INDICE

ALMA Edizioni

INDICE

RICOMINCIAMO!

1. Parlami di te

Intervistate un compagno per conoscerlo (meglio). Poi presentatelo alla classe.
Potete informarvi sui temi elencati qui sotto, ma anche su altri temi a vostra scelta.

nazionalità   città   famiglia   tempo libero / hobby   studio   lingue...

2. Imparare l'italiano

a. A gruppi di tre. Preparate delle domande sul tema ‹imparare l'italiano›.
Poi intervistate almeno tre compagni di altri gruppi e annotate le risposte.

Esempio:

- Perché studi l'italiano?
- Che cosa è facile / difficile per te?
- Che cosa ti interessa di più nei tuoi studi?

- Lo studio perché... / per...
- Per me è facile / difficile ricordare i vocaboli.
- Mi interessa la letteratura. / Mi interessano le informazioni sull'Italia.

b. In plenum. Presentate i risultati: quali sono i motivi e i temi più citati? Quali sono le attività facili e quali le attività difficili per la classe? Insieme, cercate di formulare dei suggerimenti per le attività difficili.

3. Che cosa ci piace fare in classe?

Segnate le attività che vi piacciono e poi confrontatevi in gruppo. Infine riferite in plenum e scoprite quali attività piacciono di più alla vostra classe.

parlare con un compagno ○
lavorare in piccoli gruppi ○
lavorare con tutta la classe ○

ascoltare dialoghi ○
leggere testi ○
scrivere testi ○

fare esercizi di grammatica ○
fare giochi ○
altro: _____

4. La parola più bella

a. Ormai conoscete già molte parole della lingua italiana: secondo voi, qual è la più bella? O qual è la vostra personale ‹parola del cuore›? E perché? Intervistate i compagni e scrivete le risposte.

PAROLA DEL CUORE
....
....
....
....
....
....
....

Esempio:

- A me piace... perché... E a te?
- ...piace anche a me, perché... / Anche a me, però mi piace di più... perché... / A me invece no, io preferisco...

b. In plenum. Riferite i risultati e insieme preparate un poster con le ‹vostre› parole italiane.

ALMA Edizioni

GODIAMOCI LA VITA!

In questa unità impariamo a...

...dare consigli e istruzioni

...parlare di attività fisiche

...invitare un amico a fare qualcosa insieme

...fissare un appuntamento al telefono

...descrivere piccoli problemi di salute

1. Ricarichiamo le batterie!

a. In plenum. Guardate le foto e pensate: che cosa si può fare per staccare dalla routine quotidiana? Vi vengono in mente altre attività?

b. In coppia. Dividete nelle seguenti categorie le attività che avete elencato. Attenzione: alcune attività possono rientrare in più categorie. Poi confrontatevi con un'altra coppia.

➔ In questa unità collaboriamo al progetto "Adotta uno studente Erasmus": prepariamo una lista di consigli e poi scriviamo una 'Guida di benvenuto' per uno studente italiano.

PROGETTO – PROGETTO – PROGETTO

	attività all'aperto	attività al chiuso
attività individuali		
attività di gruppo		

≡⁄ 1

2. Se sei triste, muoviti!

a. Leggete i consigli di questo "manuale del buonumore". Quali attività elencate al punto 1a ci ritrovate?

MANUALE DEL BUONUMORE

Stai preparando un esame? Se sei stanco, nervoso, stressato, preoccupato o di cattivo umore, abbiamo la ricetta che fa per te.

↪ Non passare intere giornate sui libri o al PC! Ogni tanto ci vuole una pausa.

↪ Fa' sport. E fallo regolarmente, non solo ogni tanto. *sometimes*

↪ Se non ami lo sport, fai almeno una passeggiata: ci vogliono come minimo 30 minuti di movimento al giorno (anzi, secondo l'Organizzazione Mondiale della Sanità, i giovani e i bambini hanno bisogno di 60 minuti). *at least*

↪ Non prendere tanti impegni. Concediti un po' di 'dolce far niente'.

↪ Se c'è il sole, esci e fai il pieno di luce. E se stai in casa, non chiudere le tende. *fill up* *curtains*

↪ Non rubare ore al sonno! Se si è stressati, bisogna assolutamente dormire a sufficienza.

↪ Mangia cibi ricchi di magnesio (come mandorle e spinaci) e di Omega 3, come le noci.

↪ Non bisogna rinunciare al cioccolato fondente! Mangialo con gusto perché produce un senso di benessere. Però non esagerare... *give up* *dark chocolate*

↪ Sorridi! Anzi: ridi! Guarda un film divertente oppure incontrati con gli amici, chiacchiera e ridi. *chat*

↪ Se sei depresso, non hai bisogno di farmaci, ma di un buon amico: telefonagli e sfogati con lui.

↪ Ascolta musica e canta a squarciagola. Se dai fiato ai polmoni per cantare, ti senti più felice. *take a deep breath*

↪ Porta a spasso il cane o gioca con il gatto o occupati del criceto: la compagnia di un animale moltiplica gli ormoni del buonumore.

---

b. Abbinate le seguenti espressioni, tratte dal testo, ai disegni.

⑤ fai il pieno di luce	⑥ non rubare ore al sonno	④ produce un senso di benessere
④ canta a squarciagola	⑤ dai fiato ai polmoni	② sfogati con lui

① **②** **③** **④** **⑤** **⑥**

c. Quali consigli seguite anche voi? Parlatene in gruppo.

≝ 2 Esempio: Se **sono** triste, **ascolto** musica. Però non canto. E voi?

> **Frasi condizionali con *se* (1)**
> Se + presente ind. + presente ind.

3. Ritorno al testo

Cercate nel testo del punto 2a le espressioni ci vuole, ci vogliono, bisogna *e* avere bisogno di: *da che cosa sono seguite? Che cosa esprimono? Parlatene con un compagno e completate lo schema.*

Le espressioni
▶ ci vuole + _____
▶ ci vogliono + _____
▶ avere bisogno di + _____ / verbo all'infinito
▶ bisogna + _____
esprimono   ○ una volontà.   ○ una necessità.   ○ una possibilità.

Forme impersonali + aggettivo al plurale
Se si è stressati, bisogna dormire.
Se si è depressi, non si ha bisogno di farmaci, ma di un buon amico.

4. Ci vuole una pausa

In coppia. Riformulate i consigli del testo 2a usando bisogna, ci vuole, ci vogliono. *Avete cinque minuti di tempo. Vince la coppia che riesce a riformulare più consigli in modo corretto.*

> **Sì**
> Ogni tanto bisogna fare una pausa.
> _____
> _____

> **No**
> Non bisogna passare intere giornate sui libri.
> _____
> _____

≝ 3

5. Ho bisogno di un consiglio

Leggete il post di Piero e rispondetegli: dategli almeno cinque consigli diversi da quelli che avete letto in precedenza usando le strutture che avete trovato ai punti 2, 3 e 4. Poi confrontateli con i consigli di un compagno. Avete avuto le stesse idee?

○○○

💬 **CHE STRESS! MA VOI COME FATE PER TENERVI SU?**   🐦 👤 f

PIERO   6 OTTOBRE 2017 | 15:35
Ragazzi, aiuto! Ho un sacco di lezioni e di esami. Sono stanco, nervoso, stressato, preoccupato e naturalmente di cattivissimo umore. Ma voi come fate in questi periodi per tenervi su?!? Mi date qualche consiglio? Grazie in anticipo!

Se sei stressato prendi il tempo per riflettvi
_____

Esempio: Se **sei** stanco, **fai** una pausa!

Frasi condizionali con *se* (II)
Se + presente ind. + imperativo

6. Credimi!

▶II 1.1 *a. Ascoltate la telefonata e poi parlatene con un compagno. Che rapporto c'è fra le due persone? Di che cosa parlano?*

▶II 1.2 *b. Ascoltate anche il resto della conversazione. Chi dei due è più sportivo e chi più sedentario?*

	Piero	Francesco
sportivo	○	○
sedentario	○	○

▶II 1.2 *c. Abbinate le seguenti attività sportive alle immagini. Poi ascoltate di nuovo il dialogo. Di quali attività sportive parlano Piero e Francesco?*

○ l'arrampicata ○ il nuoto ○ il ciclismo ○ la danza ○ l'atletica ○ la ginnastica
○ la pallacanestro ○ il tennis ○ la pallavolo ○ la corsa ○ il paracadutismo
○ il canottaggio ○ lo sci ○ la pallanuoto

≡⁄ 4

ALMA Edizioni

▶II 1.2 *d. Quali scuse trova Piero per dire di no? Segnatele con una crocetta, poi confrontate con un compagno.*
Infine ascoltate di nuovo il dialogo e verificate.

○ devo studiare   ○ devo andare a lezione   ○ non ho tempo   ○ fa freddo, è umido

○ fa caldo, c'è afa   ○ c'è troppa gente   ○ non sto bene   ○ ho un appuntamento

7. Dai, vieni con me!

a. Leggete le seguenti frasi, tratte perlopiù dalla telefonata. Poi abbinate le frasi ai significati,
come nell'esempio.

Va bene... incontriamoci fra due ore.   Sì, esatto.   Sì, tante volte, ma il cellulare era sempre spento.
~~Ci troviamo fra un'ora in palestra?~~   Pronto.   Facciamo due ore, dai...   Hai già provato a chiamarmi?
Allora alle sei qua sotto?

- -

Che cosa si dice per...

comunicare al telefono
▸ rispondere al telefono? ....
▸ chiedere a un amico se ha già chiamato prima? ....
▸ confermare di aver chiamato? ....

fissare un appuntamento
▸ proporre un'ora e un luogo per un incontro?   *Ci troviamo fra un'ora in palestra?*
▸ chiedere più tempo? ....
▸ concedere più tempo? ....
▸ chiedere conferma di un orario e di un luogo? ....
▸ confermare (un orario e/o un luogo)? ....

- -

b. Conoscete altre espressioni utili per fissare un appuntamento con un amico?

≡′ 5

c. *Lavorate in coppia. Fate un dialogo con i seguenti ruoli. Poi cambiate partner e ruolo e fate un nuovo dialogo.*

A

Stai preparando un esame importante. Sei indietro con il programma, hai paura e sei nervoso. A un certo punto ti telefona un amico e ti propone una pausa 'attiva', ma tu odi lo sport. Trova delle scuse per rifiutare le sue proposte. Alla fine, però, accettane una e fissa un appuntamento.

B

Un tuo amico sta preparando un esame importante. Studia molto, è nervoso e non esce mai. Telefonagli e proponigli una pausa 'attiva'. Lui odia lo sport: non accettare le sue scuse! Insisti, fai diverse proposte e convincilo. Alla fine, fissa un appuntamento.

L'imperativo – noi

parlare → **parliamo!**	fare → **facciamo!**	incontrarsi → **incontriamoci!**
vedere → **vediamo!**	bere → **beviamo!**	facciamo sport → **facciamolo!**
sentire → **sentiamo!**	dire → **diciamo!**	andiamo in piscina → **andiamoci!**

≡⁄ 6

8. Piacere o faticaccia?

a. *A gruppi di quattro. Per voi l'attività fisica è un piacere o una faticaccia?*
Segnate le vostre risposte, poi intervistate i compagni e segnate anche le loro risposte.

	io			
Faccio sport...				
...regolarmente.	●	●	●	●
...spesso.	●	●	●	●
...ogni tanto.	●	●	●	●
...praticamente mai.	●	●	●	●
L'attività fisica che pratico più volentieri è il/la...				
Faccio attività fisica...				
...perché mi piace.	●	●	●	●
...per tenermi in forma.	●	●	●	●
...per dovere.	●	●	●	●
...perché fa bene alla salute.	●	●	●	●
Quando faccio attività fisica il momento più piacevole è...				
...quando vedo i risultati.	●	●	●	●
...appena ho finito.	●	●		
...mentre mi alleno.				
Quando vedo una persona che fa jogging penso...				
...domani lo faccio anch'io!	●	●	●	●
...bravo/a!	●	●	●	●
...ma perché lo fa?	●	●	●	●

b. *In plenum. Mettete in comune le informazioni che avete raccolto. La vostra è una classe di sportivi o di sedentari? E qual è l'attività fisica più praticata?*

≡⁄ 7

9. Che male!

a. Che cosa possiamo dire quando non stiamo bene? Guardate il disegno e provate ad abbinare le parti del corpo alle espressioni elencate più sotto, come negli esempi. Poi controllate in plenum.

l'occhio
la testa
il dito
il naso
l'orecchio
la mano
il collo
la bocca / il labbro
la spalla
il seno
il braccio
il torace
la schiena
la pancia
il fianco
il sedere
la gamba
la caviglia
il piede
il ginocchio

Attenzione!

il braccio → **le** braccia
il dito → **le** dita
il ginocchio → **le** ginocchia
il labbro → **le** labbra
la mano → **le** mani
l'orecchio → **le** orecchie

Ho mal di schiena, d'orecchie, _____

_____

Mi fa male **la** schiena, l'orecchio destro/sinistro, **un** orecchio, _____

_____

Mi fanno male **le** orecchie, _____

_____

b. Guardate le immagini e completate le definizioni. Che cosa fate o che cosa fareste voi in queste situazioni? Parlatene in gruppo. Se volete, potete usare le seguenti espressioni.

| prendere uno sciroppo | mettere una pomata | prendere una pastiglia | mettersi la sciarpa |

andare dal dentista / dall'oculista / dal medico di base

❶

avere mal di denti

❷

avere la tosse

❸

_____

❹

avere mal di gola

❺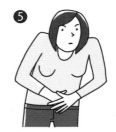

_____

❻

avere un'irritazione alla pelle

❼

avere freddo / avere i brividi

❽

avere il raffreddore / essere raffreddato

❾

avere una distorsione alla _____

❿

avere mal di stomaco

≜ **8, 9** Esempi: Io ho spesso mal di gola. Di solito prendo uno sciroppo e… / Se ho mal di gola, prendo uno sciroppo e… / Contro il mal di gola prenderei uno sciroppo e…

UNITÀ 1

▶‖ 1.3 ## 10. Mi dica!

a. Ascoltate i dialoghi e rispondete alle domande.

1. Dove si svolgono i dialoghi?

	dal medico	dal dentista	in farmacia	al pronto soccorso
dialogo 1	○	○	○	○
dialogo 2	○	○	○	○
dialogo 3	○	○	○	○

andare / essere
+ preposizione
da + persona
in/a + luogo

2. Che cosa hanno in comune le tre persone che chiedono consigli?

_____

b. Ascoltate di nuovo. Quali disturbi del punto 9b hanno queste persone?

dialogo 1 → n. _____

11. Ritorno al testo

dialogo 2 → n. _____   dialogo 3 → n. _____

▶‖ 1.4 *a. Completate i mini-dialoghi con le seguenti espressioni. Poi ascoltate e verificate.*

non si preoccupi   lo prenda   parli

● Allora le do uno sciroppo: _lo prenda_ ogni quattro ore. E _parli_ poco nei prossimi giorni.

■ Parlare poco? Ma io fra una settimana devo discutere la tesi di laurea!

● _Non si preoccupi_ !

chieda   la metta   mi dica   cerchi   senta

◆ Buongiorno, signor Giraldi. _Mi dica_ !

■ Buongiorno, dottoressa. _Senta_ , mi fa male la caviglia.

◆ Le do una pomata. _La metta_ due volte al giorno. E _cerchi_ di camminare poco.

■ Ma devo andare a fare un esame!

◆ _Chieda_ un passaggio al suo amico.

finisca   tenga   vada   guardi   ne prenda

● OK, allora _guardi_ : _tenga_ queste pastiglie. _Ne prenda_ una ogni sei ore. _Finisca_ pure di studiare, però dopo il test _vada_ dal dentista, mi raccomando.

b. Completate le tabelle come negli esempi.

L'imperativo formale: verbi regolari			
infinito	imperativo formale	infinito	imperativo formale
guardare		finire	
mettere	la metta	cercare	
sentire		preoccuparsi	

ALMA Edizioni

L'imperativo formale: verbi irregolari

infinito	imperativo formale	infinito	imperativo formale
andare		tenere	
fare	_faccia_	dire	

c. *In coppia, provate a completare la regola. Poi confrontate in plenum.*

- ▶ Verbi regolari in **-are**: parlare + _____ .
- ▶ Verbi regolari in **-ere** e **-ire**: chiedere / sentire + _____ .
- ▶ Verbi regolari con ampliamento in **-isc-**: finisco + _____ .
- ▶ Verbi irregolari: normalmente dalla 1a persona singolare
  dell'indicativo presente → dico + _____ .
- ▶ I pronomi e la particella **ne** stanno ○ prima del ○ dopo il verbo all'imperativo.
- ▶ La negazione sta ○ prima del ○ dopo il verbo all'imperativo.
- ▶ Forma negativa con pronome: _____ + pronome + _____ .

Forme irregolari

avere → **abbia**
bere → **beva**
dare → **dia**
essere → **sia**
sapere → **sappia**
stare → **stia**

12. Il tris antistress

a. *Giocate in coppia. A turno, ognuno sceglie un "consiglio dell'esperto" e lo esprime all'imperativo formale. Se la soluzione è corretta, il giocatore conquista la casella con quel consiglio; altrimenti la casella resta libera. Per ogni dubbio consultate l'arbitro (l'insegnante). Vince chi per primo conquista tre consigli in orizzontale, in verticale o in diagonale.*

Alternare lo studio con momenti di svago. Divertirsi un po'.	Fare esercizio fisico. Non farlo ogni tanto, ma con regolarità.	Programmare lo studio e non rileggere gli appunti all'ultimo momento.
Non restare sempre in casa. Pensare alle relazioni sociali e curarle.	Non saltare mai i pasti. Farli regolarmente e con calma.	Non esagerare con gli alcolici. Evitarli la sera prima di un esame.
Non prendere troppi impegni. Concedersi un po' di dolce far niente.	Riposare a sufficienza. Non dormire meno di 8 ore al giorno.	Non avere paura degli esami. Pensare positivo.

≝ 10, 11, 12, 13, 14, 15

b. *E ora riformulate le frasi con l'imperativo informale. A turno, ogni giocatore sceglie una casella conquistata dal compagno e riformula la frase, mentre l'altro ne controlla la correttezza.*

13. Che cosa mi consiglia?

Lavorate in gruppo. Ognuno scrive su due foglietti due diversi problemi (per esempio disturbi di salute, stress da esami ecc.). Poi piegate tutti i foglietti, mescolateli e metteteli sul banco. A turno ognuno estrae un foglietto e spiega al gruppo che problema ha. Ogni compagno assume il ruolo del medico o del farmacista e dà almeno un consiglio (Prenda...). Alla fine lo studente "tormentato" decide che cosa fare.

Esempio: Le consiglio di... / Secondo me dovrebbe... / Io al Suo posto...

→ Collaboriamo come tutor al progetto "Adotta uno studente Erasmus" della nostra università. Prepariamo una lista di consigli e poi scriviamo una 'Guida di benvenuto' per lo studente italiano che abbiamo 'adottato'.

Adotta uno studente

a. In gruppo. Pensate alla vostra università e alla città in cui studiate. Quali aspetti possono essere nuovi e magari problematici per uno studente italiano? Riflettete, per esempio, sui temi elencati qui sotto. Aggiungete tutti gli elementi che vi sembrano importanti (abitare, mangiare, divertirsi, rilassarsi...).

studiare

rapporti con i compagni di studio / con i professori

strutture universitarie
mensa
biblioteca

salute / fitness / relax

b. In plenum. Partendo dalle idee che avete raccolto, dividetevi i compiti per scrivere una 'Guida di benvenuto': assegnate a ogni gruppo un capitolo (per esempio: vivere la città; vivere l'università; non solo studio: sport e relax...).

c. In gruppo. Scrivete il vostro capitolo formulando dei consigli, per esempio: «Se vuoi fare sport, vai / non andare...».

d. Ogni gruppo presenta il suo capitolo e gli altri aggiungono delle idee, se vogliono. Potete anche unire i capitoli e preparare una breve guida per il vostro studente italiano.

Benvenuto

1. Il periodo ipotetico della realtà

Il periodo ipotetico è formato da una condizione e dalla sua conseguenza. Si parla di periodo ipotetico della realtà quando sia la condizione che la conseguenza sono ritenute realizzabili. La condizione è introdotta da **se**. Il periodo ipotetico della realtà si forma nei seguenti modi:

	condizione	conseguenza
Se **sono** triste, **ascolto** musica.	**se** + presente +	presente
Se **sei** stanco, **fai** una pausa!	**se** + presente +	imperativo

2. Bisogna, avere bisogno e ci vuole

I verbi seguenti esprimono una necessità:

Se si è sotto pressione, **bisogna** dormire a sufficienza.

bisogna	è seguito da un verbo all'infinito, è sempre alla terza persona singolare, non può essere coniugato in un tempo composto.

Non **occorre** rinunciare alla cioccolata.

occorre	al posto di **bisogna** può essere usato **occorre**.

Ogni tanto **ci vuole** una pausa.
Ci vogliono almeno 30 minuti di movimento al giorno.
Ci sono volute otto ore di sonno per recuperare le energie.

volerci	è seguito da un sostantivo (raramente da un avverbio), è alla terza persona singolare o plurale a seconda del sostantivo che segue. Nei tempi composti la desinenza del participio concorda con il sostantivo che segue.

Se sei depresso, non **hai bisogno di** farmaci, ma di un buon amico.
Se siamo stressati, **abbiamo bisogno di** dormire.

avere bisogno di	si riferisce al soggetto della frase ed è seguito da un sostantivo o da un verbo all'infinito.

3. Sostantivi e aggettivi in una frase impersonale

Se si è stressati, bisogna assolutamente dormire a sufficienza.
Se si è medici, si conoscono molti rimedi contro lo stress.

In una ipotetica impersonale, i sostantivi e gli aggettivi usati dopo il verbo essere sono alla forma plurale.

4. Forme plurali irregolari

Mario ha le **braccia** muscolose.

Alcuni sostantivi sono maschili al singolare e femminili al plurale.

Al plurale hanno una desinenza irregolare in **-a**.

il braccio → le braccia	il labbro → le labbra
il dito → le dita	il ginocchio → le ginocchia

ma anche:

l'uovo → le uova, il paio → le paia

Osservate: la mano → le mani.

Alcuni di questi sostantivi hanno anche una forma plurale in **-i** con un significato però diverso.

Per esempio: i bracci, i labbri

5. L'imperativo (Lei e noi)

Vada dal dentista!   **Andiamo** in piscina!

L'imperativo si usa per dare consigli e istruzioni.

verbi regolari				
	parlare	prendere	sentire	pulire
(Lei)	parli	prenda	senta	pulisca
(noi)	parliamo	prendiamo	sentiamo	puliamo

L'imperativo della prima persona plurale (*noi*) è identico all'indicativo presente nella stessa persona.

verbi irregolari										
	andare	avere	dare	dire	essere	fare	sapere	stare	tenere	venire
(Lei)	vada	abbia	dia	dica	sia	faccia	sappia	stia	tenga	venga

I verbi con un presente indicativo irregolare sono irregolari anche alla terza persona singolare dell'imperativo (bevo → beva).

Non cammini per un po' di tempo!   **Non parliamo** degli esami, per favore!

L'imperativo negativo della forma di cortesia (*Lei*) e della prima persona plurale (*noi*) si forma con **non** + imperativo.

Forma di cortesia (Lei)

Le do uno sciroppo: **lo prenda** ogni quattro ore!

Non **si preoccupi**!

Quante pastiglie prendo? – **Ne prenda** tre!

Devo andare dal dentista? – Sì, **ci vada** subito!

I pronomi oggetto atoni, i pronomi riflessivi e le particelle **ci** e **ne** vanno prima del verbo.

Signora, oggi in palestra **non ci vada**. È chiusa.

Con l'imperativo negativo i pronomi sono tra la negazione **non** e il verbo.

Prima persona plurale (noi)

Dai, facciamo un po' di jogging! – Va bene, **facciamolo! Incontriamoci** fra due ore!

Quante noci compriamo? – **Compriamone** un chilo.

Andiamo in piscina? – **Andiamoci** domani, dai!

I pronomi oggetto atoni, i pronomi riflessivi, **ci** e **ne** si uniscono alla seconda persona singolare dell'imperativo.

Vengo anch'io in piscina, ma non **andiamoci** oggi!

Con l'imperativo negativo i pronomi sono di solito uniti all'infinito.

VIAGGIANDO S'IMPARA

In questa unità impariamo a...
...parlare di viaggi e vacanze
...descrivere abitudini di viaggio
...indicare vantaggi e svantaggi
...raccontare un'esperienza

➜ In questa unità scriviamo
un 'galateo' dell'ospitalità
e poi scriviamo un'e-mail
a un amico italiano che
vuole viaggiare nel nostro
Paese.

1. Sì, viaggiare!

a. *Guardate le foto: quale corrisponde di più al genere
di vacanza che preferite? Perché? Parlatene in gruppo.*

b. *Quali parole vi vengono in mente quando pensate a un viaggio?
Raccoglietele in questo schema.*

viaggiare

c. Scrivete i nomi degli oggetti sotto le foto. Poi parlate con un compagno: quali di questi oggetti sono più utili per voi quando viaggiate?

costume da bagno   guanti   macchina fotografica   patente   zainetto   sacco a pelo   spazzolino
crema solare   occhiali da sole   sci   guida turistica   occhiali da sub   marsupio   passaporto

1. zainetto   2. macchina fotografica   3. occhiali da sub   4. guanti   5. patente   6. costume da bagno

7. sacco a pelo   8. occhiali da sole
9. sci   10. passaporto   11. marsupio   12. crema solare   13. spazzolino   14. guida turistica

d. Ripensate al tipo di vacanza che preferite: ne avete mai fatta una di questo genere in Italia? Se sì, dove siete stati? Quando? Con chi? Se no, c'è un posto in cui vi piacerebbe farla? Perché? Parlatene in gruppo.

▶II 1.5 ## 2. Dove siete state?

a. Ascoltate la conversazione: secondo voi, chi sono le persone che parlano? Dove si trovano? Di che cosa parlano? Cercate di capire e poi confrontatevi con un compagno.

b. Ascoltate di nuovo e segnate le risposte esatte.

1. Una delle ragazze ha...
○ visto un film.   ○ letto un libro.   ○ ascoltato una canzone.   ⊗ visto un video.

...e perciò insieme hanno deciso di...
○ visitare una chiesa famosa.   ○ vedere dei monumenti.
⊗ andare a un concerto.   ○ visitare molte piazze.

2. Le ragazze sono state a ___Roma___ per ___5___ giorni.

3. Le ragazze...   ○ hanno visitato il luogo con una guida turistica.
○ hanno girato da sole.   ○ hanno visitato tutti i luoghi 'obbligatori' per i turisti.
⊗ hanno gustato la buona cucina.   ⊗ si sono godute la vacanza senza stress (o quasi).

3. Mi è venuta voglia di andarci

Lavorate in gruppo. Pensate a un viaggio che avete fatto. Ognuno scrive su un foglietto una frase, come negli esempi. Poi piegate tutti i foglietti, metteteli sul banco e mescolateli. A turno ognuno prende un foglietto, legge ad alta voce la frase e prova a indovinare chi l'ha scritta. Poi raccontate qualcosa di quel viaggio (quando? con chi? che cosa avete fatto / visto?).

Esempi: In televisione hanno parlato del Festival Umbria Jazz
di Perugia e mi è venuta voglia di andarci.

≡⁄ 3   Volevo vedere / visitare…

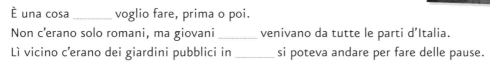

4. Ritorno al testo

▶II 1.6   *a. Ascoltate una parte del dialogo e completate le frasi con che o cui.*

È una cosa _____ voglio fare, prima o poi.

Non c'erano solo romani, ma giovani _____ venivano da tutte le parti d'Italia.

Lì vicino c'erano dei giardini pubblici in _____ si poteva andare per fare delle pause.

b. A che cosa si riferiscono i pronomi relativi che e cui in ogni frase?
   Evidenziate le parole e poi completate la regola.

I pronomi relativi *che* e *cui*
Il pronome relativo _____ si usa come soggetto e come complemento oggetto diretto.
Il pronome relativo _____ si usa con una preposizione.
Che e cui   ○ cambiano forma.   ○ restano sempre uguali.

5. Che o cui?

In coppia. A turno completate le frasi con che o cui + preposizione. Potete scegliere di volta in volta una frase senza seguire l'ordine. Ogni frase corretta vale un punto. Vince chi ottiene più punti.

che	a cui	con cui	di cui	in cui	per cui

1. Ho fatto un viaggio *che* mi è piaciuto molto.
2. Il viaggio *di cui* mi ha parlato Carlo è durato un mese.
3. Ti presento i ragazzi _____ ho viaggiato quest'estate.
4. Ho alloggiato in un bed and breakfast *che* ho prenotato online.
5. Ora ti mostro i video dei posti *in cui* sono stato in vacanza.
6. Il motivo *per cui* si viaggia è la voglia di scoprire cose nuove.
7. Ho prenotato il viaggio *che* voglio regalare a Maria: è una sorpresa.
8. Queste sono le foto dell'escursione *a cui* ho partecipato.
9. L'Italia è un Paese *in cui* sono andato già molte volte.

≡⁄ 4   10. Viaggia 'leggero'! Porta con te solo le cose *di cui* hai veramente bisogno.

6. E tu, come viaggi?

Rispondete al questionario e poi intervistate i compagni: con chi avete più punti in comune?
Con chi potreste fare un viaggio?

1. Perché viaggi? Per... (max 2 risposte)
- ● riposarmi
- ● svago / divertimento *leisure*
- ☒ fare nuove esperienze
- ● visitare posti nuovi
- ● dedicarmi alle mie attività preferite (sport, cultura, concerti ecc.)
- ● altro: _____

2. Con chi viaggi di solito?
- ● da solo/a
- ● con il mio ragazzo / la mia ragazza
- ☒ con gli amici
- ● con la famiglia
- ● in gruppo (associazione / gruppo organizzato sportivo, culturale, religioso, politico, di volontariato)
- ● altro: _____

3. Con quali mezzi di trasporto preferisci viaggiare?
- ☒ in macchina
- ● in nave
- ☒ in aereo
- ● in treno
- ● in autostop
- ● in moto
- ● altro: _____

4. Quali sono i prossimi luoghi che desideri visitare? Perché?
Nel tuo Paese: highlands
All'estero: Sicilia

5. Quale genere di viaggio ti piacerebbe fare prossimamente?
- ● viaggio nella natura (aree protette, escursionismo, agriturismo)
- ● viaggio sportivo / d'avventura (trekking, rafting, arrampicata, cicloturismo, ecc.)
- ☒ viaggio culturale (tour archeologici, città d'arte, ecc.)
- ☒ tour enogastronomico
- ● altro: _____

6. Oltre ai vestiti, che cosa non manca mai nella tua valigia / nel tuo zaino?
- ☒ il portafoglio
- ● l'e-book reader
- ☒ un libro
- ● la macchina fotografica
- ● il diario di viaggio
- ● altro: un telefono

(adattato da: https://it.surveymonkey.com/r/indaginegiovanieviaggi)

≡ 5

7. Viaggia e...

a. Leggete il testo. Quale tipo di viaggio propone?

> **Chi** mette a disposizione le **proprie** capacità...
> **proprio** = *suo* quando il soggetto è indefinito

BED and LEARN

Vuoi viaggiare a basso costo?
Bed and Learn è una piatta- *platform*
forma digitale, lanciata in
Italia, che permette di rispar-
5 miare sulle spese di alloggio, vitto e guida *food*
turistica. Come? Mettendo a disposizione le
proprie conoscenze in cambio di ospitalità.

L'idea è dedicata, ad esempio, a chi sa
insegnare una lingua, a chi è bravo con i
10 lavori manuali, agli artisti o alle persone
che sanno suonare uno strumento. In poche
parole, a chi ha qualcosa di interessante
da insegnare e a chi vuole offrire gratuitamente vitto e/o alloggio.

15 Chi mette a disposizione le proprie capacità riceve ospitalità gratuita in cambio dei
propri insegnamenti. Chi invece, ad esempio, vuole imparare a cucinare, a suonare
o a usare bene il computer, oppure chi ha
20 bisogno di una babysitter, di un idraulico
o di un imbianchino, può ospitare persone *house painter*
che gli offrono l'insegnamento o il servizio
di cui ha bisogno.

Si può scegliere di ospitare a casa propria,
25 ma si può anche decidere di far alloggiare
il proprio insegnante in un bed & breakfast
o in un hotel. Si può anche pensare di
offrire il vitto e di fare da guida turistica.

Anche le aziende possono utilizzare Bed
30 and Learn per trovare gli esperti di cui
hanno bisogno, ad esempio per organizzare
dei corsi di lingue, di sicurezza, di comunicazione, di marketing o di coaching.

Bed and Learn non è solo un modo per
35 viaggiare a basso costo risparmiando sulle *saving up*
spese di alloggio, è anche un mezzo per
conoscere la cultura, le usanze e le abitudini di un Paese vivendo e condividendo
un momento e un'esperienza con le persone
40 del posto.

Bed and Learn vuole aiutare a sostenere,
anche in tempo di crisi, il bisogno di conoscere, di viaggiare, di esplorare e di imparare innato in ognuno di noi.

(adattato da: https://www.greenme.it/viaggiare/eco-turismo/18912-bed-and-learn-ospitalita-insegnamento/ Marta Albè e www.nomadidigitali.it/ Alberto Mattei)

b. Rileggete il testo e abbinate le seguenti parole ai loro significati.

alloggio (riga 5)	che non si paga
vitto (r. 5)	che si ha per natura
gratuita (r. 16)	luogo in cui si abita per breve tempo
idraulico (r. 20)	persona che dipinge le pareti
imbianchino (r. 21)	tradizioni e usi tipici
usanze (r. 37)	cibo
innato (r. 44)	persona che ripara gli impianti dell'acqua

strana

c. È un'idea che fa per voi? Perché? Parlatene con un compagno.

vitto e alloggio - bed and board

d. *Secondo voi, per chi non va bene il Bed and Learn? Parlatene con un compagno e scrivete almeno tre frasi come nell'esempio. Confrontate poi in plenum.*

≡ 6, 7,
8   Esempio: Non va bene per chi ama i viaggi organizzati.

8. Occhio alla lingua!

a. *Leggete le seguenti frasi e provate a completare la regola. Poi cercate nel testo le altre frasi con un gerundio. Qual è, secondo voi, la funzione prevalente?*

Con Bed and Learn si viaggia a basso costo **mettendo** a disposizione le proprie conoscenze.
Puoi offrire conoscenze **iscrivendoti** alla piattaforma e **inserendole** nel tuo profilo.

Il gerundio
Le forme evidenziate sono verbi al gerundio. Questo modo può avere diverse funzioni, per esempio **modale** (= come?), **temporale** (= ~~quando~~ ?) o **causale** (= ~~perché~~ ?).
Il gerundio si usa in frasi ○ principali.   ○ secondarie.
Il suo soggetto di solito è ☒ uguale a quello   ○ diverso da quello della frase principale.   della frase principale.

b. *Osservate la seconda frase del punto 8a. Individuate e sottolineate i due pronomi. A che cosa si riferiscono? Che cosa notate riguardo alla loro posizione? Parlatene con un compagno.*

9. Viaggiando viaggiando

a. *Completate le frasi con il gerundio dei verbi fra parentesi e scegliete le risposte adatte a voi.*

1. Come organizzi i tuoi viaggi?
○ Da solo, ~~navigando~~ in Rete. (navigare)
○ ~~chiedendo~~ consigli agli amici. (chiedere)
○ ~~Rivolgendomi~~ a un'agenzia viaggi. (rivolgersi)
○ Altro: _____ .

2. Come scegli gli alloggi adatti?
○ ~~Confrontando~~ i prezzi e ~~scegliendoli~~ sempre economici. (confrontare – sceglierli)
○ ~~Tenendo~~ conto dei servizi e del rapporto qualità / prezzo. (tenere)
○ ~~Informandomi~~ sulle strutture e ~~selezionandole~~ in base all'impegno ambientale.
(informarsi – selezionarle)
○ Altro: _____ .

3. Come prepari il programma di un viaggio?
○ Non lo preparo: preferisco viaggiare ~~vivendo~~ l'avventura. (vivere)
○ ~~Leggendo~~ guide turistiche. (leggere)
○ _____ l'itinerario e _____ sulla carta geografica.
(programmare – segnarlo)
○ Altro: _____ .

≡ 9, 10 b. *E adesso, in coppia, intervistatevi a vicenda usando le domande del punto 9a. Avete qualcosa in comune?*

10. Viaggiando s'insegna, ospitando s'impara

a. *Dividetevi in due gruppi: i membri del gruppo A vogliono viaggiare in Italia insegnando e quelli del gruppo B sono italiani che vogliono ospitare qualcuno imparando. Ogni membro del gruppo prepara su un foglio il proprio profilo per la pagina web. Il gruppo A guarda l'esempio qui sotto, il gruppo B guarda a p. 110.*

● ● ●   Ospita e impara

OSPITAMI E IMPARA!   f 🐦   🔍

LUCA25
*vuole **viaggiare insegnando** in Italia*

Contatta utente

Da	10/06	A	10/09
Offre abilità come insegnamento	*Conversazione in tedesco, Qi Gong, Sport individuali e di squadra*	**Offre abilità come servizio**	*Sport individuali e di squadra, Personal trainer*
Cerca	*Ospitalità*	**Lingua preferita**	*Italiano o tedesco*
Ore da condividere al giorno	5		
Descrizione	Ciao a tutti! Mi chiamo Luca, sono di Berlino, ho 25 anni e sono laureato in Scienze motorie. Vorrei trascorrere un periodo all'estero viaggiando e insegnando. In particolare, vorrei girare in lungo e in largo l'Italia, che è anche la terra dei miei nonni. Amo tutte le attività sportive e la natura.		

b. *Mettete ora i profili del gruppo A su un banco e quelli del gruppo B su un altro. Leggete i profili dell'altro gruppo: chi ha l'offerta che vi interessa di più? Trovate la persona e discutete i dettagli.*

11. Dove alloggiavate?

▶ll 1.7 a. *Vi ricordate Caterina e Franziska? Secondo voi, quale tipo di alloggio hanno scelto le due studentesse per la loro vacanza romana? Parlatene in coppia. Poi ascoltate e verificate.*

○ ostello

○ casa di un amico   ○ albergo   ○ bed and breakfast   ○ Bed and Learn   ○ couchsurfing

▶ll 1.7 b. *Come funziona questo modo di viaggiare? E qual è la cosa più importante? Ascoltate di nuovo e poi scambiate tutte le informazioni raccolte con un compagno diverso da quello del punto 11a.*

c. *E voi quale tipo di alloggio preferite, generalmente, in città? E quale nella natura? Perché? Parlatene in gruppo aiutandovi con le espressioni del punto 11a e quelle elencate qui sotto.*

≡✓ 11   appartamento in affitto   agriturismo   villaggio turistico   campeggio

12. Ritorno al testo

▶II 1.8 *a. Ascoltate e completate.*

● ...e così _____ un
ragazzo che ci _____ ospitare tutte e
due. _____ anche a prenderci
all'aeroporto.

■ Eh, che servizio!

● Sì, pensa: _____ le undici e
mezza, di sera.

■ Però!

● E poi _____ per noi.

▲ _____ molto gentile.

■ Ma _____ la vostra età?

▲ No, _____ più grande.

● _____ ... quindici anni più di noi...
più o meno...

■ Mhm... E come _____ la convivenza?
Per esempio, _____ le chiavi
di casa?

● Sì, _____ andare e venire
quando _____ . E di solito
_____ presto e _____
tardi.

▲ Lui _____ abbastanza.

b. In coppia. Confrontate e poi riflettete: che tempo del passato si usa per...

▸ ...descrivere una situazione? _____

▸ ...descrivere il modo di essere di una persona? _____

▸ ...raccontare un'azione abituale? _____

▸ ...raccontare singole azioni concluse / fatti compiuti? _____

13. Un'esperienza entusiasmante

▶II 1.9 *a. Provate a completare il dialogo fra Giacomo, Caterina e Franziska con il passato prossimo o l'imperfetto dei seguenti verbi (nell'ordine). Poi ascoltate e verificate.*

essere	andare	rimanere	esserci	esserci	esserci	venire	durare
iniziare	durare	suonarla	essere	essere			

■ Ciao, ragazze. Come va? Ho sentito che
_____ a Roma.

● Sì, per il fine settimana del primo maggio.

■ Ah! Allora magari _____
al concertone...

▲ Esatto!

■ E quanti giorni _____ ?

● Cinque. Tanto _____
il ponte.

■ E al concerto _____ tanta
gente?

▲ Sì, tantissima. Soprattutto giovani.

● E non _____ solo romani,
ma giovani che _____
da tutte le parti d'Italia.

■ Ah, bello! E quanto _____ ?

● Tutto il giorno. _____ verso
le tre, credo, e poi _____
fino a mezzanotte.

■ Mhm... E *Bella ciao*?

● _____ due volte: all'inizio
e alla fine.

▲ E verso la fine noi _____
vicino al palco.

■ Uauh!

● Guarda, _____ un'esperienza
entusiasmante.

≝ **12, 13, 14,** *b. In gruppo raccontatevi un'esperienza entusiasmante (un concerto, un viaggio, una festa...).*
   15, 16, 17 *Dove eravate? Quando? Con chi? Cos'è successo? Perché vi è piaciuta?*

14. Vantaggi e svantaggi

a. Abbinate le seguenti espressioni alle funzioni indicate più sotto.

> secondo me...   sì, però...   per me...   è vero, ma...   sono d'accordo
> non sono d'accordo   sì, anche secondo me...   secondo me, invece...

Cosa si dice per...
▸ introdurre la propria opinione? ....
▸ indicare accordo? ....
▸ indicare disaccordo? ....
▸ indicare accordo con limitazioni? ....

b. Ripensate all'esperienza di viaggio di Caterina e Franziska. Secondo voi, quali possono essere
   gli aspetti positivi e quali gli aspetti negativi del couchsurfing? Lavorate in coppia e preparate
   una lista di vantaggi e una di svantaggi.

vantaggi

svantaggi

c. Formate delle nuove coppie. Confrontate le vostre liste e ditevi con quali aspetti siete d'accordo
   e con quali no, motivando le vostre opinioni con l'aiuto delle espressioni elencate al punto 14a.
≝ **18** *Alla fine fate un bilancio: il couchsurfing vi attira o no? Perché?*

15. Si impara...

Secondo voi, che cosa si può imparare da un'esperienza di viaggio o di studio
all'estero? Parlatene in gruppo. Poi raccogliete le idee in plenum.

a conoscere la gente   ad avere fiducia
del posto   negli altri
              ┌──────────────────────┐
         ─────┤ Viaggiando / Studiando ├─────
         ─────┤   all'estero si impara... │─────
              └──────────────────────┘

≝ **19**

> ⇒ In questa unità prepariamo un 'galateo' dell'ospitalità e poi scriviamo un'e-mail a un amico italiano che vuole viaggiare nel nostro Paese.

Ospiti in casa d'altri

a. Immaginate di gestire un sito web che permette di offrire e chiedere ospitalità. Quali regole di comportamento stabilireste per chi offre ospitalità e quali per chi la riceve? Che cosa è importante nel vostro Paese? Che cosa si dovrebbe fare? Che cosa si dovrebbe evitare? E che cosa è importante, secondo voi, in Italia? Raccogliete idee in gruppo.

b. In plenum. Ogni gruppo presenta le proprie idee. Poi, tutti insieme, preparate il 'galateo dell'ospitalità': scrivete due liste di regole, una per chi offre e una per chi riceve ospitalità.

CHI OFFRE OSPITALITÀ	CHI RICEVE OSPITALITÀ

c. Partendo dal vostro 'galateo', scrivete ora un'e-mail a un amico italiano che vuole fare couchsurfing nel vostro Paese e dategli dei consigli su come comportarsi.

Messaggi

ALMA Edizioni

1. I pronomi relativi *che* e *cui*

I pronomi relativi sostituiscono un nome e servono a unire due frasi. I pronomi relativi *che* e *cui* sono invariabili e possono riferirsi sia a persone che a cose.

C'erano giovani **che** venivano da posti diversi d'Italia.
Bella ciao è la canzone **che** hanno suonato due volte.

Lì vicino c'erano dei giardini pubblici **in cui** si poteva andare per fare delle pause.

Che si usa solamente come soggetto o complemento oggetto diretto (senza preposizione).

Cui si usa come complemento indiretto ed è preceduto quindi da una preposizione.

2. Il pronome relativo *chi*

Chi mette a disposizione le proprie capacità riceve ospitalità gratuita.
L'idea è dedicata a **chi** ha qualcosa di interessante da insegnare.

Accanto alla sua funzione di interrogativa **chi** può assumere la funzione di pronome relativo. Rimane invariabile e si riferisce solo a persone. Dopo **chi** il verbo che segue è sempre al singolare.

3. L'aggettivo possessivo *proprio*

maschile	femminile
il proprio profilo	la propria casa
i propri profili	le proprie conoscenze

Proprio è un aggettivo e quindi concorda in numero e caso con il nome che segue.

Si può ospitare a casa **propria** o far alloggiare il **proprio** insegnante in un bed & breakfast o in un hotel.
Bisogna scrivere il **proprio** profilo.

Proprio è usato con la particella **si** e le espressioni impersonali **bisogna** e **occorre** al posto di **suo**.

Chi mette a disposizione le **proprie** capacità.

Proprio viene inoltre usato al posto di **suo** quando il soggetto della frase è un pronome indefinito (p.e. **ognuno, nessuno, tutti**) oppure con il pronome relativo **chi**.

Maria va in vacanza con un amico e **il suo** cane. (*suo* = il cane dell'amica)
Maria va in vacanza con un amico e **il proprio** cane. (*proprio* = il cane di Maria)

Proprio può inoltre essere usato al posto di **suo** per evitare equivoci quando il proprietario in questione non è univoco.

4. Il gerundio presente

Il gerundio è un modo verbale indefinito (come l'infinito) che è possibile usare quando
una frase ha una stretta relazione con la frase principale.
Di solito le due frasi hanno lo stesso soggetto e le azioni si svolgono contemporaneamente.
Poichè le forme del gerundio sono invariabili, è il verbo della frase principale che indica
a quale soggetto e a quale tempo si riferisce il gerundio.

Con *Bed and Learn* si viaggia a basso costo **mettendo** a disposizione le proprie conoscenze.
Sapendo cucinare bene, offro un corso di cucina.
Tornando dal viaggio ho incontrato un amico.

Il gerundio può avere molteplici funzioni: quella modale, causale o temporale.

Puoi offrire conoscenze **iscrivendoti** alla piattaforma e **inserendole** nel tuo profilo.

I pronomi atoni oggetto, i pronomi riflessivi, **ci** e **ne** si uniscono al gerundio.

5. L'uso dell'imperfetto e del passato prossimo

In italiano, quando si racconta qualcosa al passato, si usa il passato prossimo per riferire
quello che è successo e l'imperfetto per descrivere la situazione, il contesto.

Si usa l'imperfetto	Si usa il passato prossimo
▶ per riferire un'azione del passato di durata indeterminata: La gente **cantava** questa canzone...	▶ per raccontare un fatto concluso: **L'hanno cantata** due volte, all'inizio e alla fine. Il concerto **è durato** fino a mezzanotte.
▶ per raccontare azioni abituali: Di solito **uscivamo** presto e **tornavamo** tardi.	▶ per riferire un'azione avvenuta una sola volta: Il ragazzo **ha cucinato** la pasta per noi.
▶ per raccontare azioni ripetute regolarmente: **Andavamo** e **venivamo** quando **volevamo** noi.	▶ per raccontare una sequenza di singole azioni: **Abbiamo girato** un po' per Roma. **Siamo salite** sulla cupola di San Pietro, **abbiamo mangiato**, **abbiamo preso** l'aperitivo, **abbiamo visitato** dei luoghi turistici.
▶ per descrivere situazioni nel passato, così come per descrivere persone, stati d'animo, paesaggi e circostanze: Il primo maggio è festa e quindi **avevamo** un po' di tempo. **Erano** le undici e mezza, di notte. Al concerto **c'era** tantissima gente. Il ragazzo **era** gentile e simpatico, ma la sua casa **era** orribile.	▶ per raccontare un fatto nuovo, un cambiamento nella vita di una persona: Era difficile trovare ospitalità perché per il primo maggio c'era tanta gente in giro, ma poi un ragazzo ci **ha risposto**.

ALMA Edizioni

RACCONTAMI UNA STORIA!

In questa unità impariamo a...

...parlare di film e di libri

...esprimere la vostra opinione su un film

...fare una proposta e una controproposta

...fare paragoni

...raccontare esperienze passate

1. Passatempi culturali

a. In coppia. Guardate le foto: che attività rappresentano
e a quali delle seguenti parole le associate? Aggiungereste
delle parole?

➔ In questa unità progettiamo
una campagna pubblicitaria
per promuovere la lettura
fra i giovani.

fantasia   ritmo   movimento   relax   creatività

divertimento   apprendimento   comunicazione   viaggio

b. Quali altre attività culturali vi vengono in mente? Raccogliete le idee in plenum.

c. In piccoli gruppi. Fra le attività che avete elencato, quali preferite? Quali fanno
parte della vostra vita? Perché? Parlatene e scoprite se avete qualcosa in comune.

2. Che genere di film è?

a. Abbinate i generi cinematografici alle definizioni corrispondenti, come nell'esempio.

> **Parole del cinema**
>
> trama = sintesi delle vicende raccontate
> in bianco e nero ↔ a colori
> film muto = senza audio

film drammatico   film dell'orrore   ~~giallo~~   film di fantascienza
film storico   film fantasy   commedia

1. Un film che racconta un delitto e la ricerca del colpevole è un _giallo_.
2. Un film che racconta una storia tragica è un _film drammatico_.
3. Un film che si occupa di fatti avvenuti nel passato è un _film storico_.
4. Un film che racconta avventure fantastiche e ispirate alla mitologia nordica o alle fiabe di magia è un _film fantasy_.
5. Un film con una trama divertente è una _commedia_.
6. Un film che racconta avventure fantastiche e ispirate alla tecnologia moderna è un _film di fantasciema_.
≡ 2 7. Un film che fa paura è un _film dell'orrore_.

b. Leggete i seguenti titoli: che genere di film vi aspettate? Quali storie potrebbero raccontare? Parlatene con un compagno.

IL RAGAZZO INVISIBILE

IO & TE

I NOSTRI RAGAZZI

PERFETTI SCONOSCIUTI

IO SONO LI

c. Ora leggete queste brevi recensioni e abbinatele ai titoli dei film (attenzione: c'è un titolo in più). Poi confrontate in plenum: avete indovinato? I film corrispondono alle vostre aspettative?

a. Alcuni amici (tre coppie e un single) riuniti a cena provano a fare un gioco: mettere gli smartphone sul tavolo e condividere i messaggi e le chiamate che arrivano. Paolo Genovese, qui regista e sceneggiatore, affronta così il ruolo dei nuovi media nella nostra vita: strumenti insostituibili, ma non sempre affidabili, che contengono i nostri dati più personali. Dei bravi attori e una sceneggiatura credibile disegnano tipi umani ben riconoscibili, con molti riferimenti alla realtà italiana contemporanea: lavoro precario, legami spesso deboli e sogni impossibili.

IL RAGAZZO INVISIBILE

b. Michele è un adolescente che vive con la mamma e non è molto brillante: anche Stella, la ragazza di cui è innamorato, lo ignora. Ma un giorno Michele scopre di avere un potere speciale: nessuno lo vede. Inizia così l'avventura più incredibile della sua vita. Con un protagonista che per nome ed età ricorda quello di *Io non ho paura*, Gabriele Salvatores ci propone di nuovo una storia di formazione costruita con fantasia.

IO SONO LÌ

c. Shun Li viene dalla Cina e lavora per pagare il debito e i documenti necessari per far arrivare in Italia anche suo figlio. A Chioggia, una cittadina della laguna veneta, fa la barista in un'osteria dove conosce Bepi, un pescatore di origini slave. Ma la loro amicizia non piace né alla comunità cinese né agli italiani.

d. Lorenzo è un ragazzo introverso e solitario: le regole della vita sociale sono per lui incomprensibili. Un giorno dice di andare a sciare con i compagni di classe e invece si nasconde nella cantina di casa, con un po' di cibo e le sue letture preferite. Ma all'improvviso arriva una sconosciuta (o quasi) e la sua presenza cambia tutto.

≝ 3   *d. Quale dei quattro film vi piacerebbe vedere? Perché? Parlatene in coppia.*

Attenzione!

conosciuto ↔ **s**conosciuto
vantaggio ↔ **s**vantaggio
Con **s-** si forma spesso il contrario di aggettivi e nomi.

3. Il mondo del cinema

a. Chi partecipa alla realizzazione di un film? Trovate tre professioni nel testo a del punto 2c e scrivetele sotto i disegni.

1. attori

2. regista

3. produttore

4. sceneggiatore

b. Avete delle attrici e/o degli attori preferiti? Chi sono? Quali loro film avete visto? Parlatene in gruppo: dite di che genere sono i film e raccontate brevemente la trama. Potete usare le espressioni qui sotto.

titled
Il film si intitola...   Il film è ambientato in / a... nel...   La storia si svolge...   È un film su...
                          set   takes place
Il / La protagonista è... / I protagonisti sono...   Un personaggio importante è...

≝ 4   Il mio attore preferito / La mia attrice preferita interpreta il personaggio di...

4. Ritorno al testo

a. Completate le espressioni come negli esempi.

un film *realizzabile* con pochi soldi   = un film che si può realizzare con pochi soldi
un tipo umano *riconoscibile*   = un tipo umano che non si può conoscere
uno strumento *insostituibile*   = uno strumento che non si può sostituire
una spesa *insostenibile*   = una spesa che non si può sostenere

b. Gli aggettivi in -bile derivano perlopiù da verbi. Come si formano? Completate la regola.

Gli aggettivi in *-bile*
In genere i verbi in **-are** perdono **-are** e prendono il suffisso _____ .
In genere i verbi in **-ere/-ire** perdono **-ere/-ire** e prendono il suffisso _____ .
Per la forma negativa si mette _____ all'inizio della parola.

c. Leggete i seguenti aggettivi e formulate la regola.

| imperdibile | irraggiungibile | illeggibile | immangiabile | imbattibile |

bevibile
comprensibile
fattibile
possibile
visibile

Il prefisso *in-*

in-		im-		_____ , _____ , _____ .
in-	diventa	il-	davanti a	_____ .
in-		ir-		_____ .

5. Incredibile?

Formulate delle domande usando gli aggettivi in -bile corrispondenti alle seguenti definizioni, come nell'esempio. Fate quindi le domande a un compagno e rispondete alle sue: avete qualcosa in comune?

Esempio: un film che non si può guardare → Qual è per te un film inguardabile?

1. un film che non si può perdere → *imperdibile* _____
2. un attore che non si può superare → _____
3. un concerto che non si può dimenticare → _____
4. un libro che non si può leggere → _____
5. una bevanda che non si può bere → _____
6. un sogno che non si può realizzare → _____
7. una città in cui non si può vivere → _____

6. Ritorno al testo

a. Al punto 2c avete trovato i seguenti esempi di superlativo relativo. Completateli con l'aiuto dei testi a e b. Come si forma questo tipo di superlativo?

...strumenti che contengono ____ nostri dati ____ personali.
Inizia così ____ avventura ____ incredibile ____ sua vita.

b. Lavorate in coppia. A turno, ognuno formula una frase usando i seguenti vocaboli come nell'esempio. Il compagno dice se è d'accordo o no.

| film | regista | artista | cantante | canzone | teatro | museo |
| musicista | monumento | piazza | città | attore / attrice |

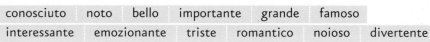

| conosciuto | noto | bello | importante | grande | famoso |
| interessante | emozionante | triste | romantico | noioso | divertente |

● Secondo me, il film italiano più conosciuto è *La vita è bella*.
■ Anche secondo me. / No, secondo me invece...

▶II 1.10 **7. Chi sono?**

a. Ascoltate la conversazione. Secondo voi, chi sono Marina, Matteo e Alice?
Parlatene con un compagno.

b. Qual è il motivo della discussione? Ascoltate di nuovo e poi parlatene con un compagno.
Capita anche a voi, ogni tanto, di trovarvi in situazioni di questo genere?

8. Ritorno al testo

▶II 1.10 *a. Completate le frasi con i seguenti verbi, poi ascoltate di nuovo e verificate.*

volevo   sono dovuto   potevi   ho potuto

Però mi sono dimenticato il sale e _____ tornare indietro.

_____ andarci tu, a fare la spesa!

_____ preparare il risotto, ma non _____ farlo perché non c'era niente in casa.

b. In coppia, rileggete le frasi e rispondete alle domande.

- -

▶ Quale tempo verbale usano i due ragazzi per esprimere l'intenzione o la possibilità di fare qualcosa
nel passato? _____
▶ Quale tempo usano per comunicare che cosa è successo realmente? _____
▶ Che cosa notate nell'uso del verbo ausiliare? _____

- -

9. Volevo, ma non ho potuto...

In coppia. Immaginate di essere coinquilini. Ognuno di voi pensa cinque cose che l'altro doveva o voleva
fare, ma non ha fatto. Poi scambiatevi i foglietti e scrivete le vostre spiegazioni come nell'esempio.
Infine leggetevi le frasi a voce alta: chi ha le spiegazioni più convincenti?

≝ **7, 8** Esempio: fare la spesa → Oggi dovevo fare la spesa, ma non ho potuto perché ho studiato tutto il giorno.

10. Occhio alla lingua!

a. Rileggete la seguente frase tratta dal dialogo. Secondo voi, in quale ordine cronologico si svolgono le due
azioni di Matteo (tornare a casa e incontrare Paolo e Francesca)? Riflettete e completate la regola.

Mentre tornavo a casa, ho incontrato Paolo e Francesca.

○ Le due azioni si svolgono contemporaneamente. ⇉
○ Le due azioni si svolgono una dopo l'altra. →ǀ →ǀ
○ Un'azione comincia mentre l'altra è già in corso. ↧

Raccontare azioni non contemporanee al passato
Per raccontare al passato due azioni di cui una comincia quando l'altra è già in corso si usano la congiunzione _____ e i verbi all' _____ (azione già in corso) e al _____ (azione che comincia).

b. *Che cosa è successo? Scrivete una frase sotto ogni disegno seguendo l'esempio.*
   Poi confrontate con un compagno. Chi ha più frasi corrette?

Esempio: Mentre facevo la spesa, ho incontrato Paolo e Francesca.

≝ 9, 10   1. _____   2. _____   3. _____   4. _____

11. Alice è più esperta di me

a. *Secondo voi, come continua la serata di Marina, Matteo e Alice? Parlatene con due compagni.*

▶II 1.11   b. *Ora ascoltate. Di che cosa parlano i tre ragazzi? Avevate indovinato?*

▶II 1.11   c. *I ragazzi nominano alcuni film elencati qui sotto. Quali? Chi li ha già visti e chi ancora no? Su quale film*
           si mettono d'accordo? Perché? Ascoltate di nuovo il dialogo e segnate accanto ai titoli le iniziali dei nomi.

○ Si può fare _____   ○ Quo vado? _____   ○ Se mi lasci non vale _____
○ Un bacio _____   ○ Veloce come il vento _____   ○ Fuocoammare _____
○ Le confessioni _____ ○ Zeta _____   ○ La mafia uccide solo d'estate _____

12. Che ne dici di...?

a. *Leggete le seguenti battute, tratte perlopiù dal dialogo, e rispondete alle domande che trovate più sotto.*

Mah, pensavamo domani sera. Che ne dici?	Perché no?	Domani sera ho già un impegno.
Non si può fare sabato?	Sì, va bene.	Mah, se lo dici tu...	D'accordo.
Ti va di venire al cinema con noi?	Verrei volentieri, ma...	Mah, dipende...
Allora perché non andiamo...?	Mi dispiace, ma non posso.	Ci andiamo?

- -

Quali espressioni servono per...
▸ fare una proposta? _____
▸ accettare una proposta? _____
▸ rifiutare una proposta? _____
▸ reagire a una proposta con incertezza? _____
▸ fare una proposta alternativa? _____
▸ esprimere scetticismo? _____

b. *Conoscete altre espressioni utili per fissare un appuntamento con gli amici?*

≝ 11   c. *Lavorate in coppia. A propone a B di andare al cinema. Decidete insieme quando andarci e che film vedere.*

13. Che te ne pare?

▶II 1.11 a. Ascoltate di nuovo la conversazione di Marina, Matteo e Alice. Quali espressioni usano per commentare...

...un film?	○ appassionante	○ serio	○ commovente
...la trama?	○ divertente	○ avvincente	○ complicata
...i personaggi?	○ ben interpretati	○ geniali	○ convincenti
...la colonna sonora?	○ coinvolgente	○ bella	○ trascinante
...il tema?	○ attuale	○ difficile	○ originale

b. Conoscete altre espressioni utili per commentare un film (la storia, il tema...)?
Aggiungetele alla lista del punto 13a lavorando con due compagni.

c. Formate delle coppie di contrari con i seguenti aggettivi e quelli del punto 13a. Poi confrontate con un compagno: chi ne ha di più?

brutto   banale   noioso   datato   monotono   improbabile   semplice   vario

d. In coppia. Raccontatevi quali film (o telefilm o serie televisive) avete visto recentemente e commentateli.

Esempio: Io recentemente ho visto *La mafia uccide solo d'estate*. È una storia divertente,
≝ 12, 13   però il film è anche serio, anzi commovente. Insomma, si ride e si riflette...

14. Paragoniamo

a. Nelle seguenti frasi ci sono diversi esempi di comparativo: come si forma?
Quando si usa che e quando si usa di? Parlatene in gruppo e poi in plenum.

Pif è **più** divertente **di** Zalone.
Alice è **più** esperta **di me**.
Oggi si va al cinema **meno di** prima.
Per me Zalone è **più** banale **che** divertente.

È **più** rilassante ridere **che** guardare cose impegnate.
È **più** bello al cinema **che** in un'aula.
Guardo quel film **più** per dovere **che** per piacere:
devo scrivere la recensione.

Esprimere un termine di paragone
Per introdurre un termine di paragone si usa _____ oppure _____.
Di solito si usa _____ davanti a nomi propri, pronomi, avverbi e sostantivi.
Di solito si usa _____ davanti a una preposizione e per paragonare fra loro aggettivi, verbi e avverbi.

b. Completate le seguenti frasi con che o di (attenzione: a volte dovete aggiungere anche l'articolo).
Poi scegliete le affermazioni con cui siete d'accordo e confrontatevi con un compagno.
Avete opinioni in comune?

1. Guardare un film al cinema è più bello _____ guardarlo alla TV.
2. Una commedia è meno avvincente _____ un film impegnato.
3. Un documentario è più informativo _____ avvincente.
4. I gialli sono più appassionanti _____ film fantasy.
5. Ho molti amici e, per quanto riguarda il cinema, io sono più esperto _____ loro.

Attenzione!
buono → **migliore**
cattivo → **peggiore**
grande → **maggiore**
piccolo → **minore**

c. *E qual è il genere cinematografico preferito dalla vostra classe? Parlate con almeno quattro compagni diversi, poi riferite in plenum e cercate di scoprirlo.*

14, 15, 16 Esempio:

● *Io amo i gialli, li trovo molto appassionanti. E tu?* ■ *Io trovo più appassionanti i film storici perché...*

15. La sconosciuta

a. *Rileggete la presentazione di Io e te al punto 2c. Secondo voi, chi potrebbe essere la (quasi) 'sconosciuta' che arriva da Lorenzo? Parlatene con un compagno.*

b. *Ora leggete un brano del libro da cui è tratto il film. Avete indovinato?*

Seduta sul letto c'era Olivia.
Era molto dimagrita e le erano usciti fuori gli zigomi squadrati. Aveva il volto tirato e stanco e i lunghi capelli biondi se li era tagliati corti. Sopra i jeans indossava una maglietta stinta con lo stemma delle Camel e un giaccone blu da marinaio.
Non era più bella come due anni prima.
Mi ha osservato perplessa. – Che fai qui?
Se c'era una cosa che odiavo era farmi vedere in mutande e in modo particolare dalle donne. Tutto imbarazzato ho preso da terra i pantaloni e me li sono infilati.
– Perché ti sei nascosto qui?
Non sapevo che dire. Ero così confuso che riuscivo a malapena a sollevare le spalle.
La mia sorellastra si è alzata e si è guardata attorno. – Lascia perdere non mi interessa. Sto cercando uno scatolone che ho dato a mio... a nostro padre. Il cameriere, su, mi ha detto che dovrebbe essere qui. [...]
Ma di questo scatolone non c'era traccia, o meglio, ce n'erano tantissimi ma nessuno con scritto sopra Olivia.
La mia sorellastra scuoteva la testa.
– Vedi come tuo padre ci tiene alle mie cose?
Ho detto sottovoce: – È pure tuo padre.
– Hai ragio... – Olivia ha stretto il pugno in segno di vittoria. Sotto una consolle, proprio dietro la porta della cantina, c'era uno scatolone ricoperto di scotch con su scritto CASA DI OLIVIA FRAGILE.
– Eccolo qui. Guarda un po' dove l'avevano messo. Aiutami che pesa.
Lo abbiamo trascinato al centro della stanza. Olivia si è seduta a gambe incrociate, ha tolto lo scotch e ha cominciato a tirare fuori libri, cd, vestiti, trucchi e a buttarli a terra. – Eccolo. Era un libro bianco con la copertina tutta consumata. *Trilogia della città di K.*
Ha cominciato a sfogliarlo cercando qualcosa e parlando tra sé. – Cazzo, erano qui. Non ci posso credere. Quel bastardo di Antonio deve averli trovati.

(tratto da: *Io e te* di Niccolò Ammaniti, Einaudi, Torino, 2010)

c. *Rileggete il testo e mettete i disegni in ordine cronologico. Poi confrontatevi con un compagno.*

d. In coppia. Secondo voi, che cosa sta cercando Olivia? E chi è Antonio? Come continua la storia?
Parlatene insieme, poi dividetevi e riferite le vostre supposizioni ognuno a un compagno diverso.

16. Occhio alla lingua!

Nel testo trovate alcuni esempi di un tempo verbale nuovo, il trapassato prossimo.
Ritrovate nel testo le seguenti frasi e leggetele con attenzione. Completate poi la regola.

Era molto **dimagrita** e le **erano usciti** fuori gli zigomi squadrati.
Guarda un po' dove l'**avevano messo**.

Il trapassato prossimo
Il trapassato prossimo si forma con _____ + _____ .
Il trapassato prossimo esprime un'azione passata che si svolge ○ prima di ○ dopo un'altra azione, anche questa al passato.

17. Passato o trapassato?

Scegliete la forma verbale corretta come nell'esempio.

Martedì è *uscito/era uscito* un libro che aspettavo da tempo e così *sono andata/ero andata* in libreria a comprarlo. Purtroppo non l'*ho trovato/l'avevo trovato*, ma in compenso *ho incontrato/avevo incontrato* Giovanni: lui e Paolo *sono tornati/erano tornati* dalle vacanze il giorno prima e naturalmente Giovanni mi *ha raccontato/aveva raccontato* tutte le loro avventure. Poi mi *ha mostrato/aveva mostrato* il libro che ha appena *comprato/avevo appena comprato*: sembrava interessante e così l'*ho comprato/l'avevo comprato* anch'io.

≡ 17, 18

18. Che avventura!

In piccoli gruppi. Il libro Io e te racconta l'avventura di Lorenzo. E voi? Quali episodi della vostra infanzia o adolescenza ricordate particolarmente? Raccontate!

Esempio: I miei compagni mi avevano invitato in montagna e io avevo accettato, ma in realtà non avevo voglia di andarci e allora...

19. E tu che cosa leggi?

Nascosto in cantina, Lorenzo passa il tempo leggendo Le notti di Salem di Stephen King. E voi quali preferenze e abitudini di lettura avete? Annotatele qui accanto, poi formulate delle domande per scoprire le preferenze e le abitudini dei vostri compagni. Infine intervistate i compagni: avete qualcosa in comune?

≡ 19

LE MIE ABITUDINI DI LETTURA

Cosa:

Perché:

Dove:

Quando:

Come (e-book, libri...):

La lingua dei libri
romanzo rosa
(romanzo) giallo
romanzo d'avventura
romanzo storico
saggio
(auto)biografia
racconto
fumetti

UNITÀ 3

> ⮩ *Riflettiamo sui motivi che ci spingono a leggere e poi progettiamo una campagna pubblicitaria per promuovere la lettura fra i giovani, scegliendo il mezzo di comunicazione più adatto.*

Letture e lettori

a. *In gruppo.* Partendo da quello che è emerso nel corso dell'attività 19, provate a riflettere insieme: perché leggete? Raccogliete il maggior numero possibile di idee.

b. Mettete in ordine d'importanza le idee che avete raccolto e scegliete quelle che vi sembrano più adatte a trasmettere la passione per la lettura.

c. Ideate una campagna pubblicitaria per promuovere la lettura. Scegliete il mezzo di comunicazione che ritenete più adatto (radio, TV, Internet, stampa…), disegnate o descrivete le eventuali immagini, formulate il testo.

d. Ogni gruppo presenta la propria campagna pubblicitaria e la classe vota quella che le piace di più.

LA NOSTRA CAMPAGNA PUBBLICITARIA	
✪ mezzo di comunicazione	
✪ messaggio	
✪ immagini	
✪ testo	
✪ altro	

ALMA Edizioni

1. I prefissi negativi s- e *in-*

È una persona molto **conosciuta**. ↔ È una persona del tutto **sconosciuta**.
Ci sono molti **vantaggi**. ↔ Ci sono molti **svantaggi**.

Con l'aggiunta del prefisso negativo s- si può formare il contrario di molti aggettivi e sostantivi.

È un esercizio **utile**. ↔ È un esercizio **inutile**.
È una storia **credibile**. ↔ È una storia **incredibile**.

Con l'aggiunta del prefisso in- l'aggettivo assume un significato negativo.

in- + b = imb-	Questo caffè è **imb**evibile.
in- + p = imp-	È un film **imp**erdibile.
in- + l = ill-	La sua è un'azione **ill**egale.
in- + m = imm-	Questi spaghetti sono **imm**angiabili.
in- + r = irr-	Si comporta in modo **irr**azionale.

2. Aggettivi in *-bile*

È un tipo umano ben **riconoscibile**. (= che si può riconoscere bene)
È uno strumento **insostituibile**. (= che non si può sostituire)

Gli aggettivi con il suffisso **-bile** esprimono una possibilità.
Questi aggettivi derivano di solito da un verbo. Gli aggettivi derivati da un verbo della
prima coniugazione prendono il suffisso **-abile**, quelli derivati da un verbo della seconda
e terza coniugazione prendono il suffisso **-ibile**.

Attenzione: bevibile, comprensibile, fattibile, memorabile, possibile, visibile.

Per conferire un significato negativo agli aggettivi in **-bile**, si usa il prefisso **in-**.

3. Il superlativo relativo

Sono strumenti che contengono **i nostri dati più personali**.
Inizia così **l'avventura più incredibile** della sua vita.
Questo è **il film meno interessante** del festival.

Il superlativo esprime il grado più alto o più basso di una qualità quando si paragonano
tra loro diverse persone o cose.

Come si forma: articolo + sostantivo + **più / meno** + aggettivo

4. I verbi modali al passato prossimo e all'imperfetto

Mi sono dimenticato il sale e **sono dovuto** tornare indietro. →I did it
Volevamo andare al cinema con Paolo e Francesca.

[handwritten: Mi sono dimenticato il but sale e dovevo tornare indietro →I didn't do it]

[handwritten: passato - completed]

Il verbo al passato prossimo indica che l'azione è veramente accaduta.
L'uso dell'imperfetto indica che si tratta di un'intenzione (non è chiaro se sono
veramente andati al cinema).

Sono dovuto tornare indietro.
Non ho potuto fare il risotto perché non c'era niente in casa.

I verbi modali **dovere**, **volere**, **potere** seguiti da un infinito formano il passato prossimo
con l'ausiliare **avere**. Se il verbo che segue è intransitivo (per esempio un verbo di movimento),
possono formare il passato prossimo con **essere**.

Ieri Carla **si è dovuta alzare** presto.
Ieri Carla **ha dovuto alzarsi** presto.

Con i verbi riflessivi si usa l'ausiliare **essere** se il riflessivo si trova davanti al verbo coniugato.
Si usa **avere** se il pronome riflessivo si unisce all'infinito.

5. *Mentre + imperfetto o passato prossimo*

Se una frase secondaria viene introdotta da **mentre**, sono possibili due costruzioni della frase:

▶ Le azioni della frase secondaria introdotta da **mentre** e della frase principale sono contemporanee:
   Mentre uno **studiava** la cartina, l'altro **cercava** di scoprire dov'era il nord.
   Frase secondaria → **mentre** + imperfetto   Frase principale → imperfetto

▶ L'azione della frase secondaria non è ancora conclusa mentre comincia quella della frase principale:
   Mentre tornavo a casa, **ho incontrato** Paolo e Francesca.
   Frase secondaria → **mentre** + imperfetto   Frase principale → passato prossimo

[handwritten: La scelta del verbo ausiliare (avere o essere) dipende dal verbo che segue il verbo modale]

ALMA Edizioni

6. Il comparativo

a. **Comparativo di maggioranza e minoranza**
I film dell'orrore sono **più avvincenti** dei film gialli.
No, secondo me i film dell'orrore sono **meno avvincenti** dei film gialli.

Il comparativo si forma mettendo **più / meno** + avverbio / aggettivo.
Il secondo termine di paragone è introdotto da **di** o da **che**.

Di (+ articolo) si usa davanti a nomi propri, sostantivi, pronomi e avverbi.
Pif è **più** divertente **di** Zalone.
Alice è **più** esperta **di** me.
Oggi si va al cinema **meno di** prima.

Che si usa davanti a una preposizione e quando si paragonano tra loro due verbi,
due aggettivi o due avverbi.
È **più** bello al cinema **che** in un'aula.
È **più** rilassante ridere **che** guardare cose impegnate.
Per me Zalone è **più** banale **che** divertente.
Marina cucina **più** velocemente **che** accuratamente.

Che si usa anche davanti a un sostantivo quando si paragonano tra loro due quantità.
Franco guarda **più** commedie **che** film impegnati.

Osservate:
Alcuni aggettivi e avverbi hanno forme particolari di comparativo:

aggettivi	avverbi
buono → **migliore**	bene → **meglio**
cattivo → **peggiore**	male → **peggio**
grande → **maggiore**	molto → **(di) più**
piccolo → **minore**	poco → **(di) meno**

la **maggior** parte delle persone, il mio **peggior** nemico

Se **migliore**, **peggiore**, **maggiore**, **minore** si trovano davanti a un sostantivo possono perdere
al singolare la desinenza -e. Questo succede soprattutto quando il sostantivo comincia per consonante.

b. **Comparativo di uguaglianza**
Non era bella **come** due anni prima.
Franco è esperto di cinema **quanto** Alice.

Il comparativo di uguaglianza si forma così:

aggettivo / avverbio + **come / quanto**

7. Il trapassato prossimo

Non ha mangiato a pranzo perché **aveva fatto** colazione tardi.
Guarda un po' dove l'**avevano messo.**

Il trapassato prossimo si usa per esprimere un'azione nel passato che è successa prima
di un'altra azione, anch'essa passata.
Il trapassato prossimo è una forma verbale composta e si forma nel seguente modo:
imperfetto di **avere / essere** + participio passato del verbo principale.

	avere	participio passato	essere	participio passato
(io)	avevo	lavorato	ero	andato/andata
(tu)	avevi	lavorato	eri	andato/andata
(lui/lei/Lei)	aveva	lavorato	era	andato/andata
(noi)	avevamo	lavorato	eravamo	andati/andate
(voi)	avevate	lavorato	eravate	andati/andate
(loro)	avevano	lavorato	erano	andati/andate

ALMA Edizioni

UNO SGUARDO AL FUTURO

In questa unità impariamo a...
...parlare di valori, sogni e progetti di vita
...parlare di famiglia e società
...esprimere e motivare un'opinione

➜ In questa unità realizziamo
un contributo per
un film-manifesto
sulla nostra generazione.

1. Per me il futuro è...

a. *Guardate le foto: quali rispecchiano i vostri progetti o desideri per i prossimi anni?*

b. *Quali delle seguenti espressioni vi vengono in mente pensando al futuro? Scegliete quelle che vi convincono di più e poi confrontatele con quelle di alcuni compagni: avete fatto le stesse scelte? Quali altre espressioni aggiungereste?*

speranza   tecnologia   incertezza   fiducia   dubbio
innovazione   cambiamento   curiosità   cura per gli altri
scoperta   ambizione   miglioramento   amore   famiglia
impegno   ricerca

UNITÀ 4

2. Fra dieci anni io...

a. *Alcuni studenti universitari descrivono i loro sogni e le loro aspettative per il futuro.*
Quali testi abbinereste alle foto del punto 1?

www.giovani-futuro.it

FRA DIECI ANNI IO...

FEDERICA, *20 anni*
Tra dieci anni forse vivrò all'estero e magari avrò un bel lavoro (fisso?). Non so se sarò sposata, ma spero di avere un compagno: forse avremo una casa e magari dei figli. Molti miei coetanei vogliono diventare famosi o comparire in TV, a me invece non interessa: io vorrei trovare un lavoro che mi piace e avere intorno a me un partner, la famiglia e gli amici che mi rendono felice.

MARTINO, *19 anni*
Come immagino la mia vita tra dieci anni? È difficile dare una risposta oggi, ma visto che all'università studio mediazione linguistica, penso che tra dieci anni diventerò traduttore o interprete; farò di certo esperienze lavorative diverse, ma spero proprio che lavorerò anche nel campo del cinema come doppiatore... questo sì che è un bel sogno! O forse mi assumerà una ditta che si occupa di marketing e comunicazione pubblicitaria... Mah, sarà quel che sarà...

LUCA, *22 anni*
Se posso sognare ad occhi aperti, vi dico che fra dieci anni sarò un cantante di successo. Ho una grande passione per la musica: è il mio modo di esprimermi. E allora sarò felice se potrò raggiungere le persone di tutto il mondo con una canzone, magari scritta proprio da me. E poi chissà, magari incontrerò tutti i miei cantanti preferiti e le mie band preferite!

DAVIDE, *20 anni*
Fra dieci anni saprò più precisamente che cosa vorrò fare... Di sicuro, dopo la laurea farò qualche stage e trascorrerò un periodo all'estero. Queste esperienze mi serviranno per capire che cosa fare nella vita, spero. Magari poi deciderò di fare il giornalista, lavorerò per una TV come corrispondente dall'estero e commenterò eventi importanti.

SOFIA, *23 anni*
Ho già fatto alcune esperienze di volontariato e farò anche un anno di servizio civile nazionale. Sono sicura che esperienze di questo tipo faranno sempre parte della mia vita, indipendentemente da tutto il resto.

b. *Secondo voi, quali espressioni del punto 1b vanno bene per descrivere le idee sul futuro espresse da questi ragazzi? Confrontate la vostra impressione con quella di almeno due compagni.*

ALMA Edizioni

3. Ritorno al testo

a. *Per parlare dei loro sogni e delle loro aspettative i ragazzi usano un nuovo tempo verbale:*
   il futuro semplice. La prima forma è vivrò. Rileggete i testi e sottolineate le altre forme.

b. *Queste forme si costruiscono in modo analogo a quelle del condizionale presente. In coppia cercate*
   di completare la tabella dei verbi regolari. Controllate poi in plenum.

Il futuro semplice: verbi regolari			
	lavorare	decidere	servire
(io)			
(tu)	lavorerai		
(lui/lei/Lei)			servirà
(noi)			
(voi)		deciderete	
(loro)	lavoreranno		

Attenzione!

preferire (preferisco) → preferirò
cominciare → comincerò
viaggiare → viaggerò
cercare → cercherò
pagare → pagherò

c. *Anche i verbi irregolari si comportano come al condizionale. In gruppo: aiutatevi con le forme*
   irregolari che trovate nei testi e completate la tabella con la 1ª persona singolare. Quale gruppo
   riesce a scrivere per primo tutte le forme corrette?

Il futuro semplice: verbi irregolari							
dare	→	avere	→	vedere	→	rimanere	→
fare	→	dovere	→	vivere	→	tenere	→
stare	→	potere	→	essere	→	venire	→
andare	→	sapere	→	bere	→	volere	→

≡' 1, 2, 3, 4

4. La nostra vita fra dieci anni

a. *E voi come immaginate la vostra*
   vita fra dieci anni? Leggete le
   risposte emerse in un sondaggio
   fra ragazzi italiani: quali
   potrebbero andare bene anche
   per voi? Parlatene con un
   compagno.

*Tra dieci anni io...

Sarò stato una volta in tv 18%
Avrò una casa di proprietà 27%
Avrò un lavoro non stabile 33%
Sarò passato attraverso la disoccupazione 34%
Sarò sposato/a 35%
Avrò dei figli 37%
Avrò una prospettiva di carriera 38%
Avrò un lavoro interessante 40%
Sarò laureato/a 45%
Sarò fedele al mio partner 66%

(sondaggio dell'Istituto Demopolis, diretto da Pietro Vento, realizzato per il settimanale l'*Espresso* su un campione stratificato, rappresentativo dell'universo dei giovani italiani di età compresa tra i 14 ed i 18 anni. Approfondimenti su: www.demopolis.it)

b. Ora provate a svolgere lo stesso sondaggio con tutta la classe: quali risposte sono più frequenti?

5. Avrò fatto, sarò stato...

Leggete le seguenti frasi, poi completate la regola.

Tra dieci anni io **sarò stato** una volta in TV.   Quando mi sposerò, **avrò** già **finito** l'università.

Tra dieci anni non **mi sarò** ancora **sposato**.   Quando **avrò finito** di studiare, mi cercherò un lavoro.

Il futuro anteriore

Il futuro anteriore si forma con il *futuro semplice* di *avere* / *essere* + *participio passato* .

Il futuro anteriore indica un fatto che si verifica ☒ prima di / ○ dopo un altro fatto o momento nel futuro.

---

6. E adesso tocca a voi!

Un giornalino universitario italiano vi ha chiesto di partecipare a una ricerca sui progetti e sulle aspettative degli studenti europei. Scrivete un breve testo in cui illustrate i risultati del sondaggio che avete svolto al punto 4b. Potete usare le seguenti espressioni.

Tutti i miei compagni...   Quasi tutti i miei compagni...   Molti di loro...

Alcuni...   Solo una persona...   Nessuno...

Esempio: Quasi tutti i miei compagni pensano che tra dieci anni saranno laureati.
            Solo una persona pensa che sarà stata una volta in TV.

≡ 5

7. La famiglia che cambia

a. Abbinate le definizioni ai significati.

matrimonio	due persone che vivono come marito e moglie, ma non sono sposate
coppia di fatto	famiglia in cui uno o più figli sono nati da precedenti unioni dei genitori
unione civile	vita in comune di una coppia sposata
famiglia allargata	vita in comune, legalmente riconosciuta, di una coppia dello stesso sesso

ALMA Edizioni

b. *Guardate le seguenti foto pubblicitarie. Secondo voi, quale immagine della famiglia trasmettono? Parlatene con un compagno.*

1

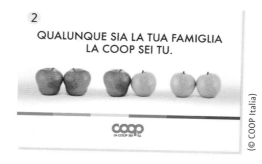

2

QUALUNQUE SIA LA TUA FAMIGLIA
LA COOP SEI TU.

coop
LA COOP SEI TU.

(© COOP Italia)

▶ll 1.12 c. *Ora ascolterete un brano di una trasmissione radio-fonica. Provate ad abbinare ad ogni intervistato una foto in base all'opinione che esprime.*

1ᵃ donna → n. _____   1° uomo → n. _____

2° uomo → n. _____   2ᵃ donna → n. _____

▶ll 1.12 d. *Ascoltate di nuovo la trasmissione e abbinate le opinioni alle persone.*

3ᵃ donna → n. _____

	1ᵃ donna	1° uomo	2° uomo	2ᵃ donna	3ᵃ donna
Chi pensa che...					
1. il matrimonio sia la base della vita sociale?	●	●	●	●	●
2. lo Stato debba proteggere il matrimonio?	●	●	●	●	●
3. la famiglia tradizionale sia importante anche per motivi religiosi?	●	●	●	●	●
4. la famiglia tradizionale sia importante, ma non per motivi religiosi?	●	●	●	●	●
5. i cambiamenti nei modelli familiari siano normali?	●	●	●	●	●
6. i cambiamenti nei modelli familiari non siano positivi?	●	●	●	●	●
7. il matrimonio sia solo uno dei modelli familiari possibili?	●	●	●	●	●
8. il matrimonio sia un modello ormai superato?	●	●	●	●	●

≡ᐟ 6

8. Ritorno al testo

▶ll 1.13 a. *Provate a completare le frasi tratte dalla trasmissione con i seguenti verbi. Poi ascoltate di nuovo e verificate.*

aprano   costituisca   prendano   abbia   sia

1. Credo che la famiglia 'vera e propria' _____ ancora quella tradizionale. Penso che il matrimonio _____ un ruolo fondamentale e che la famiglia fondata da un uomo e da una donna sposati _____ il nucleo della nostra società.

2. Non mi sembra che le cose _____ una piega preoccupante.

3. A me pare che le unioni civili _____ solo nuove strade, niente di più.

b. *Quelli che avete inserito sono esempi di congiuntivo presente. Completate ora la tabella usando i verbi contenuti nelle frasi e i verbi seguenti. Come si costruiscono le forme regolari?*

costituiate   portino   prendiamo   apriamo   siate   costituiamo   portiamo   abbiamo   porti

abbiano   apriate   prenda   abbiate   portiate   apra   siano   prendiate   costituiscano   siamo

Il congiuntivo presente

	portare	prendere	aprire	costituire	avere	essere
(io)						
(tu)						
(lui/lei/Lei)						
(noi)						
(voi)						
(loro)						

c. *In coppia. Da quali verbi dipendono le forme di congiuntivo nelle frasi del punto 8a? E che cosa esprimono?*

▶ Il congiuntivo si usa dopo verbi che esprimono

........................, come ....,

........................, ..., ...

Il congiuntivo presente: forme irregolari

andare → **vada**	dare → **dia**
dire → **dica**	stare → **stia**
fare → **faccia**	dovere → **debba**
volere → **voglia**	sapere → **sappia**

9. Mi pare che si debba tirare il dado

Giocate in gruppi di 3 o 4 persone. A turno ognuno tira il dado e avanza del numero di caselle indicato dal dado, poi coniuga al congiuntivo presente il verbo che trova nella casella raggiunta. Attenzione: il dado indica anche il soggetto. Se la soluzione è corretta, il giocatore conquista quella casella; altrimenti torna indietro. Vince chi raggiunge per primo l'arrivo.

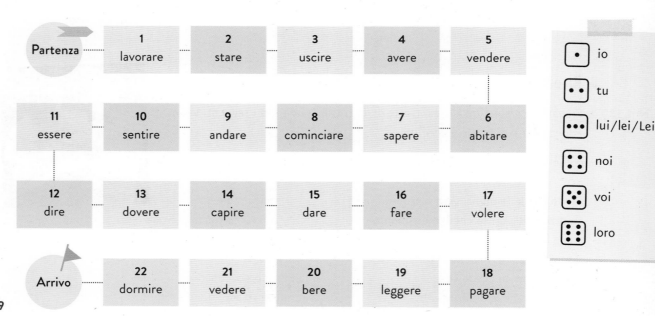

≡ 7, 8, 9

10. Io credo che...

Leggete le seguenti affermazioni: siete d'accordo? Parlatene con un compagno: esprimete la vostra opinione usando i verbi e le espressioni del punto 8. Attenzione ai modi!

Attenzione!
Dopo **secondo me/te/lei...** si usa l'indicativo.

Esempio:
Lo Stato deve tenere conto di tutti i modelli familiari.
Credo che lo Stato debba tenere conto... / Non credo che lo Stato debba...
Oppure: Secondo me lo Stato deve tenere conto... / Secondo me lo Stato non deve...

Il matrimonio è un modello ormai superato.
Il matrimonio resta il nucleo della società.
I giovani di oggi preferiscono la convivenza al matrimonio.
La convivenza non offre abbastanza garanzie per i figli.
Molte coppie non hanno figli perché oggi è difficile mantenerli.
≦ 10, 11 Le unioni civili sono un diritto dei cittadini.

11. E voi?

E voi quale foto del punto 7b scegliereste? Perché? Vi vengono in mente immagini più adeguate? Discutetene in piccoli gruppi e poi riferite in plenum.

12. Nomadi digitali

a. Chi o che cosa immaginate possa essere un 'nomade digitale'? Parlatene con un compagno.

b. Leggete la prima parte del manifesto a pagina 111. Conferma le vostre ipotesi?

c. In coppia. Secondo voi, come continua il manifesto? Provate a scrivere i titoli dei sette punti che mancano e poi confrontateli con quelli di un'altra coppia.

d. Ora leggete il resto del manifesto alle pagine 112 – 113. Ci trovate qualche idea emersa al punto 12c?

e. Abbinate le seguenti espressioni, tratte dal manifesto, al significato corrispondente.

intenti	raggiungere una posizione decisiva di vantaggio
logorati	prendiamo decisioni coraggiose e andiamo oltre i nostri limiti
riappropriarci	con tutte le nostre forze e le nostre risorse
gettiamo il cuore oltre l'ostacolo	vecchi e usati
con il coltello tra i denti	completamente
prendere il sopravvento	ritornare in possesso
in toto	obiettivi, scopi

13. Occhio alla lingua!

Rileggete le seguenti frasi e sottolineate i congiuntivi: da quali verbi o espressioni dipendono?
Completate la regola.

È importante che la legge tenga conto di tutti i modelli familiari e garantisca a tutti i loro diritti.
Desideriamo che gli interessi di nessun governo possano prendere il sopravvento sulla gestione della Rete.
Vogliamo che la Rete sia libera.

Il congiuntivo si usa anche con espressioni impersonali come _____ ,
con verbi che esprimono un _____ come _____ ,
con verbi che esprimono una volontà come _____ .

14. È importante che...

Chiedete a tre compagni diversi di completare le seguenti frasi e annotatevi quello che vi dicono.
Poi confrontate i risultati con quelli di un altro compagno e scegliete le frasi che condividete di più.

È necessario che l'università...   È normale che gli studenti...   I genitori sperano...

≝ 12   Gli studenti non vogliono...   È giusto che i giovani...   Gli adulti desiderano...

È _____

15. Occhio alla lingua!

Leggete le seguenti frasi. Il verbo credere è usato con due modi verbali diversi:
quali? Perché? Parlatene con un compagno.

Crediamo che la felicità non si raggiunga unicamente tramite il profitto.
Crediamo di poter raggiungere la felicità anche con mezzi diversi dal profitto.

16. Credo che..., credo di...

Completate le frasi con le due varianti, come nell'esempio.

Esempio: Carlo spera di arrivare puntuale.
            Carlo spera che Maria arrivi puntuale.

1. Piero spera...   Piero – superare l'esame   _____
                         Maria – superare l'esame   _____
2. Paolo crede...   Daniela – avere l'influenza   _____
                         Paolo – avere l'influenza   _____
3. Tu pensi...   Giovanni – essere pigro   _____
                         tu – essere pigro   _____
4. Maria e Sara sperano...   Maria e Sara – tornare domani   _____
                         voi – tornare domani   _____
5. Io non penso...   essere troppo tardi   _____
≝ 13, 14   io – essere in ritardo   _____

17. Che ne pensate?

a. *Quali intenti dei nomadi digitali trovate interessanti e condividete anche voi?
Rileggete il manifesto alle pagine 111 – 113 ed evidenziateli.*

b. *Confrontate le vostre scelte con quelle di alcuni compagni: avete qualcosa in comune?*

Esempio: ■ Anch'io voglio che la Rete sia libera e controllata solo dagli utenti.
● Io invece penso che ci debba essere qualche limite.

18. Occhio alla lingua!

a. *Rileggete queste frasi, incontrate nel corso della lezione, e completate lo schema che riguarda
i seguenti aggettivi e pronomi indefiniti.*

Promuoviamo l'accesso a Internet come un diritto fondamentale di **ogni** uomo libero.
Crediamo che **ognuno** possa trovare una propria dimensione di lavoro indipendente.
I nostri amici e contatti sono in **tutto** il mondo.
Credo che la legge debba tenere conto di **tutti** i modelli familiari e garantire a **tutti** i loro diritti.
Di sicuro, dopo la laurea farò **qualche** stage.
Ho già fatto **alcune** esperienze di volontariato.

In queste frasi	ogni	ognuno	tutto/i	qualche	alcune
è un aggettivo	○	○	○	○	○
è un pronome	○	○	○	○	○

b. *Che differenza notate nell'uso di qualche e alcuni/e? E quale particolarità notate nell'uso
dell'aggettivo tutto? Parlatene con un compagno.*

19. Il tris dei nomadi digitali

*Giocate in coppia. A turno, ognuno sceglie una frase e la completa con l'aggettivo o pronome indefinito
più adatto. Se la soluzione è corretta, il giocatore conquista quella casella; altrimenti la casella resta
libera. Per ogni dubbio consultate l'arbitro (l'insegnante). Vince chi per primo conquista tre caselle
in orizzontale, in verticale o in diagonale.*

Crediamo che _____ persona possa trovare la felicità nell'indipendenza.	Desideriamo che _____ si liberi dai condizionamenti della società.	Vogliamo che la Rete sia accessibile non solo ad _____ persone, ma a _____ .
Raggiungiamo i nostri obiettivi con l'aiuto di _____ gli amici che abbiamo nel mondo.	Se _____ 'nomade' ha bisogno di noi, siamo pronti ad aiutarlo.	Vogliamo viaggiare per _____ la vita.
_____ 'nomadi' sono più esperti e condividono le proprie conoscenze.	Grazie alla condivisione possiamo raggiungere _____ obiettivo.	La mobilità ci permette di vivere in _____ le parti del mondo.

≝ 15, 16

> **➔** Un regista italiano vuole girare un film-manifesto sulla condizione giovanile in Europa e deve perciò condurre un'inchiesta fra i giovani europei. L'università in cui studiamo ha deciso di inviare un contributo.

Generazione Z

a. In gruppo. Come sono, secondo voi, i giovani d'oggi? Innovatori, passivi, rivoluzionari, impegnati socialmente, realisti, sognatori, conformisti, trasgressivi…? In che cosa credono? Quali sogni, progetti e obiettivi hanno e in che modo desiderano realizzarli? Discutete su questi punti, aggiungendo tutto quello che vi sembra importante, e raccogliete le idee.

b. Sulla base delle idee raccolte, preparate ora un manifesto della vostra generazione usando come modello il manifesto dei nomadi digitali.

IL MANIFESTO
della generazione
Z

c. Presentate il vostro manifesto alla classe. Alla fine, potete anche realizzare una versione unica come contributo comune per il film sulla vostra generazione.

d. Se volete, guardate insieme un film italiano incentrato sui giovani (per esempio Zeta di Cosimo Alemà) e commentatelo confrontandolo con il vostro manifesto.

≦ 17

1. Il futuro semplice

Verbi regolari

Il futuro semplice si forma dall'infinito come segue:

	aiutare	prendere	sentire
(io)	aiuterò	prenderò	sentirò
(tu)	aiuterai	prenderai	sentirai
(lui/lei/Lei)	aiuterà	prenderà	sentirà
(noi)	aiuteremo	prenderemo	sentiremo
(voi)	aiuterete	prenderete	sentirete
(loro)	aiuteranno	prenderanno	sentiranno

Osservate le seguenti regole nella formazione del futuro semplice:

▶ Nei verbi in -**are** la -**a** della desinenza dell'infinito diventa -**e**:
aiut**are** → aiut**e**rò

▶ Nei verbi in -**care** e -**gare** si inserisce una -**h**- prima della desinenza del futuro:
cercare → cer**ch**erò; pagare → pa**gh**erò (per mantenere la pronuncia)

▶ I verbi in -**ciare** e -**giare** perdono la -**i**- della radice:
cominciare → comin**c**erò; mangiare → man**g**erò

▶ Il futuro semplice non ha ampliamento della radice:
prefer**ire** (prefer**isco**) → prefer**irò**

Verbi irregolari

	essere
(io)	sarò
(tu)	sarai
(lui/lei/Lei)	sarà
(noi)	saremo
(voi)	sarete
(loro)	saranno

Per il futuro semplice dei verbi irregolari valgono le stesse regole viste per il condizionale presente (vedi UniversItalia 2.0 A1/A2, Unità 7). La radice del verbo cambia mentre la desinenza tipica del futuro semplice rimane.

Osservate le seguenti regole che interessano la radice dei verbi:

▶ Alcuni verbi in -**are** mantengono la -**a** della desinenza all'infinito:
dare → darò, fare → farò, stare → starò; ma: restare → resterò

▶ Alcuni verbi in -**ere** perdono la -**e** della desinenza all'infinito:
avere → avrò, sapere → saprò, vivere → vivrò; questo vale anche per andare → andrò

▶ Alcuni verbi perdono la -**e** della desinenza dell'infinito e trasformano l'ultima consonante della radice in -**r**: rimanere → rimarrò, tenere → terrò, venire → verrò

	Il futuro semplice si usa
Fra dieci anni **vivrò** all'estero.	Per indicare un'azione che avviene in un tempo futuro rispetto a quello in cui si parla.
Ma: **Sabato** andiamo al mare.	Se l'azione avviene in un tempo molto vicino o se c'è un'indicazione di tempo ben precisa, spesso al posto del futuro si usa il presente indicativo. In questo modo si vuole sottolineare che l'azione avverrà sicuramente.
Dopo **tornerò** in Italia, ma non so quanto ci **resterò**.	Per descrivere eventi futuri ancora incerti.
Che ore sono? – Mah, **saranno** le 10.	Per esprimere supposizioni riguardanti il presente.

2. Il futuro anteriore

Quando **mi sarò laureata**, comincerò a cercare un lavoro.
Ti telefonerò appena **saremo arrivati** a casa.

Con il futuro anteriore si esprime un'azione che avverrà prima di un'altra azione nel futuro. Si tratta di una forma verbale composta che si forma come segue: futuro semplice del verbo ausiliare **avere / essere** + **participio passato**.

	avere	participio passato	essere	participio passato
(io)	avrò	fatto	sarò	stato/stata
(tu)	avrai	fatto	sarai	stato/stata
(lui/lei/Lei)	avrà	fatto	sarà	stato/stata
(noi)	avremo	fatto	saremo	stati/state
(voi)	avrete	fatto	sarete	stati/state
(loro)	avranno	fatto	saranno	stati/state

3. Il congiuntivo presente

Verbi regolari

	parlare	prendere	dormire	preferire
(io)	parli	prenda	dorma	preferisca
(tu)	parli	prenda	dorma	preferisca
(lui/lei/Lei)	parli	prenda	dorma	preferisca
(noi)	parliamo	prendiamo	dormiamo	preferiamo
(voi)	parliate	prendiate	dormiate	preferiate
(loro)	parlino	prendano	dormano	preferiscano

ALMA Edizioni

Verbi irregolari

andare	vada	andiamo	andiate	vadano
avere	abbia	abbiamo	abbiate	abbiano
dare	dia	diamo	diate	diano
dire	dica	diciamo	diciate	dicano
dovere	debba	dobbiamo	dobbiate	debbano
essere	sia	siamo	siate	siano
fare	faccia	facciamo	facciate	facciano
potere	possa	possiamo	possiate	possano
uscire	esca	usciamo	usciate	escano
venire	venga	veniamo	veniate	vengano
volere	voglia	vogliamo	vogliate	vogliano

Le prime tre persone singolari sono uguali. Per questo, per poter distinguere le forme,
spesso si aggiungono i pronomi personali soggetto.
La prima persona plurale (*noi*) è uguale alla forma del presente indicativo.
I verbi in **-ire** che hanno l'infisso **-isc-** al presente indicativo lo mantengono anche al congiuntivo.
I verbi in **-care** e **-gare** aggiungono una **-h-** davanti alla desinenza del congiuntivo:
giocare → giochi, pagare → paghi

Per i verbi irregolari valgono le seguenti regole:
Le forme del singolare e della terza persona plurale derivano dalla prima persona singolare
del presente indicativo. In questo caso la **-o** diventa **-a**.

andare	vado → vada, vadano	**fare**	faccio → faccia, facciano
dire	dico → dica, dicano	**uscire**	esco → esca, escano

I verbi **avere** e **essere** sono un'eccezione e si comportano in modo diverso.

Il congiuntivo si usa spesso per esprimere la posizione soggettiva di chi parla.
Il congiuntivo si usa di solito in frasi secondarie introdotte da **che** quando nella frase principale
compaiono:

▶ Verbi ed espressioni in cui si esprime un'opinione personale:
   Mi sembra che **ci sia** un cambiamento di valori.
   Mi pare che le unioni civili **aprano** solo nuove strade.
   Credo / Penso che la legge **debba** tenere conto di tutti i modelli familiari.

   Secondo me è anche una questione di religione.
   Dopo **secondo / per** + pronome si usa l'indicativo e non il congiuntivo.

▶ Verbi ed espressioni che indicano speranza e volontà:
   Carlo **spera** che Maria **arrivi** puntuale.
   Desideriamo che gli interessi di nessun governo **possano** prendere il sopravvento sulla Rete.
   Vogliamo che la Rete **sia** libera.
   Preferisco che lo Stato **protegga** la famiglia tradizionale.

▶ Verbi ed espressioni che indicano incertezza e dubbio:
  Non sono sicuro che questi cambiamenti **siano** positivi.

▶ Verbi ed espressioni che indicano uno stato d'animo:
  Siamo contenti che Tina **abbia** un nuovo lavoro!
  Abbiamo paura che i governi **limitino** la libertà della Rete.

▶ Espressioni impersonali:
  È importante / È normale / È giusto che l'innovazione **si sviluppi** attraverso la condivisione.

Osservate!
Crediamo che la felicità non si **raggiunga** unicamente tramite il profitto.
Crediamo di poter raggiungere la felicità anche con mezzi diversi dal profitto.

Se il soggetto della frase principale è uguale a quello della frase secondaria,
allora invece di **che** + congiuntivo si usa **di** + infinito.

4. Gli indefiniti

Gli indefiniti indicano una quantità non precisata.

Di sicuro, dopo la laurea farò **qualche** stage.
Promuoviamo l'accesso a Internet come un diritto fondamentale di **ogni** uomo libero.

Qualche e **ogni** possono essere usati come aggettivi e sono invariabili.
Il sostantivo che segue è sempre al singolare.

Crediamo che **ognuno** possa trovare una propria dimensione di lavoro indipendente.
Oggi non ho fatto **niente**.

Ognuno/-a e **niente** possono essere usati solo come pronomi. **Ognuno** è invariablie.
Niente si riferisce solo a cose ed è anch'esso invariabile.

Ho già fatto **alcune** esperienze di volontariato.
Alcuni hanno già dato l'esame.
Non c'è **nessun** problema.
Nessuno è venuto.

Alcuni/-e e **nessuno/-a** possono essere usati sia come aggettivi che come pronomi.
Nessuno è usato al singolare. Davanti a un sostantivo **nessuno** si comporta
come l'articolo indeterminativo. Se **nessuno** si trova a inizio della frase non è necessaria
la doppia negazione.

Credo che la legge **debba** tenere conto di **tutti** i modelli familiari e garantire a **tutti** i loro diritti.
Ho fatto **tutto**.

Tutto può essere usato sia come aggettivo che come pronome; quando è aggettivo
concorda in numero e genere con il sostantivo a cui si riferisce.
Nell'uso aggettivale l'articolo determinativo si trova sempre tra **tutto/-i** e il sostantivo che segue.

I nostri amici e contatti sono in **tutto** il mondo.

ALMA Edizioni

CHE PROGETTI HAI?

guida turistica

avvocato

musicista

medico

In questa unità impariamo a...

...descrivere obiettivi e requisiti
  professionali

...parlare di desideri, speranze, progetti

...capire un annuncio di lavoro

...scrivere un CV e una lettera
  di candidatura

...prepararvi a un colloquio di lavoro

1. E tu perché lo fai?

*Quali aspetti contano di più per la scelta della vostra
futura professione? Classificate i seguenti motivi in ordine
di importanza, aggiungendo quelli che secondo voi mancano.
Poi confrontatevi in gruppo. Avete qualcosa in comune?*

➔ Abbiamo risposto a un annuncio
  di lavoro e siamo stati invitati
  ad un colloquio. Ci prepariamo
  ad affrontarlo e lo simuliamo
  per 'allenarci'.

avere uno stipendio adeguato ○
raggiungere posizioni di potere ○
esprimere la propria creatività ○
aiutare gli altri ○
avere un orario flessibile ○
fare carriera ○

altro:
_____
_____
_____

UNITÀ 5

2. Professioni

a. Abbinate le foto ai nomi di professione e poi confrontate con un compagno.

assistente sociale	traduttore / traduttrice	veterinario/a	impiegato/a ....
giornalista	consulente finanziario/a	poliziotto/a	parrucchiere/a ....
geometra	cantante		

b. In coppia. Quali altri nomi di professione vi vengono in mente? Pensate anche alle lezioni precedenti e cercate di elencare più professioni possibile in tre minuti. Vince la coppia che riesce a elencarne di più.

c. Osservate i nomi di professioni elencati a pagina 59 e ai punti 2a e 2b. Come si forma il femminile? Parlatene con un compagno e provate a completare la tabella.

I nomi di professione		
maschile →	**femminile**	**esempio**
in -o →	....	....
in -a →	....	....
in -e →	....	....
in -ante/-ente →	....	....
in -ista →	....	....
in -tore →	....	....

Attenzione!

dottore → dottor**essa**
professore → professor**essa**

d. Avvocata, avvocatessa o semplicemente avvocato? Per alcune professioni e cariche ufficiali l'uso quotidiano comprende la forma maschile anche per le donne. Secondo voi, perché? Conoscete altri esempi in italiano? E com'è la situazione nella vostra lingua? Parlatene con un compagno e poi in plenum.

≦ 1, 2, 3

3. Parlami di te!

▶Ⅱ 1.14   *a. Ascoltate la prima parte del dialogo. Che cosa hanno frequentato insieme Carlo e Paola?*

○ le scuole elementari   ○ le scuole medie   ○ le scuole superiori
○ un corso di specializzazione   ○ l'università   ○ un master post-laurea

▶II **1.14** *b. Ascoltate di nuovo e segnate le risposte esatte.*

1. Carlo e Paola si vedono spesso. ○ ○
2. Carlo fa il lavoro che ha sempre desiderato. ○ ○
3. Paola fa il lavoro che ha sempre desiderato. ○ ○
4. Carlo è soddisfatto del proprio lavoro. ○ ○
5. Al liceo Paola era rappresentante degli studenti. ○ ○

c. Secondo voi, quale professione esercita Paola? Parlatene con un compagno.

▶II **1.15** *d. Ora ascoltate l'ultima parte del dialogo e verificate. Chi ha indovinato?*

e. Qual è la professione dei vostri sogni? È quella che sognavate già da bambini o con il tempo i vostri sogni sono cambiati? È quella che ha determinato il vostro percorso di studio o no? Parlatene in piccoli gruppi.

4. Ritorno al testo

▶II **1.16** *a. Inserite i seguenti verbi nel brano estratto dal dialogo. Poi ascoltate e verificate.*

| avrebbero dato | sarei diventato | mi sarei divertito | sarebbe piaciuto | avrei fatto | avrei voluto |

■ Eh, ma in effetti io, in realtà, _____ fare l'attore.
● Ah, ecco! Vedi!
■ Sì, mi _____ da matti...
● E come mai non l'hai fatto?
■ Ma semplicemente perché non sono abbastanza bravo. Ci ho provato eh, dopo il liceo. Però... _____ al massimo... un attore mediocre.
● Ma dai! Cosa dici?!
■ No, sul serio: _____ cose di basso livello che non mi _____ soddisfazione... non _____ nemmeno _____ .

b. I verbi che avete inserito sono esempi di condizionale passato. Come si forma? Che cosa esprime in questo contesto? Parlatene in coppia e completate la regola.

Il condizionale passato		
Il **condizionale passato** si forma con _____ + _____ e in questo contesto esprime un desiderio o un'azione che ○ si sono realizzati. ○ non si sono realizzati.		

5. Mi sarebbe piaciuto, ma...

a. Carlo racconta quello che gli sarebbe piaciuto fare da bambino. Completate le sue frasi coniugando i verbi al condizionale passato.

(volere) imparare a fare windsurf   (bere) solo Coca-Cola

(mangiare) solo quello che piaceva a me   (fare, mai) i compiti

(alzarsi, sempre) tardi

b. *E voi che cosa avreste voluto o non avreste voluto fare da bambini?*
Scrivete quattro frasi e poi confrontatevi con alcuni compagni.

≝ 4 Esempio: Da bambino avrei voluto...

6. Requisiti professionali

▶‖ 1.17 a. *Per indovinare che lavoro fa Paola, Carlo si ricorda alcune capacità*
che lei aveva già da ragazza. Quali? Ascoltate una parte del dialogo e segnatele.

avere
- ○ abilità manuali
- ○ resistenza allo stress
- ○ doti comunicative
- ○ pazienza
- ○ spirito d'iniziativa

essere
- ○ creativo
- ○ dinamico
- ○ capace di lavorare in gruppo
- ○ determinato
- ○ capace di lavorare in autonomia

sapere
- ○ analizzare le situazioni
- ○ individuare i problemi
- ○ trovare le soluzioni
- ○ mediare
- ○ guidare un team

b. *Molti sostantivi si formano con dei suffissi, come vedete nel riquadro qui in basso. A coppie, provate a*
completare lo schema e poi verificate in plenum. Vince la coppia che finisce per prima.

Formazione dei nomi: alcuni suffissi		
f.		**m.**
capac**ità**	socievol**ezza**	dina**mismo**
determina**zione**	pazi**enza**	raggiung**imento**
diffu**sione**	bra**vura**	perfezion**amento**

aggettivi	sostantivi	verbi
creativo	_____	_____
formato	_____	_____
resistente	_____	_____
istruito	_____	_____
ammesso	_____	ammettere
		provenire
aperto	_____	_____
sicuro	_____	assicurare
responsabile	_____	responsabilizzare
appreso	_____	apprendere

≝ 5

c. *Pensate alla professione che desiderate esercitare in futuro (o a quella che desideravate da bambini):*
secondo voi, quali capacità richiede? Perché? Parlatene in gruppo.

Esempio: Io vorrei diventare insegnante. Secondo me, bisogna avere pazienza, essere creativi...

7. Un'esperienza all'estero

a. *Letizia ha 24 anni, è laureata in Infermieristica e lavora in Inghilterra. Secondo voi, perché non è rimasta in*
Italia? E come ha fatto a trovare lavoro in Gran Bretagna? Parlatene con un compagno e fate delle ipotesi.

ALMA Edizioni

b. Ora verificate le vostre ipotesi leggendo la seguente intervista. Abbinate ogni domanda a una risposta.

UN'ESPERIENZA ALL'ESTERO

1. Come mai subito dopo la laurea sei andata a lavorare in Inghilterra?

2. A parte motivazioni come il precariato o problemi analoghi, consiglieresti ai neolaureati un'esperienza all'estero?

3. Tu pensi di costruirti un futuro in Inghilterra o di tornare in Italia?

5. Come funziona la procedura in questi casi? Una persona risponde a un annuncio e poi viene chiamata dall'ospedale per un colloquio?

4. Perché gli infermieri italiani sono così richiesti in Inghilterra?

6. Il sistema inglese è molto diverso dal nostro?

1.

Quando mi sono laureata era difficile trovare lavoro da noi perché nelle strutture pubbliche le assunzioni erano bloccate, non c'erano concorsi. E in quelle private non andava meglio. Invece molti ospedali britannici cercavano infermieri e li cercavano specialmente in Italia. Così io ci ho provato.

4.

Perché, modestia a parte, siamo molto preparati. Sono apprezzate soprattutto la nostra preparazione completa, non solo in alcuni settori specifici, e le abilità tecnico-manuali acquisite grazie alle ore di tirocinio svolte durante gli studi.

6.

Il lavoro è organizzato in maniera diversa: per esempio, abbiamo turni di 12 ore invece che di 7 ore e mezza come in Italia. Però si guadagna di più, gli straordinari vengono retribuiti meglio. Anche il rapporto con i pazienti è diverso, vengono un po' 'viziati': per esempio le donne, di solito, vengono chiamate *honey*, *sweetheart* o con altri appellativi simili.

2.

Sì, sicuramente. Certo, c'è la nostalgia, però è un'esperienza che ti allarga gli orizzonti – dal punto di vista umano e da quello professionale.

5.

Sì, più o meno sì. Io ho trovato le informazioni nel sito di AlmaLaurea, che è una banca dati universitaria, ho mandato il curriculum e la documentazione richiesta e poi sono stata chiamata dai selezionatori: ho fatto due interviste telefoniche, anche in inglese, una prova scritta e un esame orale. E alla fine sono stata assunta.

3.

Finalmente ho vinto un concorso per la mia regione e quindi rientrerò in Italia. Magari continuerò anche a studiare con la laurea magistrale, vedremo…

---

c. Avevate indovinato? C'è qualcosa che vi ha sorpreso nelle risposte di Letizia?

Attenzione!
Laurea (o laurea triennale) = Bachelor
Laurea magistrale (o specialistica) = Master

UNITÀ 5

8. Lavorare all'estero

a. Abbinate le seguenti espressioni alle definizioni corrispondenti.

Parole con neo-

neolaureato/a = persona che ha finito da poco l'università

neoassunto/a = persona che ha appena iniziato a lavorare in un'impresa

6	precariato	lavoro fatto oltre l'orario normale	4
2	selezionatore	selezione (con esami) per ottenere un posto di lavoro	3
5	assunzione	condizione di chi non ha un lavoro fisso	6
3	concorso	pagato	1
4	straordinario	persona che sceglie i candidati più adatti a un posto di lavoro	2
1	retribuito	engagement ingaggio di un lavoratore come dipendente	5

b. Rileggete l'intervista al punto 7b e sottolineate le espressioni che, secondo voi, riguardano la ricerca del lavoro, come rispondere a un annuncio. Confrontate poi in plenum e riflettete: ne conoscete altre?

c. In gruppo. Secondo voi, quali potrebbero essere gli aspetti positivi e quelli negativi di un'esperienza come quella di Letizia? E voi andreste a lavorare all'estero dopo la laurea? Se sì, in quale Paese vi piacerebbe lavorare? Perché?

≡ 6

9. Ritorno al testo

a. Completate le frasi con i verbi che trovate nell'intervista, come nell'esempio.

Una persona risponde a un annuncio e poi <u>viene chiamata</u> dall'ospedale per un colloquio?

Perché gli infermieri italiani _____ così _____ in Inghilterra?

_____ dai selezionatori.

Alla fine _____ .

_____ soprattutto la nostra preparazione completa e le abilità tecnico-manuali acquisite grazie alle ore di tirocinio.

Il lavoro _____ in maniera diversa.

b. I verbi che avete inserito sono forme passive. Rileggete le frasi e cercate di completare la regola.

Il passivo
Il passivo si forma con _____ / _____ + _____ .
Il passivo con l'ausiliare _____ evidenzia più un'azione.
Il passivo con l'ausiliare _____ evidenzia più uno stato.
Nei tempi composti il passivo si forma soltanto con l'ausiliare _____ .
La persona o la cosa che fa l'azione è introdotta dalla preposizione _____ .
La persona o la cosa che fa l'azione ○ è sempre specificata. ○ non è sempre specificata.

10. Un ponte fra università e lavoro

a. Trasformate le frasi al passivo, come nell'esempio.

Esempio: L'ospedale ha contattato Letizia attraverso AlmaLaurea.
→ Letizia è stata contattata dall'ospedale attraverso AlmaLaurea.

ALMA Edizioni

Le banche dati dei servizi online vengono consultate ogni giorno da chi cerca lavoro
Gli annunci di lavoro vengono inseriti dalle aziende nelle banche dati.
Alma laurea è stata fondata nel 1994 na alcuni collaboratori...

UNITÀ 5

1. Chi cerca lavoro consulta ogni giorno le banche dati dei servizi online. *sono consultati da chi cerca lavoro ogni giorno*
2. Le aziende inseriscono nelle banche dati gli annunci di lavoro.
3. I neolaureati aggiornano online i dati personali. *I dati personali sono aggiornati online dai neolaureati*
4. Le aziende valuteranno con attenzione ogni candidatura. *Ogni candidatura verrà valutata dalle aziende con attenzione*
5. Alcuni collaboratori dell'Università di Bologna hanno fondato AlmaLaurea nel 1994. *era fondata dai alcuni...*
6. AlmaLaurea collega fra loro università, giovani laureati e mondo del lavoro.
sono e collegati dall'AlmaLaura

b. *Conoscete un servizio simile ad AlmaLaurea nel vostro Paese? Se sì, quale? Se no, dove si possono trovare delle offerte di lavoro o di stage, secondo voi? Parlatene in gruppo e poi raccogliete le informazioni in plenum.*

≝ 7, 8, 9

11. AAA collaboratore cercasi

a. *Leggete i seguenti annunci. In quali si offre un lavoro e in quali un periodo di apprendistato?*

> **Attenzione!**
> La domanda **va** presentata
> = La domanda **deve essere** presentata
> Le domande **vanno** presentate
> = Le domande **devono essere** presentate

Per importante azienda del Nord Italia cerchiamo:

RESPONSABILE SERVIZIO CLIENTI

Requisiti richiesti: eccellenti doti comunicative; esperienza specifica nel settore; ottima conoscenza (livello C1) della lingua italiana, inglese e tedesca. La risorsa frequenterà un corso di formazione in azienda.
Contratto a tempo determinato.

1

SOCIETÀ DI REVISIONE CONTABILE INTERNAZIONALE – TIROCINI RETRIBUITI

Per giovani in possesso di laurea triennale o magistrale. Si richiede ottima conoscenza della lingua inglese o francese o tedesca.
Durata: 5 mesi **Sede:** Roma
Come: la domanda va presentata online

2

AZIENDA OPERANTE NEL SETTORE DEI BENI CULTURALI OFFRE TIROCINIO CURRICULARE

Tipologia di studi: laurea triennale, tutti gli indirizzi
Requisiti richiesti: ottima conoscenza dell'italiano, dell'inglese e di un'altra lingua dell'UE; capacità di lavorare in team e di rispettare tempi e scadenze.
Il / La tirocinante potrà acquisire competenze di base nella gestione di imprese operanti nel settore culturale.
Durata: in base ai CFU da acquisire

3

OSPEDALE PRIVATO cerca specialista in riabilitazione. Al candidato viene offerto un contratto di sostituzione maternità.
Retribuzione: 40.000 euro lordi all'anno.
Sede: Vicenza

4

> **Tirocinio curriculare** = tirocinio previsto nel piano di studi
> **CFU** = credito formativo universitario

b. *Completate la tabella con le informazioni (dove è possibile).*

annunci	1	2	3	4
sede				
durata				
settore				
titolo di studio				
altri requisiti				

≝ 10, 11

12. Una candidatura

a. Completate la lettera di Laura con le seguenti espressioni.

Gentili Signori   cordiali saluti   nell'ambito

svolti   tirocinio   come seconda lingua

cortese attenzione   fare esperienza

Laura Fischer
Karlstr. 35
80333 Monaco di Baviera
GERMANIA
E-mail: laura.fischer@web.de

Monaco di Baviera, 15.09.2017

_____ ,

sono una studentessa tedesca con una grande passione per l'Italia e anche per
la letteratura. Per questo, dopo la maturità, ho deciso di iscrivermi alla Facoltà
di Lingue e letterature straniere e ho scelto l'italiano _____ .

5 Ora desidero mettere in pratica le nozioni teoriche che ho acquisito fino
a questo momento.
Le esperienze fatte negli ultimi anni in diversi ambiti culturali confermano
il mio desiderio di lavorare all'estero, preferibilmente in Italia, Paese in cui
posso immaginare di vivere per sempre.

10 Vorrei quindi fare uno stage _____ dei servizi culturali perché in
futuro vorrei lavorare in questo settore. Sono capace di lavorare insieme ad altre
persone e, grazie a diversi lavoretti _____ in passato, sono abituata
al contatto con il pubblico. Il mio primo _____ , svolto l'anno scorso,
mi ha inoltre permesso di _____ nell'ambito delle pubbliche relazioni

15 e nel management culturale. Vorrei far valere questo stage come tirocinio curriculare, se è possibile, ma per me non è una condizione vincolante.

Confidando nella Vostra disponibilità, Vi ringrazio per la _____
e Vi porgo i miei più _____ .

Laura Fischer

Allegato: curriculum vitae

b. Quali annunci del punto 11a possono essere interessanti per Laura? Perché?

c. Rileggete la lettera di Laura e abbinate le seguenti funzioni alle righe del testo indicate accanto.

Laura…	righe
a. indica le esperienze di lavoro fatte.	r. 1 – 4: ____
b. spiega quale tirocinio vorrebbe fare e motiva la sua scelta.	r. 7 – 9: ____
c. indica dove desidera fare delle esperienze lavorative e spiega perché.	r. 10 – 11: ____
d. si presenta.	r. 11 – 13: ____
e. indica alcune capacità e competenze personali.	r. 13 – 15: ____

d. *In coppia. Quali delle seguenti espressioni avrebbe potuto usare Laura per iniziare e concludere la sua lettera di candidatura? Ne conoscete altre?*

○ Gentile Professore/Prof.ssa ○ Gentile dott./dott.ssa Rossi ○ Cari tutti ○ Salve a tutti
○ Cordialmente ○ Cari saluti ○ Con i migliori saluti ○ Distinti saluti ○ A presto

12

13. Il CV di Laura

Laura sta preparando il curriculum vitae da allegare alla sua lettera.
Aiutatela inserendo le informazioni che ha annotato in ordine sparso qui sotto.

1. Karlstr. 35
2. ~~Laura Fischer~~
3. Diploma di maturità conseguito presso il Liceo scientifico e linguistico *Lise-Meitner* di Unterhaching nell'a.s. 2014/15 con la votazione di 2,0 (buono)
4. Buona conoscenza del pacchetto Office e dei social network
5. Tedesca
6. Tel. +49 (0)89 / 83 398 15 – cell. +49 (0)170 / 32 21 87
7. ~~laura.fischer@web.de~~
8. a.a. 2015/16 iscrizione alla *Ludwig-Maximilians-Universität* di Monaco di Baviera, Facoltà di Lingue e letterature straniere
9. Inglese: ottima padronanza della lingua parlata e scritta (livello C1)
10. Teatro (membro della compagnia dell'università), volontariato (doposcuola per bambini con difficoltà di apprendimento), sport (pallavolo)
11. 80333 Monaco di Baviera
12. Italiano: buona conoscenza della lingua parlata e scritta (livello B2)
13. GERMANIA
14. Febbraio/Aprile 2016 tirocinio presso l'Assessorato alla cultura del Comune di Unterhaching
15. Unterhaching, 18.07.1997

CURRICULUM VITAE

Nome	2
Indirizzo	
Telefono/Cell.	
E-mail	7
Nazionalità	
Luogo e data di nascita	
Istruzione e formazione	
Esperienze lavorative	
Lingue straniere	
Competenze informatiche	
Interessi e attività extraprofessionali	

14. I consigli dell'esperto

a. *Secondo voi, come ci si prepara a un colloquio di lavoro? Parlatene in gruppo e annotate le idee che raccogliete.*

▶II 1.18 b. *Ascoltate più volte la seguente telefonata e dopo ogni ascolto confrontatevi con i compagni del punto 14a. Fra i consigli che vengono dati ritrovate qualche idea da voi citata al punto 14a?*

13, 14 *Quali altri suggerimenti sentite?*

> ➔ Abbiamo risposto a un annuncio di lavoro e siamo stati invitati ad un colloquio. Ci prepariamo ad affrontarlo e lo simuliamo per 'allenarci'.

Un colloquio di lavoro

a. Formate gruppi di quattro o sei persone e divideteli in due: i selezionatori e i candidati. Ogni gruppo sceglie un annuncio del punto 11a su cui lavorare.

b. I candidati di ogni gruppo analizzano l'annuncio scelto e scrivono insieme un CV adeguato, usando lo schema in basso. Attenzione: ognuno deve preparare una copia per sé e per un selezionatore.
I selezionatori rileggono l'annuncio e preparano insieme un breve profilo dell'azienda in questione (dimensioni, attività, esigenze, storia ecc.).

CURRICULUM VITAE

INFORMAZIONI PERSONALI

Nome

Indirizzo

Telefono/Cell.

E-mail

Nazionalità

Luogo e data di nascita

ISTRUZIONE E FORMAZIONE

ESPERIENZE LAVORATIVE

LINGUE STRANIERE

COMPETENZE INFORMATICHE

INTERESSI E ATTIVITÀ EXTRAPROFESSIONALI

c. I candidati consegnano ai selezionatori del proprio gruppo il CV che hanno scritto e poi si preparano al colloquio aiutandosi a vicenda e usando le informazioni raccolte al punto 14.
I selezionatori leggono il CV che hanno ricevuto e, insieme, preparano alcune domande mirate aiutandosi con le informazioni raccolte al punto 14 e con il profilo dell'azienda.

d. All'interno di ogni gruppo formate delle coppie costituite da un candidato e da un selezionatore. Poi fate il colloquio.

e. Alla fine ogni coppia potrà, se vorrà, analizzare il suo colloquio: che cosa è andato bene? Che cosa si può migliorare?

1. Il genere dei nomi di professione

dipendente – employee *(handwritten)*

I nomi di professione si possono dividere in due gruppi:

▶ Sostantivi che hanno una forma per il maschile e una per il femminile.
  Il femminile si forma aggiungendo una desinenza o un suffisso.

office workers – same as employees *(handwritten)*

maschile	femminile		
-o	-a	l'impiegato – l'impiegata	Osservate:
-a	-essa	il poeta – la poetessa	il dottore → la dottoressa
	-essa	lo studente – la studentessa	il professore → la professoressa
-e	-a	il parrucchiere – la parrucchiera	
-tore	-trice	il traduttore – la traduttrice	

▶ Sostantivi che hanno una sola forma per il maschile e per il femminile.
  Questi sono:

il sindaco – mayor *(handwritten)*

Parole straniere	il/la manager
tutti i nomi di professione in **-ista**	il/la regista, il/la giornalista
tutti i nomi di professione in **-ante**	il/la cantante
la maggior parte dei nomi di professione in **-ente**	il/la consulente, l'assistente
alcuni nomi di professione in **-o**	il/la capo ufficio
alcuni nomi di professione in **-e**	l'interprete, il/la preside
alcuni nomi di professione in **-a**	il/la geometra

In questi casi l'articolo o l'aggettivo indicano se si tratta di una forma maschile o femminile.
Alcuni nomi di professione (come **medico**) hanno solo la forma maschile che viene usata
anche per le persone di sesso femminile. Altri hanno solo la forma femminile anch'essa usata
anche per le persone di sesso maschile, per esempio **guida turistica**.

2. Il condizionale passato

Purtroppo non ho talento: **sarei diventato** un attore mediocre.

Il condizionale passato si forma con le forma del condizionale presente di **essere**
o **avere** + il participio passato del verbo principale.
Il condizionale passato si usa in una frase principale per esprimere un desiderio
che non si è realizzato o un'azione che sarebbe dovuta avvenire, ma non è avvenuta.

	avere	participio passato	essere	participio passato
(io)	avrei	fatto	sarei	diventato/diventata
(tu)	avresti	fatto	saresti	diventato/diventata
(lui/lei/Lei)	avrebbe	fatto	sarebbe	diventato/diventata
(noi)	avremmo	fatto	saremmo	diventati/diventate
(voi)	avreste	fatto	sareste	diventati/diventate
(loro)	avrebbero	fatto	sarebbero	diventati/diventate

3. La formazione delle parole

In italiano aggiungendo a una parola base un suffisso o un prefisso è possibile formare
un'altra parola che di solito appartiene a un'altra categoria grammaticale.
Tra le moltissime possibilità ne trovate alcune in questa lezione:

capace → capac**ità**   importante → import**anza**   dinamico → dinam**ismo**   bravo → brav**ura**

paziente → paz**ienza**   socievole → socievol**ezza**   determinato → determin**azione**

La formazione di un sostantivo da un verbo può avvenire tramite l'aggiunta di alcuni suffissi.

diffondere → diffu**sione**   formare → form**azione**   perfezionare → perfeziona**mento**

Se si aggiungono al verbo i suffissi **-mento**, **-zione** o **-sione** si forma un sostantivo.
Con il suffisso **-sione** il sostantivo non si forma dall'infinito bensì dal participio.

4. Il passivo

a. Il passivo con *essere*
L'ospedale **apprezza** la nostra preparazione. → Indicativo presente
La nostra preparazione **è apprezzata** dall'ospedale. → Indicativo presente

Il passivo si forma con l'ausiliare **essere** seguito dal participio passato del verbo principale.
Il verbo **essere** è coniugato allo stesso modo e tempo del verbo alla forma attiva.

Gli straordinari **sono retribuiti** bene **dall'**ospedale.   Il lavoro **è organizzato** in maniera diversa.

Nella frase passiva la persona o la cosa che fa l'azione (complemento d'agente) è introdotta
dalla preposizione **da**. Spesso però il complemento d'agente non è specificato perché,
quando si usa la forma passiva, si vuole evidenziare maggiormente l'azione.
Il participio concorda in genere e numero con il sostantivo a cui si riferisce.

b. La forma passiva con *venire*
La candidata **viene chiamata** dall'ospedale per un colloquio.
Il neolaureato **verrà formato** in azienda.
Letizia **è stata assunta** da un ospedale inglese.

Si usa il verbo ausiliare **venire** al posto di **essere** nella forma passiva dei tempi semplici.
Con i verbi composti si usa sempre solo **essere**. Il participio passato concorda in genere
e numero con il sostantivo a cui si riferisce. Chi compie l'azione è introdotto dalla preposizione **da**.

La biblioteca **viene chiusa** alle 19.   La biblioteca **è stata chiusa** per un problema elettrico.

La costruzione passiva con **venire** si usa per indicare un'azione in processo,
quella con **essere** per una situazione.

c. La forma passiva con *andare*
La domanda **va presentata** online.   Le domande **vanno presentate** online.

La costruzione **andare** + participio indica una necessità. Si usa soltanto con i tempi semplici.
A seconda del sostantivo si usa **andare** al singolare o al plurale.

MILLE E UN'ITALIA

In questa unità impariamo a...
...parlare di lingue e dialetti
...parlare delle vostre esperienze scolastiche
...parlare di relazioni interculturali
...descrivere alcuni aspetti del vostro Paese

➔ In questa unità descriviamo
alcuni aspetti del nostro Paese
e progettiamo un poster,
un'app o una pagina web
per presentarlo.

1. I volti dell'Italia

A quali aspetti dell'Italia contemporanea associate queste immagini?
1 Avete delle informazioni a riguardo? Quali? Parlatene in gruppo.

UNITÀ 6

2. Quale Italia?

a. Leggete il seguente brano tratto da un racconto.

Quando avevo sei anni ci fu il terremoto. Ero figlia unica, scappai a piedi nudi sotto l'arco di una porta, tra i miei genitori. «Questa è la trave portante», disse mio padre con l'aria da architetto, «qui è tranquillo». [...] Tre mesi dopo, una famosa maga del quartiere indicò alla popolazione il giorno e l'ora della prossima scossa. La gente dormiva con la valigia sotto il letto, e sulla maga non c'era da sbagliarsi, così quando arrivò il giorno X tutti cominciarono a scendere in strada. Accesero i falò.

b. A quale foto del punto 1 associate il testo? Parlatene in piccoli gruppi motivando la vostra opinione.

c. Leggete adesso alcune volte la continuazione del racconto. Dopo ogni lettura consultatevi con un compagno diverso e confrontate con lui le informazioni capite.

Io avevo sentito della profezia a scuola e vedevo dal balcone i falò accesi.
«Mamma, perché non scappiamo?»
«Ma che scemenza: i maghi non esistono,
5 la magia non esiste, nessuno può prevedere niente, perché quello che deve ancora succedere non si sa come succederà».
Io vidi Katia scendere nel cortile.
«Mamma, Katia è scesa, c'ha anche la car-
10 tella».
[...] La signora Russo con un completino da rifugio antiaereo ci venne a bussare.
«Signò, vi volete muovere?»
«Ma signora, per favore non diciamo scioc-
15 chezze, sedetevi che vi faccio un caffè».
«Ma quale caffè? Voi dovete scappare!»
«Signora, ragioniamo: che probabilità c'è che venga una scossa mo'? Allora dovremmo stare sempre in mezzo alla strada?»
20 «Ma la maga ha detto mo', tra mezz'ora».
«E voi credete alla maga? Siete una donna così coraggiosa, faticate dalla mattina alla sera, e credete a questi buffoni che si vogliono fare i soldi con la vostra superstizione?»

25 «Signò, [...] fate come volete, ma almeno questa povera creatura me la dovete dare a me».
Io seguivo la conversazione, quando disse povera creatura capii che parlava di me, e andai nella stanzetta a prendere la cartella.
30 Mia madre vedendomi allontanare disse:
«Avete visto? L'avete fatta spaventare!»
Tornai nell'ingresso e tesi la mano verso la signora Russo.
Mia madre aveva la tristezza del fallimento
35 negli occhi e l'attesa della rivincita nel cuore.
Corremmo giù: io e Katia ci trovammo vicino al falò, e per venti minuti facemmo i compiti.
[...]
All'ora X ci fermammo tutti, la signora Russo
40 mi prese in braccio. Ci avvolse un silenzio totale, poi la terra scricchiolò, le case ondeggiarono un poco. Ci muovevamo restando fermi.
Polacchine e jeans, i miei
45 genitori correvano sconvolti fuori dal palazzo.

(da: *Quello che non ricordo più*, racconto tratto da *Mosca più balena* di Valeria Parrella, 2003)

d. La madre della persona che racconta e la signora Russo hanno opinioni diverse riguardo a un argomento. Qual è l'argomento e quali sono le opinioni?

ALMA Edizioni

e. Abbinate le espressioni ai loro significati.

cartella (r. 9)   insuccesso
buffoni (r. 23)   scarpe invernali che arrivano fino alla caviglia
superstizione (r. 24)   persone poco serie, non affidabili
fallimento (r. 34)   credere in fatti soprannaturali e magici
polacchine (r. 44)   borsa in cui si mettono libri, quaderni, penne, ecc.
sconvolti (r. 45)   traumatizzati

3. Mille Italie, mille lingue

a. Nel testo del punto 2 ci sono alcune espressioni regionali che corrispondono
   alle seguenti espressioni standard. Cercatele e confrontate poi con un compagno.

1. _____ → signora   2. _____ → ora, adesso   3. _____ → lavorate   4. _____ → bambina

b. Nello stesso testo potete constatare un altro regionalismo. Le due signore non si danno del tu:
   quale persona verbale usano? Qual è la differenza rispetto all'italiano standard?

c. E voi parlate un dialetto? Se sì, con chi e in quali situazioni lo fate? I vostri parenti e amici lo parlano?
≡ 2   Parlatene in gruppo e poi riferite in plenum: quanto è dialettofona la vostra classe?

4. Siete come la signora Russo?

a. Che cosa vedete nei disegni? Conoscete altre superstizioni italiane? Parlatene in gruppo.

passare sotto una scala   rovesciare il sale sulla tovaglia   rompere uno specchio

  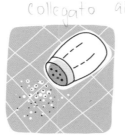  

b. In gruppo. Nel vostro Paese è diffusa la superstizione? Quali esempi vi vengono in mente?
≡ 3, 4   E voi siete superstiziosi? Conoscete qualcuno che lo è? Avete delle credenze particolari?

5. Ritorno al testo

a. Nel racconto l'autrice usa un nuovo tempo verbale, il passato remoto, che può sostituire il passato
   prossimo quando si racconta un fatto lontano nel tempo e senza più legami con il presente. Cercate e
   sottolineate tutti i verbi del testo al punto 2 che secondo voi sono al passato remoto. Poi trascriveteli
   insieme all'infinito, come nell'esempio.

Esempio: passato remoto   infinito
           scappai   scappare

b. *In coppia. Completate la tabella dei verbi regolari con le forme che avete trovato nel testo.*
Poi riflettete: come si forma il passato remoto di questi verbi? Quali somiglianze e quali differenze notate fra le desinenze delle tre coniugazioni?

Il passato remoto: verbi regolari

	arrivare	vendere	capire
(io)	arrivai	vendei/vendetti	
(tu)	arrivasti	vendesti	capisti
(lui/lei)		vendé/vendette	capì
(noi)	arrivammo	vendemmo	capimmo
(voi)	arrivaste	vendeste	capiste
(loro)	arrivarono	venderono/vendettero	capirono

c. *In coppia. Considerate nuovamente i verbi al passato remoto del punto a: quali vi sembrano regolari e quali irregolari? Fate due liste e poi provate a coniugare i verbi regolari che avete trovato.*

d. *Ora provate a completare la seguente tabella che contiene alcuni verbi irregolari. Inserite prima le forme che avete trovato nel testo e poi completate la coniugazione con quelle che trovate qui sotto.*

fummo	vedemmo	avesti	venni	dissero	ebbe	fui	avemmo	ebbero	dissi	prendeste
furono	corsi	dicemmo	presero	vedesti	corresti	vide	foste	fece	videro	correste
ebbi	fosti	venimmo	prendesti	diceste	veniste	vennero	corse	vedeste	prendemmo	
corsero	feci	dicesti	aveste	facesti	venisti	fecero	presi	faceste		

	io	tu	lui/lei	noi	voi	loro
avere						
essere						
dire						
vedere						
venire						
correre						
fare						
prendere						

e. *Osservate con attenzione la tabella dei verbi irregolari: quali somiglianze e quali differenze notate tra le forme delle tre coniugazioni? Parlatene con un compagno e completate la regola.*

Il passato remoto: verbi irregolari

Sono **irregolari** la _____ e la _____ persona singolare e la _____ persona plurale.
Sono **regolari** la _____ persona singolare, la _____ e la _____ persona plurale.
L'irregolarità riguarda ○ la radice   ○ le desinenze.
Le desinenze delle tre forme irregolari sono normalmente _____ , _____ e _____ .

6. E vissero felici e contenti

Giocate in piccoli gruppi con un dado. L'insegnante vi darà una busta con un 'mazzo' di verbi all'infinito: mettetelo sul banco con la scritta verso il basso. A turno, un giocatore prende un verbo e tira il dado: il numero uscito sul dado corrisponde alla persona da coniugare al passato remoto. Tutti scrivono sul quaderno la forma richiesta, ogni forma corretta vale un punto. Vince chi alla fine ha più punti.

≝ 5,6, 7,8

7. Occhio alla lingua!

Rileggete il seguente brano tratto dal testo del punto 2 ed evidenziate con colori diversi i verbi al passato remoto e quelli all'imperfetto. Poi, in coppia, riflettete sull'uso dei due tempi. Infine confrontatevi con tutta la classe.

Quando avevo sei anni ci fu il terremoto. Ero figlia unica, scappai a piedi nudi sotto l'arco di una porta, tra i miei genitori.
Tre mesi dopo, una famosa maga del quartiere indicò alla popolazione il giorno e l'ora della prossima scossa. La gente dormiva con la valigia sotto il letto, e sulla maga non c'era da sbagliarsi, così quando arrivò il giorno X tutti cominciarono a scendere in strada. Accesero i falò.
Io seguivo la conversazione, quando disse povera creatura capii che parlava di me, e andai nella stanzetta a prendere la cartella.

8. Mai due volte nella stessa città

a. Leggete ora l'inizio di un altro racconto e scegliete il tempo giusto.

Si lasciarono/Si lasciavano a Largo Argentina, Roma. Lei salì/saliva su un taxi, lui rimase/rimaneva in piedi a guardarla. Lo sportello fu/era già chiuso e lui mosse/muoveva le labbra lentamente per farsi capire, mentre sillabò/sillabava: «CI RI- VE-DRE-MO?». Lei abbassò/abbassava il finestrino mentre l'auto partì/partiva e nel traffico rispose/rispondeva: «Mai due volte nella stessa città».

(tratto da: *Mai due volte nella stessa città* di Gabriele Romagnoli, *la Repubblica/Speciale San Valentino*, 2002)

b. Come potrebbe continuare la storia? In coppia, scrivete un finale usando l'imperfetto e il passato remoto.

≝ 9 *c. Formate ora delle nuove coppie e raccontatevi il finale che avete inventato.*

▶‖ 1.19 ## 9. Ti ricordi?

a. Ascoltate la conversazione. Secondo voi, chi sono le persone che parlano? Di che cosa parlano?

b. Ascoltate di nuovo e rispondete alle domande.

1. Chi è Cheng?
2. Che cosa, secondo gli amici, lo ha aiutato a integrarsi in Italia?
3. Quale analogia fra la storia della propria famiglia e quella di Cheng vedeva Massimo?

UNITÀ 6

10. Occhio alla lingua!

Rileggete le seguenti frasi tratte dal dialogo del punto 9: che cosa esprime il condizionale passato in questo contesto? Parlatene in coppia e completate la regola.

Non **pensavo** che **sarebbe rimasto** qui molto.
I genitori gli **avevano promesso** che **sarebbero tornati** in Cina e lui ci credeva.
Immaginavo che **avrebbe fatto** qualcosa del genere.
Anche lui non **pensava** che **sarebbe andata** così…

> **Il futuro nel passato**
>
> In questo contesto il **condizionale passato** esprime l'idea del futuro nel passato, cioè indica un'azione il cui svolgimento è previsto o immaginato ○ prima di ○ dopo un certo momento del passato.

11. Mi avevi detto che...

a. In coppia. Che cosa direste in queste situazioni? Scrivete delle frasi seguendo l'esempio.

> pensavo / non pensavo che...   immaginavo / non immaginavo che...
> mi avevi / aveva / avevano detto che...   mi avevi / aveva / avevano promesso che...

1. Un amico ti dice che un vostro vecchio compagno di scuola straniero vive ancora in Italia. Tu ne sei sorpreso.
   Non pensavo che sarebbe rimasto molto in Italia.
2. Un tuo amico arriva in ritardo a un appuntamento, come al solito. Questa volta ti arrabbi.
3. Ti dicono che un tuo compagno di studi ha lasciato l'università. Tu sapevi che non era contento.
4. Hai prenotato un tavolo per una cena di classe (anniversario della maturità). Avevano confermato in 15, ma sono venuti in 20 e tu devi scusarti con il proprietario del locale.
5. Una compagna di corso esce dall'aula e dimentica il suo cellulare accanto a te. Cinque minuti dopo ritorna.

≝ 10 *b. Confrontate ora in plenum.*

12. Compagni di scuola

Ricordate i vostri compagni di scuola? Avevate un compagno o una compagna "del cuore"? Siete rimasti in contatto con alcuni di loro? Parlatene in coppia.

13. La mia casa è dove sono

a. La scrittrice Igiaba Scego è nata e vive a Roma. I suoi genitori sono arrivati in Italia dalla Somalia nel 1969, in esilio a causa di un colpo di stato militare. Prima di leggere un brano del suo libro La mia casa è dove sono (2010), riflettete sul titolo: secondo voi, che cosa significa? Parlatene con un compagno.

(Illustrazione di Caterina Giuliani, Benger & Talleri, 2012)

ALMA Edizioni

b. Come ricorda Igiaba Scego gli anni delle elementari a Roma? Leggete quello che racconta e inserite alla fine di ogni paragrafo l'ultima frase, scegliendola fra quelle riportate qui sotto.

1. E a poco a poco cominciai ad avere amici e a essere glamour.
2. A quei tempi solo nei libri trovavo degli amici. Promisi alla maestra tutte le parole del mondo.
3. I genitori dei miei compagni di classe erano contro di me e di conseguenza anche i compagni di classe erano contro di me.
4. Era per via di tutti quegli insulti che ricevevo a dosi massicce ogni giorno.

Oggi alcune mamme si lamentano della presenza di bambini di origine straniera nelle scuole. Non vogliono far sedere i loro figli nella stessa classe. Non vogliono contaminare la loro prole. Ma se qualcuno le chiama razziste, loro negano. «Non è razzismo. È solo che questi bambini limitano la produttività della scuola. Noi vogliamo il meglio per i nostri figli, non vogliamo farli diventare zulù.» Il meglio per loro è inteso come bianco, naturalmente. Le mamme degli anni Ottanta dicevano lo stesso di me. [...] ○

Non brillavo molto i primi anni delle elementari. Sapevo un sacco di cose. [...] Però tutto questo a scuola non usciva. Ero muta più di tutti i pesci che nuotavano nel mare aperto. Non mi usciva nemmeno mezzo suono. Anche alle domande dirette della maestra non rispondevo. Avevo troppa paura. ○

Mia madre andò a lamentarsi con la maestra. Le spiegò che ero una brava bambina, studiosa, e che era la paura a bloccarmi la lingua. Credo che un caso come il mio alla maestra non era capitato mai. Credo ci abbia riflettuto un po' su. So solo che a scuola cambiò radicalmente nei miei confronti. Mi ricordo che un giorno mi chiamò a sé e mi spiegò che in un cassetto erano raccolte delle storie magiche. Però per prenderle le dovevo promettere che per ogni storia le avrei regalato una parola in più in classe. Mi piaceva molto leggere e quell'armadietto era pieno di leccornie per una come me. [...] ○

E piano piano, storia dopo storia, la mia lingua si scioglieva, tanto che in classe divenni da muta a molto loquace. E poi la maestra mi spingeva a raccontare nei temi quella Somalia delle mie origini. Dovevo spiegare come si viveva lì, i nostri riti, i nostri colori sgargianti. I miei compagni rimanevano tutti a bocca aperta. [...] ○

(tratto da: La mia casa è dove sono © 2010, Igiaba Scego. Pubblicato in accordo con Piergiorgio Nicolazzini Literary Agency, PNLA)

c. Confrontate le vostre soluzioni con quelle di un compagno. Poi scambiatevi le informazioni capite finora.

d. Abbinate le seguenti espressioni tratte dal testo ai loro significati.

insulti (frase nr. 4) — vivaci e vistosi
prole (r. 5) — che parla molto
leccornie (r. 33) — 'funzionava' meglio
si scioglieva (r. 35) — parole che fanno male
loquace (r. 36) — figli
sgargianti (r. 39) — cibi molto buoni e invitanti, cose molto desiderabili

UNITÀ 6

e. *Rileggete il testo, rispondete alle domande e poi confrontatevi con almeno un compagno.*

Pensavano che è male per la produttività dei suoi

1. Che cosa pensavano di Igiaba le mamme dei suoi compagni di scuola? *bambini*

2. Come si comportavano i compagni di scuola? *Era muta più di tutti*

3. Come reagiva lei? *Era muta più di tutti*

4. Chi o che cosa l'ha aiutata? *le storie magiche sul cassetto*
leggere

≝ 11 f. *Vi ricordate Cheng, il ragazzo cinese del punto 9? Quali somiglianze o differenze trovate fra la sua esperienza scolastica e quella di Igiaba? Parlatene in gruppo.*

14. Occhio alla lingua!

a. *Nel testo del punto 13 trovate un esempio di un tempo verbale nuovo, il congiuntivo passato.*
   Rileggete la seguente frase: come si forma e che cosa esprime questo tempo?

Credo che la maestra ci **abbia riflettuto** un po' su.

b. *Lavorate in coppia e completate la regola. Poi confrontate in plenum.*

Il congiuntivo passato
Il congiuntivo passato si forma con il _____ di _____ / essere + _____ .
Il congiuntivo passato esprime un fatto che si svolge
○ contemporaneamente a
○ prima di   quanto espresso dal verbo principale all'indicativo _____ .
○ dopo

15. Che dire?

In coppia. Immaginate due situazioni simili a quelle dell'esempio e scrivete ognuna su un foglietto.
Poi lavorate con un'altra coppia: scambiatevi i foglietti e scrivete delle frasi adatte alle situazioni, come nell'esempio. Usate il congiuntivo passato. Se volete, potete anche usare le espressioni elencate qui sotto.
Alla fine correggete insieme le frasi, se necessario.

Spero che / Speriamo che…   Mi auguro che…   Credo che…   Ho l'impressione che…

Ho paura che…   Mi pare che…   Può darsi che…

Esempio:

Oggi c'è un esame importante, ma un vostro compagno,

≝ 12, 13, che lo deve fare e che è un tipo smemorato, non è ancora

14 arrivato. Voi pensate…

> Speriamo che non si sia dimenticato anche dell'esame!

16. Il mio Paese è casa tua

Conoscete una persona che vive stabilmente, e magari è cresciuta, in un Paese diverso dal suo Paese d'origine? Che cosa sapete della sua storia? Pensate, per esempio, ai motivi dell'emigrazione, a esperienze con amici e compagni di scuola, a studi, lavoro, integrazione. Parlatene in gruppo: ci sono esperienze simili?

17. Una Babele italiana

a. Dividetevi in 4 gruppi: A, B, C e D. Ogni studente del gruppo A legge il testo A e sceglie un titolo fra quelli elencati qui sotto. Gli studenti dei gruppi B, C e D fanno la stessa cosa con i 'loro' testi.

(tratto da: *La mia casa è dove sono* © 2010, Igiaba Scego. Pubblicato in accordo con Piergiorgio Nicolazzini Literary Agency, PNLA)

A. Oggi che sono adulta vivo a Torpignattara, una Roma che confina con Pechino e Dakka.

È una Roma inedita che nemmeno io, afroitaliana, abituata da sempre a vivere a Roma Nord, conosco davvero. [...]

È una Roma che nessuno si aspetta. Una Roma dove la globalizzazione si è fatta carne. Il territorio compreso tra la ferrovia Roma-Pescara e la via Casilina racchiude interi universi e a volte non ti capaciti che questo sia possibile. Mio fratello la prima volta che è venuto a farmi visita qui dall'Inghilterra mi ha detto: «Ma Igi, vivi in Asia, lo sai?» Me lo ha detto con tono così stupido. Era così buffa l'espressione del suo volto. Era incappato proprio pochi minuti prima in un gruppo di ragazzi italiani e cingalesi intenti a giocare a cricket. [...]

La mia Italia dai mille volti

Il mio quartiere

La mia Italia che cambia

La mia anima italiana

C. Essere italiani a ben vedere significa far parte di una frittura mista. Una frittura fatta di mescolanze e contaminazioni. In questa frittura io mi sento un calamaro molto condito.

Che significa essere italiano per me... [...]

Non avevo una risposta. Ne avevo cento.

Sono italiana, ma anche no. Sono somala, ma anche no.

D. Mi sono concentrata sui primi venti anni della mia vita [...]. Ma sono stati anche i venti anni in cui l'Italia è cambiata come non mai. Da paese di emigranti a paese meta di immigrati, dalla tv chioccia alla tv commerciale, dalla politica all'antipolitica, dal posto fisso al precariato. Io sono il frutto di questi caos intrecciati.

E la mia mappa è lo specchio di questi anni di cambiamenti.

Non è una mappa coerente. È centro, ma anche periferia. È Roma, ma anche Mogadiscio.

È Igiaba, ma siete anche voi.

B. In un certo senso anche l'Italia è Babele. Qui ci sono passati tutti, arabi, normanni, francesi, austriaci. C'è passato Annibale, condottiero africano, con i suoi elefanti. «Ecco perché molti italiani hanno la pelle scura» cantavano gli Almamegretta «ecco perché molti italiani hanno i capelli scuri. Un po' del sangue di Annibale è rimasto a tutti quanti nelle vene.»

b. Parlate con un compagno del vostro gruppo: avete scelto lo stesso titolo? Perché? Confrontatevi e aiutatevi reciprocamente a capire meglio il testo.

c. Formate dei nuovi gruppi con uno studente per ogni testo (A, B, C, D). Di che cosa parla il testo dei compagni?

d. Leggete anche gli altri testi e abbinate le seguenti espressioni ai loro significati.

inedita (testo A)	viso
non ti capaciti (t. A)	aveva incontrato per caso
volto (t. A)	nuova
era incappato (t. A)	che si comporta come una mamma
intenti (t. A)	non riesci a credere
chioccia (t. D)	impegnati, concentrati

e. Secondo Igiaba Scego, Roma e l'Italia negli ultimi venti anni sono cambiate. Quali sono alcuni dei cambiamenti indicati dalla scrittrice? E che cosa significa per lei essere italiana? Quali potrebbero essere alcune delle sue cento risposte a questa domanda? Parlatene in gruppo.

PROGETTO - PROGETTO - PROGETTO - PROGETTO - PROGETTO - PROGETTO -

⊖ "E poi la maestra mi spingeva a raccontare nei temi quella Somalia delle mie origini. Dovevo spiegare come si viveva lì, i nostri riti, i nostri colori sgargianti". Prendiamo spunto dal racconto di Igiaba Scego e descriviamo alcuni aspetti del nostro Paese. Poi lo presentiamo in un poster, una pagina web o in un'app per smartphone destinata a utenti italiani.

Ti racconto il mio Paese

a. In gruppo. Lasciatevi ispirare dai ricordi di Igiaba Scego: che cosa raccontereste voi del vostro Paese? Secondo voi, quali aspetti (socioculturali e non) sono importanti per capirlo? Discutetene e raccogliete le idee tenendo conto dei punti elencati qui accanto.

Che cosa bisogna sapere?
Quali luoghi bisogna visitare?
Che cosa bisogna fare?
...

b. Progettate ora il vostro prodotto: scegliete il mezzo (poster, app, pagina web dedicata...), definite il gruppo dei destinatari (p. es. studenti e dottorandi), pensate a come strutturare i contenuti, agli slogan più efficaci, alle illustrazioni. Alla fine ideate un titolo.

c. Ogni gruppo presenta il proprio prodotto alla classe. Quali aspetti sono stati tematizzati da più gruppi? Quali somiglianze e differenze notate? E quale prodotto vi sembra più accattivante?

✪ titolo	....
✪ mezzo (poster, app, pagina web...)	
✪ destinatari	
✪ contenuti	
✪ immagini	
✪ testo	
✪ altro	

ALMA Edizioni

1. Il passato remoto

Quando **arrivò** il giorno X tutti **cominciarono** a scendere in strada.
Tornai nell'ingresso e **tesi** la mano verso la signora Russo.

Il passato remoto si usa come il passato prossimo: quando le azioni al passato sono uniche e successive.
Nel caso del passato remoto però la distanza psicologica con l'azione al passato è più grande, cioè
il soggetto sente i fatti di cui parla molto lontani da sé. Il passato remoto in generale si usa soprattutto
nella lingua scritta colta (romanzi, poesie, saggi storici, ecc.). Tuttavia, in alcune zone del Centro
e in gran parte del Sud Italia lo si usa anche nella lingua parlata al posto del passato prossimo.

Quando **avevo** sei anni **ci fu** il terremoto. **Ero** figlia unica, **scappai** a piedi nudi sotto l'arco
di una porta, tra i miei genitori.
Io **seguivo** la conversazione, quando **disse** povera creatura **capii** che **parlava** di me,
e **andai** nella stanzetta a prendere la cartella.

Nell'alternanza dell'uso di passato remoto e imperfetto valgono le stesse regole che valgono
per l'uso di passato prossimo e imperfetto.

Verbi regolari

	pensare	credere	sentire
(io)	pensai	credei/credetti	sentii
(tu)	pensasti	credesti	sentisti
(lui/lei)	pensò	credé/credette	sentì
(noi)	pensammo	credemmo	sentimmo
(voi)	pensaste	credeste	sentiste
(loro)	pensarono	crederono/credettero	sentirono

I verbi in **-ere** presentano due forme alla prima e terza persona singolare così come
alla terza persona plurale. Quando un verbo termina in **-tere** si usano le prime due tipologie,
ad esempio **potere**: potei (non potetti); **riflettere**: riflettei (non riflettetti).

Verbi irregolari

	chiedere
(io)	**chiesi**
(tu)	chiedesti
(lui/lei)	**chiese**
(noi)	chiedemmo
(voi)	chiedeste
(loro)	**chiesero**

Irregolari al passato remoto sono soprattutto i verbi
in **-ere**. L'irregolarità interessa la prima e la terza persona
singolare così come la terza persona plurale. Le altre persone
sono di solito regolari.
Imparando la prima e la seconda persona singolare dunque,
si hanno le forme base di tutte le altre persone del verbo.
In base a questo esempio vengono coniugati i verbi
alle pagine seguenti.

Passato remoto in -si - come **chiedere**:

	accendere	chiudere	correre	decidere
(io)	**accesi**	**chiusi**	**corsi**	**decisi**
(tu)	accendesti	chiudesti	corresti	decidesti
(lui/lei)	**accese**	**chiuse**	**corse**	**decise**
(noi)	accendemmo	chiudemmo	corremmo	decidemmo
(voi)	accendeste	chiudeste	correste	decideste
(loro)	**accesero**	**chiusero**	**corsero**	**decisero**

	mettere	perdere	prendere	promettere
(io)	**misi**	**persi**	**presi**	**promisi**
(tu)	mettesti	perdesti	prendesti	promettesti
(lui/lei)	**mise**	**perse**	**prese**	**promise**
(noi)	mettemmo	perdemmo	prendemmo	promettemmo
(voi)	metteste	perdeste	prendeste	prometteste
(loro)	**misero**	**persero**	**presero**	**promisero**

	ridere	scendere	spendere	tendere
(io)	**risi**	**scesi**	**spesi**	**tesi**
(tu)	ridesti	scendesti	spendesti	tendesti
(lui/lei)	**rise**	**scese**	**spese**	**tese**
(noi)	ridemmo	scendemmo	spendemmo	tendemmo
(voi)	rideste	scendeste	spendeste	tendeste
(loro)	**risero**	**scesero**	**spesero**	**tesero**

Alcuni verbi hanno un passato remoto in -**ssi**:

	condurre	dire	discutere	leggere
(io)	**condussi**	**dissi**	**discussi**	**lessi**
(tu)	conducesti	dicesti	discutesti	leggesti
(lui/lei)	**condusse**	**disse**	**discusse**	**lesse**
(noi)	conducemmo	dicemmo	discutemmo	leggemmo
(voi)	conduceste	diceste	discuteste	leggeste
(loro)	**condussero**	**dissero**	**discussero**	**lessero**

	produrre	scrivere	tradurre	vivere
(io)	**produssi**	**scrissi**	**tradussi**	**vissi**
(tu)	producesti	scrivesti	traducesti	vivesti
(lui/lei)	**produsse**	**scrisse**	**tradusse**	**visse**
(noi)	producemmo	scrivemmo	traducemmo	vivemmo
(voi)	produceste	scriveste	traduceste	viveste
(loro)	**produssero**	**scrissero**	**tradussero**	**vissero**

A questo gruppo appartiene anche il verbo **succedere** (**successe**, **successero**).

ALMA Edizioni

Alcuni verbi hanno al passato remoto una doppia consonante:

	bere	cadere	conoscere	rompere
(io)	bevvi	caddi	conobbi	ruppi
(tu)	bevesti	cadesti	conoscesti	rompesti
(lui/lei)	bevve	cadde	conobbe	ruppe
(noi)	bevemmo	cademmo	conoscemmo	rompemmo
(voi)	beveste	cadeste	conosceste	rompeste
(loro)	bevvero	caddero	conobbero	ruppero

	sapere	tenere	venire	volere
(io)	seppi	tenni	venni	volli
(tu)	sapesti	tenesti	venisti	volesti
(lui/lei)	seppe	tenne	venne	volle
(noi)	sapemmo	tenemmo	venimmo	volemmo
(voi)	sapeste	teneste	veniste	voleste
(loro)	seppero	tennero	vennero	vollero

Altri hanno il passato remoto in -**cqui**:

	nascere	piacere
(io)	nacqui	piacqui
(tu)	nascesti	piacesti
(lui/lei)	nacque	piacque
(noi)	nascemmo	piacemmo
(voi)	nasceste	piaceste
(loro)	nacquero	piacquero

Altri verbi irregolari:

	avere	essere	dare	fare	stare	vedere
(io)	ebbi	fui	diedi	feci	stetti	vidi
(tu)	avesti	fosti	desti	facesti	stesti	vedesti
(lui/lei)	ebbe	fu	diede	fece	stette	vide
(noi)	avemmo	fummo	demmo	facemmo	stemmo	vedemmo
(voi)	aveste	foste	deste	faceste	steste	vedeste
(loro)	ebbero	furono	diedero	fecero	stettero	videro

2. Il condizionale passato

Non **pensavo** che **sarebbe rimasto** molto in Italia.
I genitori gli **avevano promesso** che **sarebbero tornati** in Cina.
Promisi che **avrei aiutato** il mio compagno a fare i compiti.

Il condizionale passato esprime in frasi secondarie un desiderio che non si è realizzato
o un'azione che sarebbe dovuta avvenire, ma non è avvenuta. Se nella frase principale
il verbo è al passato prossimo, imperfetto, trapassato prossimo o passato remoto,
il condizionale composto nella frase secondaria esprime una posteriorità rispetto
alla principale. In questo caso si parla di un "futuro nel passato".

3. Il congiuntivo passato

Credo che ci **abbia riflettuto** un po' su.
Mi pare che Igiaba Scego **sia nata** a Roma.

Il congiuntivo passato è una forma composta che si forma come segue:
congiuntivo presente di **avere / essere + participio passato**.

	avere	participio passato	essere	participio passato
(io)	abbia	studiato	sia	partito/partita
(tu)	abbia	studiato	sia	partito/partita
(lui/lei/Lei)	abbia	studiato	sia	partito/partita
(noi)	abbiamo	studiato	siamo	partiti/partite
(voi)	abbiate	studiato	siate	partiti/partite
(loro)	abbiano	studiato	siano	partiti/partite

Il congiuntivo passato si usa in frasi secondarie quando il verbo al presente
della frase principale richiede il congiuntivo. Il congiuntivo passato esprime
che l'azione della frase secondaria è avvenuta prima di quella della frase principale.

ALMA Edizioni

A MISURA D'UOMO

In questa unità impariamo a...

...descrivere aspetti positivi e negativi
  di un luogo

...parlare di cultura gastronomica

...descrivere abitudini di consumo

...fare ipotesi

➔ In questa unità partecipiamo
  a un'iniziativa del Comune
  ed elaboriamo delle proposte
  per migliorare la qualità
  della vita in città.

1. Vivere in città

*a. A quali dei seguenti aspetti della vita in città associate
le immagini? Scrivete nei cerchietti i numeri corrispondenti.*

tempo libero ○   servizi finanziari ○   istruzione e cultura ○   mobilità ○

ambiente ○   salute ○   sicurezza ○   lavoro ○   popolazione ○

b. *Abbinate le seguenti espressioni alle aree tematiche del punto 1a.*

piste ciclabili   età degli abitanti   disoccupazione   sale cinematografiche   imprese attive
raccolta differenziata dei rifiuti   numero di abitanti   scuole   banche   ospedali   criminalità
inquinamento   librerie   associazioni ricreative, artistiche e culturali   mezzi pubblici

c. *Secondo voi, quali degli aspetti citati al punto 1b rappresentano criteri importanti per valutare la qualità della vita in una città? Ne aggiungereste altri? Parlatene in gruppo e poi riferite in plenum.*

2. Mantova, la più felice

a. *In coppia. Conoscete Mantova? Aiutatevi con la carta d'Italia all'interno della copertina e cercate in Internet informazioni sulla città e i suoi dintorni. Poi leggete l'inizio di un articolo e parlatene: secondo voi, perché Mantova è la città dove si vive meglio in Italia?*

> Cosa c'entrano, tutti insieme, i vigili urbani, il risotto con la salamella e lo scrittore Jonathan Safran Foer? Dicono che sia merito di tutti e tre se Mantova nel 2016 è diventata la città dove si vive meglio in Italia.

c'entrano = hanno a che fare
vigili urbani = guardie che controllano il traffico e l'ordine in città

b. *Ora leggete rapidamente i seguenti estratti dell'articolo e abbinate un tema a ogni brano.*

a. I provvedimenti del sindaco   b. Aspetti problematici   c. Tradizione e innovazione

d. Servizi e cultura   e. Economia e cultura

1. ○ Resta sempre provincia, certo: vita semplice, nebbia e zanzare giganti, i laghi e il silenzio di certe passeggiate notturne in Piazza delle Erbe senza un'anima viva già alle undici di sera. Però, nel frattempo, si è anche sprovincializzata. Con il primo treno veloce che la collega a Roma. Con la mappatura digitalizzata di tutti i suoi capolavori [...]. «Quello che ci contraddistingue, ed è forse la cosa più bella di Mantova, è proprio questo connubio unico fra paesaggio, patrimonio culturale ed enogastronomia», dice il sindaco Mattia Palazzi.

2. ○ «La prima cosa che ho fatto appena eletto [...] è stata istituire i vigili urbani di quartiere. La seconda decisione, pagare gli straordinari per le pattuglie notturne degli agenti. La terza, investire 1 milione e 400 mila euro nella nuova illuminazione. Perché la percezione della sicurezza conta quanto la sicurezza stessa». Per intenderci: omicidi a Mantova nel 2016? Nessuno.

3. ○ Ma questo è un territorio dove i confini fra la città e la campagna sfumano subito, ed iniziano le cascine e le imprese che lavorano la carne, quelle del legno e del tessile. «Sono orgoglioso di questo riconoscimento», dice il presidente della Confindustria di Mantova Alberto Marenghi. [...] E la cultura, cosa c'entra con l'industria? «Tanto. Sono molto più vicine di quanto non si creda. La bellezza serve anche agli imprenditori. Una città conosciuta ed apprezzata aiuta ad esportare i nostri prodotti nel mondo e ad attrarre nuovi investimenti.» [...] «Siamo diventati una città che fa squadra», riassume il presidente degli industriali.

Confindustria = associazione che rappresenta industrie e imprese di servizi in Italia

4. ○ Gli ospedali che funzionano, la navetta gratuita per il centro storico ogni dieci minuti. I turisti vengono a vedere il Festival della Letteratura, passato da 15 mila a 130 mila presenze nel giro di vent'anni. Scrittori come Julian Barnes, Jonathan Coe, Alain De Botton e Safran Foer. Vengono per l'eredità lasciata dai principi Gonzaga. Ovunque ti giri, una meraviglia. Palazzo Ducale, Palazzo Te. La Rotonda di San Lorenzo. La casa del Mantegna. Il Teatro Scientifico del Bibiena. La possibilità di dormire nella Casa di Palazzo Gonzaga, un hotel museo.

5. ○ Ma non è tutto un sogno, certo. Neppure qui, nella città dove si vive meglio in Italia. C'è la decisione tormentata sulla costruzione di un supermercato forse in antitesi a tutta questa bellezza. C'è la storica cartiera Burgo chiusa, che attende il progetto di ristrutturazione dalla nuova proprietà. C'è il porto fluviale e la via per Venezia, ancora più un sogno che una realtà. Ci sono, soprattutto, le indagini in corso sull'inquinamento lasciato negli anni dal petrolchimico. Saranno queste le prossime sfide da vincere per rimanere in testa alla classifica. Ma intanto quest'anno Mantova, la capitale del Rinascimento, è rinata. Cultura, sicurezza, cibo. Certe volte bastano solo i nomi per capire di cosa stiamo parlando: tortelli di zucca, agnolini, salamelle, torta sbrisolona...

(tratto da: *Storia, bellezza e affari così la cultura rende Mantova la più felice* di Niccolò Zancan, www.lastampa.it, 29/11/2016)

c. Abbinate le seguenti espressioni ai loro significati.

senza un'anima viva (par. 1)	sul fiume
connubio (par. 1)	autobus che viaggia avanti e indietro su percorsi brevi
sfumano (par. 3)	case di campagna con stalla e altri locali intorno a un cortile
cascine (par. 3)	sono sempre meno chiari
navetta (par. 4)	al primo posto
fluviale (par. 5)	unione
in testa (par. 5)	senza neanche una persona

d. Rileggete i testi e rispondete alle seguenti domande.

1. Quali aspetti del punto 1 ritrovate nei testi? Perché?
2. Quali sono i punti di forza di Mantova secondo il suo sindaco?
3. Che importanza ha la cultura per gli imprenditori?

4. Quali sono i problemi della città?
5. Il presidente della Confindustria dice: «Siamo diventati una città che fa squadra». Secondo voi, che cosa significa?

e. Confrontate le vostre risposte con il compagno del punto 2a e poi discutete: le vostre supposizioni iniziali andavano nella direzione giusta?

3. Una capitale della cultura italiana

Rileggete i testi 1, 2, 3 e 4. Trovate le informazioni che riguardano i seguenti aspetti di Mantova e scrivetele qui accanto.

paesaggio e clima   'carattere' della città   aziende
servizi   manifestazioni culturali   luoghi e palazzi storici

4. La nostra classifica

Secondo voi, quale città potrebbe conquistare il primo posto in un'analoga classifica realizzata nel vostro Paese? Perché?

Attenzione!
Si dice / Dicono + congiuntivo

Esempio: Forse potrebbe conquistarlo Ratisbona, perché dicono che sia una città dinamica con molte offerte ricreative per i giovani, oltre all'università.

≝ 2

5. Qualità della vita è...

a. In coppia. Sapete cos'è Eataly? O che cosa immaginate che sia?

▶II 1.20   *b. Ascolterete ora un'intervista a un collaboratore di Eataly. Sentirete solo le sue risposte. Ascoltatele e verificate le ipotesi fatte al punto 5a.*

▶II 1.20   *c. Ascoltate di nuovo e poi, in coppia, cercate di formulare le domande.*

1. _____
2. _____
3. _____
4. _____
5. _____
6. _____
7. Se non facessi questo lavoro, che cosa ti piacerebbe fare?
8. _____

▶II 1.21   *d. Ascoltate la registrazione completa e verificate se il senso delle vostre domande è adeguato.*

   ALMA Edizioni

6. Il prodotto del cuore

Avete anche voi un alimento o un piatto del cuore? Qual è?
Parlatene in gruppo e motivate le vostre risposte.

7. Ritorno al testo

▶II 1.22 *a. Completate le seguenti frasi, tratte dall'intervista,*
con i verbi elencati qui sotto. Poi ascoltate e verificate.

| riaprisse | ho pensato, creduto | aveva aspettato | fosse |

1. Perché non ho saputo resistere all'attrazione del futuro. E quando Oscar Farinetti me l'ha raccontato
io _____ che quello _____ il futuro.

2. Un signore che era nato e vissuto, praticamente aveva lavorato tutta la vita in questo posto,
_____ vent'anni che questo posto _____ …

b. I due verbi che avete inserito nelle frasi introdotte da che sono forme di congiuntivo imperfetto.
Provate ora a completare la tabella con le forme mancanti. Attenzione: le desinenze dei verbi regolari
si differenziano solo nella vocale.

Il congiuntivo imperfetto: le forme

	verbi regolari				verbi irregolari	
	parlare	**chiedere**	**riaprire**	**avere**	**essere**	
(io)	parl**assi**				fossi	fare → fac**essi**
(tu)		chied**essi**		av**essi**		
(lui/lei/Lei)			riapr**isse**		fosse	bere → bev**essi**
(noi)		chied**essimo**				
(voi)			riapr**iste**			dire → dic**essi**
(loro)	parl**assero**			av**essero**		

c. In coppia. Riportate qui sotto le frasi del punto 7a che avete completato. A che tempo è coniugato
il verbo principale? E secondo voi, in quale frase l'azione espressa dal verbo al congiuntivo è
contemporanea al verbo della frase principale e in quale è posteriore, cioè si riferisce al futuro?

1. …io ho _____ che quello _____ il futuro.
2. … _____ vent'anni che questo posto _____ .

Il verbo della frase principale è coniugato al ⭘ presente. ⭘ passato. ⭘ futuro.
Nella frase 1 il verbo al congiuntivo esprime un'azione ⭘ contemporanea. ⭘ posteriore.
Nella frase 2 il verbo al congiuntivo esprime un'azione ⭘ contemporanea. ⭘ posteriore.

d. Confrontate le soluzioni in plenum e poi completate la regola.

Il congiuntivo imperfetto: l'uso

Quando il verbo della frase principale richiede il congiuntivo ed è al _____ , nella frase
subordinata si usa il congiuntivo imperfetto per esprimere contemporaneità o posteriorità.

8. Non immaginavo che...

a. Completate le frasi coniugando il verbo al congiuntivo imperfetto.

1. Una volta al banco dei formaggi ho servito una bellissima ragazza.
   Non sapevo che (essere) _____ la moglie di un famoso calciatore!

2. Io volevo fare l'architetto o il medico, ma la mia famiglia preferiva che (studiare) _____
   veterinaria e così ora sono responsabile delle macellerie Eataly.

3. Una signora piemontese emigrata in Brasile ha aspettato a lungo che noi (aprire) _____
   la filiale di San Paolo per trovare gli ingredienti per la bagna cauda.

4. Per l'apertura pensavamo di aver preparato tutto. Non immaginavamo che (potere) _____
   mancare il sale. E invece l'avevamo dimenticato...

b. E ora completate liberamente le seguenti frasi. Poi confrontate con un compagno.

| (non) pensavo | non sapevo | (non) immaginavo | (non) mi aspettavo |

≡ 3, 4,
5, 6 _____ che Eataly... _____ che la cucina italiana...

9. Una spesa solidale?

*a. Secondo voi, che cos'è il commercio equo e solidale? Parlatene con un compagno.
Poi leggete il primo paragrafo dell'articolo e verificate le vostre ipotesi.*

*b. Come si sta sviluppando il mercato dei prodotti equosolidali in
Italia? Scopritelo leggendo il resto dell'articolo e scegliendo, fra
i titoli proposti qui sotto, quello che secondo voi ne riassume
meglio il contenuto. Confrontatevi poi con un compagno.*

caporali = persone che cercano e
gestiscono lavoratori illegalmente

CRESCONO IN ITALIA GLI ACQUISTI EQUOSOLIDALI

ITALIA: GLI ACQUISTI EQUOSOLIDALI CONQUISTANO GIOVANI E ANZIANI

ACQUISTI SOLIDALI IN CALO IN ITALIA

di Stefania Aoi

Italiani brava gente, non sempre. Di sicuro non erano cittadini modello i «caporali» di Nardò che trattavano da schiavi gli immigrati impegnati nella raccolta dei pomodori. E a volte anche il consumatore qualunque, preso dal suo tran tran quotidiano, non sta a chiedersi il perché del prezzo troppo basso di un prodotto. Eppure qualcosa sta cambiando, secondo uno studio di Altromercato, consorzio nato 25 anni fa nel tentativo di creare un commercio più equo e solidale. Nel Bel Paese sta crescendo la voglia di acquistare cibi ottenuti senza sfruttare il lavoro altrui.

«Un italiano su tre vive responsabilmente – afferma Paolo Palomba, direttore generale del consorzio di Bolzano – E sono quasi scomparsi i cittadini più inconsapevoli e disinteressati». Merito forse della crisi, del peggioramento delle condizioni di lavoro in Italia e della crescita del precariato. «Spesso c'è la sensazione che chi acquista del cibo equosolidale si identifichi con il lavoratore sfruttato e voglia dire no a questa situazione».
La ricerca di Altromercato, realizzata con la società di ricerca Cfi Group Italia, attraverso un questionario online, ha preso in esame un

campione di oltre mille persone, rappresentativo della popolazione tra i 18 e i 64 anni. Risultato? Tra gli intervistati più attenti ai temi di giustizia sociale ed equità si piazzano gli over 50. Più indifferenti i giovani, tra i 18 e i 35 anni. Pur di comprare prodotti equosolidali più della metà della popolazione è persino disposta a pagare un prezzo più alto. Soprattutto siamo pronti a metter mano al portafoglio per cibi coltivati da comunità che contrastano la criminalità organizzata, per quelli provenienti da agricoltura sostenibile (65%), ma anche da aree del Paese in via di spopolamento (60%) o persino dal carcere (47%).

Soprattutto ben otto italiani su dieci si sono dichiarati favorevoli ad acquistare prodotti che arrivano dalla rete del ‹Solidale italiano›. «Questo – spiegano da Altromercato – perché ci sentiamo più vicini ai problemi dei produttori e lavoratori italiani, rispetto che a quelli di persone che vivono in paesi più poveri, forse siamo quasi abituati alla povertà altrui».

Se molti connazionali sono consapevoli dell'importanza del comprare equosolidale, Palomba però avverte sulle difficoltà che si incontrano nel trovare i prodotti. «Sugli scaffali del supermercato si devono cercare con il lanternino». Il consorzio è convinto che ci sia ancora poca consapevolezza nella grande distribuzione e nell'industria, dell'interesse dei consumatori verso questi prodotti. Eppure Altromercato, un fatturato di circa 51 milioni nel 2013, realizza poco meno della metà del giro d'affari attraverso le vendite alla grande distribuzione. «Ciò che tira di più sono i generi alimentari. Qui i ricavi sono cresciuti dell'11% l'anno scorso – assicura Palomba – Ma potremmo fare di più, se i nostri prodotti fossero distribuiti ovunque». Il massimo sarebbe, prosegue il direttore, «se per esempio le aziende produttrici di dolci usassero lo zucchero equosolidale per fare biscotti o altro».

(adattato da: Osserva Italia La La Repubblica-Affari&Finanza, www.osservaitalia.it, 21/10/2014)

c. Che cosa significano le seguenti espressioni tratte dall'articolo? Scegliete le opzioni corrette.

1. tran tran quotidiano — ○ abitudini di ogni giorno — ○ amici di ogni giorno
2. metter mano al portafoglio — ○ toccare il portafoglio — ○ pagare
3. cercare con il lanternino — ○ andare in giro con una piccola lanterna in mano
   ○ cercare con cura una cosa molto difficile da trovare
4. ciò che tira di più — ○ quello che si vende di più — ○ quello che costa di più

d. Rileggete l'articolo e rispondete alle domande. Poi confrontatevi in plenum.

1. Quali sono i motivi che spingono i consumatori ad acquistare prodotti equosolidali?
2. Quali categorie di consumatori sono più attratte da questi prodotti e quali meno?
3. Da dove provengono i prodotti equosolidali più richiesti? Perché?
4. Quali problemi incontrano ancora questi prodotti?

10. La lingua del commercio e dei consumi

In coppia, rileggete l'articolo e sottolineate tutte le espressioni che hanno a che fare con il commercio e con i consumi. Poi confrontate la vostra lista con tutta la classe e discutete: conoscete altre parole o espressioni che riguardano questo tema?

11. Ritorno al testo

a. In coppia. Le seguenti frasi esprimono ipotesi considerate possibili o irreali. Completatele con i verbi che trovate nel testo del punto 9b. Secondo voi, queste ipotesi si riferiscono al passato, al presente o al futuro?

Se non **facessi** questo lavoro, che cosa ti **piacerebbe** fare?

Ma _____ fare di più se i nostri prodotti _____ distribuiti ovunque.

Il massimo _____ , se per esempio le aziende produttrici di dolci _____

lo zucchero equosolidale per fare biscotti o altro.

b. Quali modi e quali tempi si usano per esprimere questo tipo di ipotesi? Parlatene in coppia e poi completate la regola.

Frasi condizionali con *se*			
Le ipotesi considerate possibili o irreali che si riferiscono	◯ al passato	◯ al presente	◯ al futuro
si costruiscono con **se** + _____ , + _____ oppure			
con _____ , **se** + _____ .			

12. Se...

a. Che cosa fareste, se vi trovaste nelle seguenti situazioni? Scrivete delle frasi come nell'esempio.

Esempio: Al supermercato vedi una persona che ruba. → Se al supermercato vedessi una persona che ruba, probabilmente le direi di pagare alla cassa quello che ha appena rubato.

1. Facendo la spesa ti accorgi di aver dimenticato il portafoglio.
2. Non puoi usare lo smartphone per un mese.
3. Vuoi organizzare un viaggio con alcuni amici, ma ti mancano i soldi.
4. Ti invitano a mangiare in un ristorante che propone esclusivamente cucina vegana.
5. Per il tuo compleanno i tuoi amici ti fanno un regalo costoso ma orribile.

≝ **7, 8, 9, 10** *b. In gruppo. Confrontate quello che avete scritto e scegliete per ogni situazione la soluzione che vi piace di più.*

13. Occhio alla lingua!

a. Leggete la seguente frase tratta dall'intervista al collaboratore di Eataly.

Quando Oscar Farinetti **me** l'ha raccontato io ho creduto che quello fosse il futuro (me l'ha raccontato = mi ha raccontato questo).

b. Me l' (= lo) è un pronome combinato, cioè formato da due pronomi. A quali elementi della frase si riferiscono i singoli pronomi? Discutetene in coppia.

c. Completate la seguente tabella aiutandovi con gli esempi.

I pronomi combinati				
	lo	la	li	le
mi	me lo	_____	_____	_____
ti	_____	te la	_____	_____
gli / le	_____	_____	glieli	_____
ci	_____	_____	_____	ce le
vi	_____	_____	_____	_____
gli	_____	gliela	_____	_____

d. In coppia. Confrontate le vostre tabelle e poi completate la regola.

mi
ti
ci   diventano _____ e si scrivono   ○ uniti al pronome diretto
vi   ○ separati dal pronome diretto

gli e le diventano _____ e si scrivono   ○ uniti al pronome diretto
                                                   ○ separati dal pronome diretto

> **Attenzione!**
> Me l'ha raccontato. /
> **Non** me l'ha raccontato.
> Ecco il libro. Te l'ho
> riportato.
> Ecco i libri. Te li ho
> riportati.

14. Te lo dico subito

In coppia. Fatevi delle domande e rispondete come nell'esempio.
Potete usare i verbi indicati qui sotto.

> **Attenzione!**
> (non) **te la** posso dare
> (non) posso dar**tela**

prestare   dare   scrivere   mostrare   spiegare   mandare

≝ **11, 12, 13,**   ● Scusa, mi presti il libro?   ■ Sì, ma non adesso, te lo do dopo.
   14, 15, 16   ● Scusa, mi presti la penna?   ■ Mi dispiace, non te la posso dare: è l'unica che ho.

15. E voi che consumatori siete?

a. Intervistate un compagno e scoprite quali sono le sue abitudini di acquisto.
   Considerate, per esempio, gli aspetti indicati qui sotto.

tipo di negozi preferiti   criteri di scelta dei negozi   criteri di scelta dei prodotti

b. Secondo voi, che tipo di consumatore è il vostro compagno
   in base alle risposte che ha dato? Scegliete una delle categorie
≝ **17**   *elencate qui sotto e discutetene insieme.*

equosolidale   biologico   risparmiatore

frettoloso   indifferente

➲ La città dove studiamo è gemellata con una città italiana. I due comuni vogliono realizzare insieme un progetto per migliorare la qualità della vita in città e perciò hanno chiesto la collaborazione di tutti i cittadini, in particolare dei giovani. La nostra università ha invitato gli studenti di italiano a contribuire attivamente.

Una città a misura di giovane

a. Formate gruppi di tre o quattro persone. Ogni gruppo rappresenta una categoria di giovani cittadini. Potete ispirarvi alle idee elencate qui sotto o scegliere liberamente un'altra categoria.

| un gruppo di adolescenti | giovani coppie che lavorano, senza figli | studenti universitari fuori sede |

| giovani coppie che lavorano, con figli | studenti universitari che vivono in famiglia |

b. Che cosa si può fare per migliorare la qualità della vita nella vostra città? Discutetene in gruppo ed elaborate delle proposte tenendo conto delle esigenze della vostra categoria. Potete considerare, per esempio, i seguenti temi:

| zone ricreative | cultura | ambiente | sicurezza | traffico | edilizia | infrastrutture sportive... |

c. Ogni gruppo presenta il suo progetto alla classe.

Esempio: Noi proponiamo di piantare più alberi perché se ci fossero più zone verdi, la città sarebbe meno inquinata.

d. La classe, tenendo conto di tutte le esigenze, elabora un 'piano d'azione' da presentare al Comune gemellato, che potrà scegliere le idee utili anche per la propria città.

PROPOSTE DEL GRUPPO

1	
2	
3	
4	
5	
6	

ALMA Edizioni

1. L'uso del congiuntivo dopo *si dice* e *dicono*

Dicono che **sia** merito di tutti e tre se Mantova nel 2016 è diventata la città dove si vive meglio in Italia.

Si dice che Mantova **sia** una città a misura d'uomo.

Se il verbo dire nella frase principale ha un soggetto indefinito si usa il congiuntivo nella frase secondaria.

2. Il congiuntivo imperfetto

Verbi regolari

	parlare	chiedere	partire	finire		avere	andare
(io)	parlassi	chiedessi	partissi	finissi		avessi	andassi
(tu)	parlassi	chiedessi	partissi	finissi		avessi	andassi
(lui/lei/Lei)	parlasse	chiedesse	partisse	finisse		avesse	andasse
(noi)	parlassimo	chiedessimo	partissimo	finissimo		avessimo	andassimo
(voi)	parlaste	chiedeste	partiste	finiste		aveste	andaste
(loro)	parlassero	chiedessero	partissero	finissero		avessero	andassero

Verbi irregolari

bere	bevessi	bevessi	bevesse	bevessimo	beveste	bevessero
dare	dessi	dessi	desse	dessimo	deste	dessero
dire	dicessi	dicessi	dicesse	dicessimo	diceste	dicessero
essere	fossi	fossi	fosse	fossimo	foste	fossero
fare	facessi	facessi	facesse	facessimo	faceste	facessero
porre	ponessi	ponessi	ponesse	ponessimo	poneste	ponessero
stare	stessi	stessi	stesse	stessimo	steste	stessero
tradurre	traducessi	traducessi	traducesse	traducessimo	traduceste	traducessero

Frase principale	Frase secondaria
Ho pensato	che quello **fosse** il futuro.
Non **pensavo**	che questo posto **fosse** così bello.
Ho aspettato per 20 anni	che **riaprissero** quel locale.

Il congiuntivo imperfetto si usa nelle frasi secondarie quando il verbo della frase principale è un verbo al passato che richiede un congiuntivo.

Con il congiuntivo imperfetto si esprime che l'azione della frase principale e della frase secondaria avvengono contemporaneamente oppure che l'azione della frase secondaria deve ancora avvenire.

3. Il periodo ipotetico della possibilità e dell'irrealtà al presente

Condizione	Conseguenza
Se tutti i negozi **vendessero** i nostri prodotti,	**potremmo** fare di più.
Se **avessi** più tempo,	**farei** sport.
(congiuntivo imperfetto)	(condizionale presente)

Nel periodo ipotetico della possibilità sia la condizione che la conseguenza si riferiscono al presente o al futuro. La frase introdotta dal se esprime una condizione possibile, ma poco probabile.

Condizione	Conseguenza
Se **fossi** un animale,	**sarei** una farfalla.
Se **nascessi** un'altra volta,	**farei** il pilota.
(congiuntivo imperfetto)	(condizionale presente)

Anche nel periodo ipotetico dell'irrealtà al presente sia la condizione che la conseguenza si riferiscono al presente o al futuro. La frase esprime in questo caso una condizione irrealizzabile.

4. Pronomi combinati

I pronomi combinati					
	lo	la	li	le	ne
mi	me lo	me la	me li	me le	me ne
ti	te lo	te la	te li	te le	te ne
gli/le	glielo	gliela	glieli	gliele	gliene
ci	ce lo	ce la	ce li	ce le	ce ne
vi	ve lo	ve la	ve li	ve le	ve ne
gli	glielo	gliela	glieli	gliele	gliene

La marmellata? **Me l'**ha data Luca.
I biscotti? **Me li** ha regalati Lucia.

I pronomi combinati si formano combinando due pronomi atoni: uno indiretto e uno diretto.

Attenzione: il pronome indiretto precede quello diretto.

Mi diventa **me** e si trova separato da **lo, la, li, le** e **ne**.
Così anche ti → **te**, ci → **ce** e vi → **ve**.

Gli e **le** diventano **glie-** e si uniscono a **lo, la, li, le** e **ne**.

Mi lavo sempre le mani prima di mangiare. → **Me le** lavo sempre prima di mangiare.
Anche la -i del pronome riflessivo cambia in -e davanti a un altro pronome atono.

Piero **si** dimentica spesso le chiavi di casa. → Piero **se le** dimentica spesso.
I verbi riflessivi alla terza persona singolare e plurale presentano le forme **se lo, se la, se li, se le** e **se ne**.

Scusa, mi presti la penna? – Non posso prestar**tela** / non **te la** posso prestare, è l'unica che ho.
I pronomi combinati sono uniti all'infinito oppure stanno davanti al verbo principale.

ALMA Edizioni

TESORI D'ITALIA

In questa unità impariamo a...

...parlare di aspetti positivi e negativi del turismo

...prendere posizione pro o contro qualcosa

...parlare di tutela del patrimonio artistico e naturale

...parlare di ipotesi non realizzate

1. Turisti d'Italia

a. In gruppo. Secondo voi quali sono le località italiane (regioni, città) più visitate dai turisti? Perché?

b. In coppia. Secondo voi, quali sono gli effetti positivi e quelli negativi del turismo di massa per le località visitate? Fate due liste, poi confrontatevi con un'altra coppia.

➲ In questa unità definiamo una serie di regole da seguire per essere o diventare turisti consapevoli e rispettosi dell'ambiente.

Effetti positivi	Effetti negativi
soldi spesi in città	sovraffollamento

c. Secondo voi, cosa si potrebbe fare per contrastare gli effetti negativi del turismo di massa?
Raccogliete delle idee in gruppo.

2. Fra turismo e tutela

a. Leggete il seguente articolo. Quali località citate nell'articolo corrispondono alle foto del punto 1?
Quali conoscete già e quali invece vi piacerebbe visitare? Perché?

TURISMO, LE CITTÀ ITALIANE VOGLIONO IL «NUMERO CHIUSO» PER FERMARE LE VACANZE DI MASSA

Dalle Cinque Terre a Firenze, da Venezia a Capri alle Dolomiti si pensa a un piano per tutelare arte e natura

1 Il tema del turismo a numero chiuso torna alla ribalta in un'estate dove tutti gli indicatori rilevano cifre da boom per i luoghi simbolo dell'Italia. [...] Una vera e propria invasione turistica che preoccupa i sindaci: il successo rischia di trasformarsi in un boomerang, se non si mettono i numeri sotto controllo.
Non si possono chiudere porzioni di territorio quando l'ingorgo di turisti diventa imponente, ma una cosa è certa: le città italiane non vogliono far la fine di **San Gimignano**, piccolo borgo medievale, in provincia di Siena, che rischia di morire di turismo. Negli ultimi trent'anni infatti il centro storico a causa del turismo, divenuto unica economia del paese, ha perso due terzi dei residenti, assumendo progressivamente i connotati di una Disneyland del Medioevo, con ben tre «musei della tortura».

2 A **Venezia** il primo a parlare di numero chiuso fu negli anni '80 il sindaco Mario Rigo. Tra le ipotesi al vaglio vi erano i tornelli per entrare in Piazza San Marco. Già allora, dunque, qualcuno riteneva che il carico di turisti avesse superato il limite. Oggi l'amministrazione vorrebbe una «Ztl per i turisti» ma ammette di avere le armi spuntate: «Al momento non si può, si entra in conflitto con il diritto dei cittadini che possono andare dove vogliono».

3 A **Firenze** il dibattito sul numero chiuso è sollecitato dalle raccomandazioni dell'Unesco. Negli ultimi due anni, si è calcolata la presenza media di 5.866 turisti per chilometro quadrato, in continuo aumento. Una presenza insostenibile, che per almeno otto mesi all'anno crea una situazione di sovraffollamento.

4 Altro luogo critico in Italia è **Capri**, dove l'amministrazione ha deciso di far leva sui mezzi privati: dal 24 marzo al primo novembre auto e moto non possono circolare, escluse quelle dei residenti. Ogni anno sulle banchine si registrano quattro milioni di passeggeri. Il sindaco vuole intervenire per rallentare il ritmo di traghetti e aliscafi, portandolo a uno ogni venti minuti.

sovraffollamento - overcrowded

Ztl = zona a traffico limitato

5 Le **Dolomiti** – Non esiste ancora una petizione sulla questione dei passi, ma numerosi ambientalisti vogliono spingere le amministrazioni di Bolzano, Trento e Belluno a fare qualcosa per tutelare le Dolomiti, dichiarate Patrimonio naturale dall'Unesco.

Tra i sostenitori del turismo a numero chiuso vi è Mario Tozzi, geologo e divulgatore scientifico: «La natura è come un museo ed è giusto che si paghi per vederla, va rispettata e preservata. Sui passi delle Dolomiti bisognerebbe adottare misure come ticket e accessi a numero chiuso, come accade per l'isola di Pianosa, dove sono ammessi 250 ingressi al giorno per un ticket di sei euro. In più non è possibile raggiungere l'isola con proprie barche, ma bisogna salire su apposite mini-crociere».

(adattato da: *Turismo, le città italiane vogliono il «numero chiuso» per fermare le vacanze di massa*, www.tgcom24.mediaset.it, 18/07/2016)

b. Abbinate i disegni alle seguenti parole che trovate nei paragrafi 1, 2 e 4 dell'articolo.

2   3   1   4

○ ingorgo   ○ tornello   ○ banchina   ○ aliscafo

❶   ❷   ❸   ❹

c. Dopo una prima lettura, vi sembra che l'articolo contenga alcune idee da voi citate al punto 1? Parlatene con un compagno.

≝ 2, 3

3. Il linguaggio dei mezzi di informazione

a. Abbinate le seguenti espressioni ai loro significati.

tornare alla ribalta (par. 1)   seguire l'esempio di
fare la fine di (par. 1)   proteggere
avere le armi spuntate (par. 2)   agire su un punto per ottenere quello che si desidera
far leva su (par. 4)   scegliere soluzioni
tutelare (par. 5)   essere di nuovo al centro dell'attenzione
adottare misure (par. 5)   avere mezzi insufficienti per agire efficacemente

b. Trovate nel testo le espressioni corrispondenti a quelle elencate qui sotto.

persone che abitano stabilmente in un certo luogo (par. 1): _____

caratteristiche (par. 1): _____

valutazione critica e accurata (par. 2): _____

persone favorevoli a una certa idea o proposta (par. 5): _____

4. Un piano per tutelare arte e natura?

a. È vero? Ora rileggete l'articolo e decidete quali affermazioni corrispondono al contenuto.

1. Le città italiane desiderano seguire l'esempio di San Gimignano.
2. San Gimignano vive ormai solo di turismo.
3. Il numero degli abitanti del centro storico di San Gimignano è aumentato.
4. Per alcune città italiane la proposta del 'numero chiuso' non è nuova.
5. Secondo il sindaco di Venezia non è facile realizzare il 'numero chiuso'.
6. Le isole di Capri e di Pianosa hanno adottato le stesse misure.
7. Gli ambientalisti pensano che per le Dolomiti non siano necessarie misure particolari.

b. In coppia. Scorrete rapidamente il paragrafo 4 e sottolineate tutti i mezzi di trasporto citati. Quali altri mezzi di trasporto vi vengono in mente? Fate una lista e poi discutete: quali mezzi vi sembrano più adatti al turismo sostenibile? Perché?

5. Occhio alla lingua!

a. In coppia. Rileggete la seguente frase tratta dall'articolo. Il verbo evidenziato è un congiuntivo trapassato: come si forma? Che cosa esprime? Completate e scegliete la soluzione giusta. Poi confrontate in plenum.

Già negli anni '80 qualcuno riteneva che il carico di turisti **avesse superato** il limite.

Il congiuntivo trapassato
Il congiuntivo trapassato si forma con il _____ di **essere / avere** + _____ . Quando il verbo della frase principale richiede il congiuntivo ed è al ○ passato   ○ presente   ○ futuro, nella frase subordinata si usa il congiuntivo trapassato per esprimere ○ contemporaneità.   ○ anteriorità.   ○ posteriorità.

b. Trasformate le seguenti frasi dal presente al passato, come nell'esempio.

Esempio: Qualcuno **ritiene** che il carico di turisti **abbia superato** il limite.
     → Qualcuno **riteneva** che il carico di turisti **avesse superato** il limite.

1. Penso che Claudio sia partito per Pianosa.
2. Credo che i miei compagni abbiano fatto una gita sulle Dolomiti.
3. Mi pare che l'Unesco abbia incluso San Gimignano nella Lista del Patrimonio dell'Umanità.
4. Mi sembra che l'Italia sia diventata il Paese con il maggior numero di siti Unesco.

c. In coppia. Ognuno scrive due frasi come quelle del punto 5b (al presente). Poi scambiatevi le frasi e trasformate al passato quelle scritte dal compagno. Infine correggete insieme.

≡ 4

6. Favorevoli o contrari?

a. *Siete favorevoli o contrari al numero chiuso per i turisti? Parlatene con un compagno e preparatevi a discutere in gruppo.*

b. *Formate dei gruppi. Ogni gruppo è il Consiglio comunale di una delle città citate nell'articolo. Nella riunione di oggi valutate se e come limitare il numero dei turisti. Discutete e cercate di prendere una decisione.*

c. *Un portavoce per gruppo riferisce alla classe i risultati della discussione motivandoli. Qual è la decisione più frequente: pro o contro il numero chiuso?*

≡ 5

Per strutturare un'esposizione
Innanzi tutto / Prima di tutto…
In primo / secondo / terzo luogo…
Inoltre…
Non solo… ma anche… / Sia… sia…
Quindi / Dunque…
Infine…
In conclusione…

▶II 1.23

7. Notizie dall'Italia

○ politica   ○ viabilità   ○ cronaca   ○ cultura   ○ sport

○ spettacolo   ○ economia   ○ previsioni del tempo

a. *Di quali temi si parla? Ascoltate le notizie e scegliete le rubriche.*

b. *Ascoltate di nuovo. Quale notizia si può collegare all'immagine che vedete qui accanto?*

PERCHÉ OGNI VIAGGIO SIA UNA SCOPERTA. ANCHE DI SE STESSI.

touringclub.it

8. Un patrimonio vivo

a. *Leggete l'inizio di un articolo che parla della notizia collegabile all'immagine qui a destra: di che cosa si tratta? Inserite nel testo le parole elencate, poi parlatene con un compagno e insieme provate a formulare un titolo.*

ambiente   borghi   capitali   comunità   memoria   saperi   umanità   valorizzazione

●●●

di Clelia Arduini

Non è un piccolo mondo antico da conservare nella ___memoria___ , ma un patrimonio vivo di storia, cultura, tradizioni e ___umanità___ , che da secoli rappresenta l'altra faccia delle grandi ___capitali___ d'arte.
A questa eccezionale costellazione di ___comunità___ locali, che si accende da nord a sud dello Stivale, è dedicato l'anno dei ___borghi___ in Italia, indetto dal ministro dei beni e attività culturali e del turismo. Un'opportunità e forse una rinascita per quelle piccole e piccolissime capitali di ___saperi___ e di arte, che possono essere la base per la crescita di un turismo rispettoso dell' ___ambiente___ , con una mirata ___valorizzazione___ del loro patrimonio artistico, naturale e umano.

Da + infinito
Un mondo **da conservare** = un mondo **che bisogna conservare** **Da + infinito** esprime l'idea di necessità.

b. Ora leggete l'intero articolo e verificate le vostre soluzioni.

● ● ●

Non è un piccolo mondo antico da conservare nella memoria, ma un patrimonio vivo di storia, cultura, tradizioni e umanità, che da secoli rappresenta l'altra faccia delle grandi capitali d'arte.

A questa eccezionale costellazione di comunità locali, che si accende da nord a sud dello Stivale, è dedicato l'anno dei borghi in Italia, indetto dal ministro dei beni e attività culturali e del turismo. Un'opportunità e forse una rinascita per quelle piccole e piccolissime capitali di saperi e di arte, che possono essere la base per la crescita di un turismo rispettoso dell'ambiente, con una mirata valorizzazione del loro patrimonio artistico, naturale e umano.

BORGHI VIAGGIO ITALIANO

Il motore dell'iniziativa nazionale è il progetto interregionale «Borghi viaggio italiano» (www.viaggio-italiano.it) cui partecipano 18 regioni e 1000 borghi e che prevede la costituzione del Comitato per i Borghi turistici italiani, l'organizzazione di un Forum Nazionale sui Borghi, la realizzazione di un «Atlante dei Borghi d'Italia» e il riconoscimento annuale di borgo «smart» per la comunità locale più attiva nell'innovazione dell'offerta turistica.

Un grande progetto che ben si lega a un'altra ricorrenza – l'anno internazionale del turismo sostenibile – e che si propone di costruire nuove destinazioni di viaggio basate su tradizioni, esperienze, emozioni, autenticità, qualità di vita. [...]

L'IMPEGNO TOURING

Certo, più che un anno, servirebbero almeno venti anni per attuare il piano di recupero, manutenzione e valorizzazione di questa parte del Paese piena di campanili, vicoli e piazzette, che ciascuno di noi ha nel cuore come se ci avesse sempre abitato, ma che soffre di una grave crisi demografica ed economica, specie in montagna e nelle aree meno accessibili. Ma finalmente anche la politica si sta dirigendo là dove da anni si muove il volontariato culturale per promuovere e valorizzare il patrimonio storico, artistico e culturale made in Italy. Come Touring Club Italiano che con l'iniziativa Bandiere Arancioni certifica i borghi con meno di 15 mila abitanti che si distinguono per le loro qualità turistico-ambientali (www.bandierearancioni.it).

Sembra allora che la politica si sia messa all'ascolto dell'anima vera dell'Italia, potenza dominante sul fronte della bellezza, culla dell'arte e giardino d'Europa, che dà il meglio di sé con un turismo morbido e slow, attento all'accoglienza, all'ambiente e rispettoso delle comunità locali. Il viaggio della speranza è cominciato, non ci resta che camminare.

(adattato da: www.touringclub.it, 17/02/2017. Il Touring Club Italiano è un'associazione no profit che dal 1894 fa viaggiare gli italiani, difendendo il territorio e promuovendo un turismo etico e sostenibile. Maggiori informazioni su www.touringclub.it)

c. Rispondete alle seguenti domande insieme a un compagno. Poi verificate rileggendo l'articolo e infine confrontatevi con tutta la classe.

1. Che cos'è e quali iniziative prevede il progetto 'Borghi viaggio italiano'?

3. A quali altre iniziative si ricollega questo progetto?

6, 7, 8 2. Quali sono gli obiettivi di questo progetto?

4. Che cos'è l'iniziativa Bandiere Arancioni?

9. La tutela del patrimonio

a. Abbinate le seguenti espressioni alle definizioni corrispondenti.

recupero   che si possono raggiungere

manutenzione   favorire e sostenere

accessibili   luogo di origine e di sviluppo di qualcosa

promuovere   lavoro da fare per conservare qualcosa in buono stato

culla   ristrutturazione e riutilizzo

b. Rileggete l'articolo del punto 8 e sottolineate le espressioni che, secondo voi, riguardano la tutela del patrimonio, come 'attuare il piano di recupero'. Confrontate poi in plenum e riflettete: ne conoscete altre?

c. In gruppo. Conoscete un'iniziativa simile nel vostro Paese? Se sì, quale? Se no, per quali luoghi la proporreste?

10. Ritorno al testo

a. In coppia. Completate la frase con le parole che trovate nel penultimo paragrafo del testo al punto 8b.

...questa parte del Paese [...] che ciascuno di noi ha nel cuore _____

_____ , ...

Amo questi borghi **come se fossero** davvero casa mia.

b. In coppia. Le due frasi esprimono un paragone irreale. Leggetele con attenzione: quale modo e quali tempi verbali sono usati nella parte che avete trascritto e in quella evidenziata? Da quale espressione dipendono i verbi? Quando si usa un tempo e quando l'altro? Parlatene e poi completate la regola.

Fare un paragone irreale
Un paragone irreale si esprime con _____ _____ + verbo al congiuntivo.
Per esprimere la contemporaneità si usa il congiuntivo _____ .
Per esprimere l'anteriorità si usa il congiuntivo _____ .

11. Come se...

Completate liberamente le frasi usando la struttura analizzata al punto 10. Poi confrontatevi con due compagni. Infine scrivete voi su un biglietto l'inizio di una o due frasi e fatele completare ai vostri compagni, quindi leggetevi ad alta voce le frasi completate.

Ieri mattina appena sveglio mi sentivo come se... _____ .

Prima di un esame mi sento _____ .

Dopo un esame mi sento _____ .

Quando vado in Italia / all'estero è _____ .

Quando ho finito il liceo era _____ .

Quando è il mio compleanno è _____ .

≡ 9   Quando ascolto una canzone italiana è / mi sento _____ .

12. Fai la tua parte

a. Nell'articolo del punto 8 si parla di 'volontariato culturale'. Qui sotto trovate alcune attività che un volontario può svolgere: ne avete mai svolta qualcuna? O conoscete persone che l'hanno fatto? E quali altre attività vi vengono in mente? Parlatene in plenum.

condurre una visita guidata   aiutare a gestire attività specifiche per bambini e ragazzi
accogliere i visitatori di un bene protetto   partecipare a un campo di volontariato / lavoro
eseguire lavori manuali (pulire giardini e sentieri, verniciare panchine ecc.)
≡✎ 10   raccogliere fondi per un ente o una fondazione

▶‖ 1.24   *b. Ora ascoltate una conversazione. Quali attività del punto 12a ha svolto Silvia?*

▶‖ 1.24   *c. Ascoltate di nuovo. Quali aspetti sono piaciuti di più a Silvia? Perché? E che cosa ne pensa Michela? Raccogliete informazioni e poi confrontatevi con un compagno.*

▶‖ 1.24   *d. Ascoltate ancora una volta per verificare le informazioni raccolte finora. Confrontatevi poi con un compagno diverso dal precedente. Che cosa decidono di fare le due ragazze alla fine della conversazione?*

13. Occhio alla lingua!

Nelle seguenti frasi i verbi conoscere e sapere compaiono due volte, una al passato prossimo e una all'imperfetto: secondo voi, hanno sempre lo stesso significato? Parlatene in coppia e cercate di formulare una regola. Confrontate poi in plenum.

Vado a trovare dei ragazzi che **ho conosciuto** al campo di volontariato del Fai.
Ho visto dei luoghi stupendi che non **conoscevo** per niente.
Ho saputo che c'è un campo di volontariato nel bosco di San Francesco.
Ah, non lo **sapevo**!

Conoscere e sapere al passato prossimo e all'imperfetto	
Conoscere al passato prossimo significa _____	
e all'imperfetto significa _____ .	
Sapere al passato prossimo significa _____	
e all'imperfetto significa _____ .	

≡✎ 11

Attenzione!
Hai conosciuto questi ragazzi al campo? → Questi ragazzi **li** hai conosciuti al campo?

14. Andiamoci insieme!

In coppia. Fate un dialogo con i seguenti ruoli. Poi cambiate partner e ruolo e fate un nuovo dialogo.

A

Incontri per strada un tuo amico che l'anno scorso ha partecipato come volontario a una delle attività del punto 12a. Quest'anno vuole fare un'esperienza analoga e ti propone di andare con lui. Tu, però, non ami molto questo tipo di attività. Chiedigli informazioni e cerca di prendere tempo.

B

L'anno scorso hai partecipato come volontario a una delle attività del punto 12a. Quest'anno hai saputo che se ne svolgerà una simile in un altro luogo e vuoi partecipare di nuovo. Questa volta vuoi portare con te anche un amico che però non ama molto questo tipo di attività. Spiegagli che cosa vuoi fare, manifesta il tuo entusiasmo e cerca di convincerlo.

15. Ritorno al testo

▶II 1.25   *a. Completate le seguenti frasi mettendo al posto giusto i seguenti verbi. Poi ascoltate e verificate.*

avessi fatto   fossi andata   sarebbe stata   avrei perso   avresti visitati   avrei perso

● Ma certo. Per questo ti dico *vieni*: se non _____ il campo, _____
un'occasione per visitare dei luoghi stupendi.
■ Be', magari li _____ in un altro modo.
● Forse, ma non _____ la stessa cosa…
■ Questo magari sarà anche vero. Ma tu mi ci vedi a faticare sotto il sole?
● Be' però sai cucinare bene, potresti sempre fare la cuoca… Guarda, anch'io avevo dei dubbi,
prima di partire, ma se non ci _____ , _____ un sacco
di occasioni per divertirmi…

*b. In coppia. Le frasi che avete completato esprimono delle ipotesi irreali. Secondo voi, si riferiscono
al presente o al passato? Parlatene, poi discutete anche sull'esempio riportato qui sotto e infine
completate la regola.*

Se **fossi** un animale, **vorrei** essere un cavallo.

Frasi condizionali con *se*		
Un'ipotesi irreale		
riferita al presente si costruisce con se + _____ , + _____ .		
	(condizione)	(conseguenza)
riferita al passato si costruisce con se + _____ , + _____ .		
	(condizione)	(conseguenza)

16. Che cosa avresti fatto se…

*a. In gruppo. A turno, fatevi le domande e rispondete riformulando le situazioni date come nell'esempio.
Usate la struttura analizzata al punto 15a e b.*

Esempio: Non hai potuto visitare Pianosa perché quel giorno eri il turista numero 251.

● Che cosa avresti fatto, se non avessi potuto visitare Pianosa perché eri il turista numero 251?
■ Se non avessi potuto visitare l'isola, avrei cercato un'altra meta.

Non ti sei iscritto all'università.   Hai potuto scegliere dove nascere.
Ti hanno offerto un ruolo in *Guerre stellari*.   Ti hanno proposto di partecipare a un quiz televisivo.
Hai studiato l'italiano fin da piccolo.   Hai scoperto l'elisir di lunga vita.

*b. Ora liberate la fantasia! Ognuno di voi inventa una situazione e scrive su un
foglietto una domanda con un'ipotesi irreale riferita al presente. Poi mettete
i foglietti sul banco con la scritta verso il basso. A turno, ognuno prende
un foglietto (diverso dal suo!) e risponde alla domanda.*

 12, 13,   Esempio: ● Che cosa faresti, se potessi diventare invisibile?
14, 15   ■ Se potessi diventare invisibile, andrei al cinema gratuitamente.

UNITÀ 8

17. Diamoci da fare!

a. Silvia ha partecipato a un campo di volontariato del Fai. Leggete che cos'è il Fai e poi parlate con un compagno: conoscete enti o associazioni di questo tipo nel vostro Paese? Che cosa fanno?

CHI È IL FAI

Promuovere in concreto una cultura di rispetto della natura, dell'arte, della storia e delle tradizioni d'Italia e tutelare un patrimonio che è parte fondamentale delle nostre radici e della nostra identità. È questa la missione del FAI – Fondo Ambiente Italiano, Fondazione nazionale senza scopo di lucro che dal 1975 ha salvato, restaurato e aperto al pubblico importanti testimonianze del patrimonio artistico e naturalistico italiano.

COSA FACCIAMO

‹La Repubblica tutela il paesaggio e il patrimonio storico e artistico della Nazione› art. 9 Costituzione Italiana

Noi del FAI insieme a tutti coloro che ci sostengono – cittadini privati, istituzioni attente e aziende illuminate – operiamo per dare concretezza a questo articolo. La nostra azione quotidiana ha lo scopo di proteggere per te e per i tuoi figli un patrimonio unico al mondo che appartiene a ciascuno di noi.

(tratto da: www.fondoambiente.it)

FAI Fondo Ambiente Italiano

b. In gruppo. Fate un indovinello: a turno, uno descrive un'associazione di volontariato (non necessariamente italiana) senza dirne il nome e gli altri indovinano qual è. Vince chi ne indovina di più.

Volontariato
occuparsi dei malati
occuparsi dei problemi dei bambini
aiutare i poveri
fornire assistenza in casi di emergenza (terremoto ecc.)
operare in zone di guerra

Esempio:

- È un'associazione italiana, protegge e cura gli animali, ad esempio i cani abbandonati.
- È l'Enpa?
- Sì!

c. Avete intenzione di impegnarvi come volontari, ma siete ancora indecisi sul settore. Riflettete brevemente su voi stessi con l'aiuto della scheda qui sotto, poi consultatevi con un compagno: quale vi sembra il settore più adatto a voi? Perché? Che cosa ne pensa il vostro compagno?

Personalità	Preferenze	Capacità	Esperienze	Settore
Sono un tipo...	Mi piace fare...	So fare...	Ho già fatto...	Forse potrei...

≝ 16

> Stiamo svolgendo un periodo di volontariato presso un'associazione italiana che si occupa di tutela del patrimonio naturale, artistico e culturale. Questa associazione vuole realizzare un ‹decalogo del turista consapevole› e noi collaboriamo alla redazione del testo.

Il decalogo del turista consapevole

a. Formate dei gruppi. Che cosa è necessario sapere e fare per viaggiare rispettando i luoghi che si visitano? Raccogliete le idee pensando per esempio ai seguenti aspetti e aggiungendo liberamente altre proposte.

| scelta dei luoghi | | mezzi di trasporto |

alloggio

| nei musei / luoghi d'arte | | informazioni sulle località |

nelle chiese

b. Partendo dalle idee che avete raccolto, scrivete il vostro ‹decalogo del turista consapevole›.

IL DECALOGO DEL TURISTA CONSAPEVOLE

1
2
3
4
5
6
7
8
9
10

c. Ogni gruppo presenta il proprio decalogo. Quali sono le regole più importanti per tutta la classe? Alla fine, scegliete uno slogan e completatelo.

Il mondo sarebbe _____ se i turisti _____ .

Turismo sostenibile è _____ .

1. Il congiuntivo trapassato

Già negli anni '80 qualcuno riteneva che il carico di turisti **avesse superato** il limite.

Il congiuntivo trapassato è una forma temporale composta che si forma come segue:
congiuntivo imperfetto del verbo ausiliare **avere / essere** + participio passato.

	avere	participio passato	essere	participio passato
(io)	avessi	studiato	fossi	partito/partita
(tu)	avessi	studiato	fossi	partito/partita
(lui/lei/Lei)	avesse	studiato	fosse	partito/partita
(noi)	avessimo	studiato	fossimo	partiti/partite
(voi)	aveste	studiato	foste	partiti/partite
(loro)	avessero	studiato	fossero	partiti/partite

Frase principale	Frase secondaria
Qualcuno riteneva	che il carico di turisti **superasse** il limite.
Qualcuno riteneva	che il carico di turisti **avesse superato** il limite.

Il congiuntivo imperfetto e il congiuntivo trapassato si usano in frasi secondarie quando
il verbo della frase principale è al passato e richiede il congiuntivo.
Il congiuntivo imperfetto indica che l'azione della frase principale e della frase secondaria
avvengono contemporaneamente.
Il congiuntivo trapassato si usa quando l'azione della frase secondaria è avvenuta prima
dell'azione della frase principale.

2. *Da + infinito*

Non è un piccolo mondo antico **da conservare** nella memoria.

Da + infinito esprime una necessità.

3. *Come se + congiuntivo*

Amo questi borghi **come se fossero** davvero casa mia.
...questa parte del Paese che ciascuno di noi ha nel cuore **come se** ci **avesse** sempre **abitato**.

Il paragone ipotetico è introdotto dal **come se**. Il verbo che segue è sempre al congiuntivo.
Per questa forma è possibile usare solo i seguenti tempi:

▶ per esprimere un'azione contemporanea → congiuntivo imperfetto
▶ per esprimere un'azione anteriore → congiuntivo trapassato

ALMA Edizioni

4. I verbi *sapere* e *conoscere* all'imperfetto e al passato prossimo

I verbi **sapere** e **conoscere** hanno significati diversi a seconda che si usino all'imperfetto
o al passato prossimo.

sapere	
Ho fatto un campo di volontariato. – Ah, non lo **sapevo**.	**Ho saputo** che c'è un campo di volontariato nel bosco di San Francesco.
(imperfetto → *sapere*)	(passato prossimo → *apprendere*)

conoscere	
Ho visto dei luoghi stupendi che non **conoscevo** per niente.	**Ho conosciuto** questi ragazzi al campo di volontariato del Fai.
(imperfetto → *sapere*)	(passato prossimo → *fare la prima conoscenza*)

5. Inversione del complemento oggetto

In italiano la costruzione della frase è la seguente:
soggetto + verbo + complemento oggetto

Quando si vuole sottolineare particolarmente l'oggetto lo si anticipa facendolo seguire dal
pronome diretto corrispondente. In questo caso il soggetto e il verbo si scambiano di posizione:
oggetto + pronome + verbo + soggetto

Io compro il pane.   → Il pane **lo** compro io.
Hai conosciuto questi ragazzi al campo? → Questi ragazzi **li** hai conosciuti al campo?

6. Il periodo ipotetico dell'irrealtà

Condizione	Conseguenza
Se non **avessi fatto** il campo, congiuntivo trapassato	**avrei perso** un'occasione per visitare dei luoghi stupendi. condizionale passato
Se non **avessi fatto** il campo, congiuntivo trapassato	oggi non **conoscerei** dei posti stupendi. condizionale presente

Una condizione che si riferisce al passato e che quindi non è realizzabile si esprime
al congiuntivo trapassato. Se anche la conseguenza si riferisce al passato, allora il verbo
della frase principale è al condizionale passato.
Se invece la conseguenza si riferisce al presente, il verbo è al condizionale presente.

Se **fossi** un animale, congiuntivo imperfetto	**vorrei** essere un cavallo. condizionale presente

Se sia la condizione irreale che la sua conseguenza si riferiscono al presente, allora queste
si esprimono rispettivamente con il congiuntivo imperfetto e il condizionale presente.

10. Viaggiando s'insegna, ospitando s'impara

a. *Dividetevi in due gruppi: i membri del gruppo A vogliono viaggiare in Italia insegnando e quelli del gruppo B sono italiani che vogliono ospitare qualcuno imparando. Ogni membro del gruppo prepara su un foglio il proprio profilo per la pagina web. Il gruppo B guarda l'esempio qui sotto, il gruppo A guarda a p. 25.*

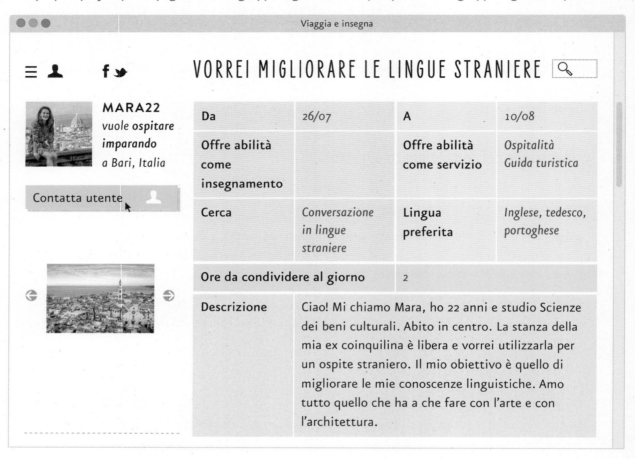

Viaggia e insegna

MARA22
vuole ospitare imparando a Bari, Italia

Contatta utente

VORREI MIGLIORARE LE LINGUE STRANIERE

Da	26/07	A	10/08
Offre abilità come insegnamento		Offre abilità come servizio	*Ospitalità Guida turistica*
Cerca	*Conversazione in lingue straniere*	**Lingua preferita**	*Inglese, tedesco, portoghese*
Ore da condividere al giorno	2		
Descrizione	Ciao! Mi chiamo Mara, ho 22 anni e studio Scienze dei beni culturali. Abito in centro. La stanza della mia ex coinquilina è libera e vorrei utilizzarla per un ospite straniero. Il mio obiettivo è quello di migliorare le mie conoscenze linguistiche. Amo tutto quello che ha a che fare con l'arte e con l'architettura.		

ALMA Edizioni

12. Nomadi digitali

b. Leggete la prima parte del manifesto qui sotto. Conferma le vostre ipotesi?

IL MANIFESTO DEI NOMADI DIGITALI

UNA DICHIARAZIONE DI INTENTI IN 10 PUNTI

1 Siamo i Pionieri di Una Nuova Era.

Siamo mobili, creativi, indipendenti. Grazie alla Rete siamo liberi di **viaggiare e lavorare ovunque**, ridisegnando la nostra vita in base alle nostre reali passioni e interessi.

2 Viviamo Inseguendo i Nostri Sogni

Non ci accontentiamo più di seguire percorsi già tracciati e logorati dal "sistema".

Vogliamo sconfiggere i condizionamenti della società, i limiti di questo sistema economico e di una vita incentrata sul consumismo.

Vogliamo **riappropriarci** della nostra **esistenza** per viverla come desideriamo.

Gettiamo il nostro **cuore oltre l'ostacolo** per poi **raggiungerlo**.

3 Condividiamo, Collaboriamo, Cooperiamo

Sosteniamo tutto ciò che è e rappresenta **innovazione**, a patto che il suo percorso si sviluppi attraverso la **condivisione e la collaborazione con gli altri** e non attraverso la competizione esasperata.

Crediamo che l'incontro e la **cooperazione** fra persone e idee diverse sia alla base di tutti i processi di **cambiamento e innovazione sociale**.

d. Ora leggete il resto del manifesto. Ci trovate qualche idea emersa al punto 12c?

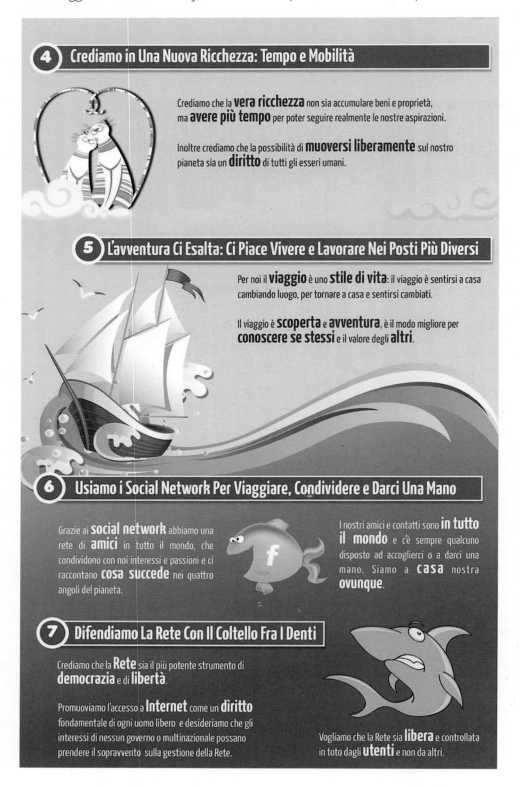

4 Crediamo in Una Nuova Ricchezza: Tempo e Mobilità

Crediamo che la **vera ricchezza** non sia accumulare beni e proprietà, ma **avere più tempo** per poter seguire realmente le nostre aspirazioni.

Inoltre crediamo che la possibilità di **muoversi liberamente** sul nostro pianeta sia un **diritto** di tutti gli esseri umani.

5 L'avventura Ci Esalta: Ci Piace Vivere e Lavorare Nei Posti Più Diversi

Per noi il **viaggio** è uno **stile di vita**: il viaggio è sentirsi a casa cambiando luogo, per tornare a casa e sentirsi cambiati.

Il viaggio è **scoperta** e **avventura**, è il modo migliore per **conoscere se stessi** e il valore degli **altri**.

6 Usiamo i Social Network Per Viaggiare, Condividere e Darci Una Mano

Grazie ai **social network** abbiamo una rete di **amici** in tutto il mondo, che condividono con noi interessi e passioni e ci raccontano **cosa succede** nei quattro angoli del pianeta.

I nostri amici e contatti sono **in tutto il mondo** e c'è sempre qualcuno disposto ad accoglierci o a darci una mano. Siamo a **casa** nostra **ovunque**.

7 Difendiamo La Rete Con Il Coltello Fra I Denti

Crediamo che la **Rete** sia il più potente strumento di **democrazia** e di **libertà**.

Promuoviamo l'accesso a **Internet** come un **diritto** fondamentale di ogni uomo libero e desideriamo che gli interessi di nessun governo o multinazionale possano prendere il sopravvento sulla gestione della Rete.

Vogliamo che la Rete sia **libera** e controllata in toto dagli **utenti** e non da altri.

ALMA Edizioni

8 Usiamo Le Nuove Tecnologie Per Abbattere I Muri Che Ci Dividono

Le nuove **tecnologie** sono per noi uno **strumento** per **comunicare** con il mondo, per **diffondere** le nostre **idee** e il nostro lavoro, per raggiungere e trovare nuovi contatti e amici ovunque ci troviamo.

Le nuove tecnologie sono per noi un mezzo per trovare **sinergie**, per dare **valore** ad altri e per poterci creare una nostra **sostenibilità economica**. Le nuove tecnologie non sono per noi fini a loro stesse.

9 Crediamo Che Si Possa Essere Sostenibili Facendo Ciò Che Più Piace

Crediamo che la **felicità non** si raggiunga **unicamente** tramite il **profitto**.

Crediamo anzi che la massima **soddisfazione** sia quella di poter **fare** ciò che veramente ci **appassiona** e di poter sopravvivere attraverso questa attività.

Ecco perché facciamo delle nostre **passioni** il nostro **lavoro** e guadagniamo grazie a esse.

Crediamo che sia finito il tempo del lavoro "fisso" e che ognuno possa trovare una **propria dimensione** di lavoro indipendente diventando una guida, un allenatore, un consulente per **altri che ne hanno bisogno** o creando servizi e prodotti che soddisfino le esigenze, interessi e problemi di pubblici di nicchia.

10 Siamo Minimalisti. Consumiamo Di Meno e Creiamo Di Più

Ci piace saperci muovere e **viaggiare** con il **minimo necessario**.
Non accumuliamo e non speculiamo.
Consumiamo poco e in maniera intelligente.
Non spendiamo soldi in macchine lussuose e in orologi di marca.

Creiamo valore e **aiutiamo gli altri** a risolvere i loro problemi ed a raggiungere i loro obiettivi.

Nomadi Digitali
www.nomadidigitali.it

TEST

B1 (Unità 1-4)

ASCOLTARE

Sono in grado di seguire i punti principali di conversazioni in lingua standard
  su temi a me familiari.

Comprendo conversazioni su esperienze e progetti relativi alla vita quotidiana.

Sono in grado di capire conversazioni in cui le persone esprimono opinioni,
  accordo o disaccordo, se si tratta di temi relativi alla vita quotidiana.

In una discussione informale, sono in grado di seguire le argomentazioni degli altri.

LEGGERE

Comprendo la descrizione di avvenimenti, stati d'animo, desideri e progetti
  personali in testi privati (e-mail) e pubblici (giornali, riviste, internet).

So scorrere testi di una certa lunghezza per trovare informazioni specifiche.

Comprendo la trama e una breve recensione di un libro o di un film.

Sono in grado di comprendere un testo narrativo contemporaneo in lingua standard.

PARLARE

So formulare intenzioni e progetti per il futuro.

So esporre e motivare brevemente la mia opinione su temi quotidiani.

So chiedere l'opinione di altri ed esprimere accordo o disaccordo.

So formulare ipotesi e supposizioni.

So riassumere la trama di un libro o di un film e descrivere le mie impressioni.

So esprimere le mie preferenze in diversi settori (p. es. libri, cinema, sport).

So descrivere in modo articolato le mie abitudini ed esperienze (p. es. lettura,
  cinema, viaggi).

So dare semplici consigli e istruzioni (p. es. sulla salute).

Sono in grado di riassumere brevemente una discussione, se mi sono preparato.

So raccontare un'esperienza personale (p. es. un viaggio).

So prendere posizione su possibili progetti di vita.

So indicare vantaggi e svantaggi (p. es di un certo modo di viaggiare).

SCRIVERE

Sono in grado di prendere appunti per riassumere una discussione informale.

So scrivere brevi testi per esporre esperienze personali, desideri e progetti per il futuro.

So scrivere brevi testi per esprimere la mia opinione.

So scrivere un post per chiedere informazioni e consigli.

So raccontare una breve storia.

So scrivere il mio profilo e un breve annuncio in un sito web.

So riassumere brevemente la trama di un libro o di un film.

Lo so fare?

😊 Sì, non c'è problema!   😐 Sì, ma non tanto bene.   ☹ Non ancora: è uno dei prossimi obiettivi!

B2 (Unità 5–8)

ASCOLTARE

	☺	😐	☹
Comprendo conversazioni su temi quotidiani in modo piuttosto dettagliato.	○	○	○
Comprendo gli elementi essenziali di esposizioni su temi anche complessi (p. es. consigli per un colloquio di lavoro).	○	○	○
Sono in grado di comprendere registrazioni in lingua standard identificando non solo informazioni, ma anche il punto di vista di chi parla, anche se non nei dettagli.	○	○	○

LEGGERE

	☺	😐	☹
So individuare il punto di vista e le conclusioni dell'autore in testi argomentativi chiaramente strutturati.	○	○	○
So individuare le informazioni significative in testi d'uso corrente (p. es. annunci economici).	○	○	○
Comprendo l'esposizione articolata di esperienze interculturali in testi autobiografici.	○	○	○
So trovare in un testo le informazioni necessarie per svolgere un compito.	○	○	○
Comprendo un breve racconto e ne so dare una semplice interpretazione.	○	○	○

PARLARE

	☺	😐	☹
So esprimere speranze, dubbi, timori, necessità.	○	○	○
So descrivere obiettivi e requisiti professionali.	○	○	○
So descrivere gli aspetti positivi e negativi di un luogo.	○	○	○
So descrivere le mie abitudini di consumo.	○	○	○
So prendere posizione rispetto ad opinioni espresse da altri.	○	○	○
In un'intervista (p. es. colloquio di lavoro) so fornire le informazioni richieste.	○	○	○
So riassumere e riferire brevemente opinioni espresse da diverse persone.	○	○	○
So parlare delle mie esperienze scolastiche.	○	○	○
So raccontare e valutare esperienze personali descrivendo le mie impressioni.	○	○	○
So riferire ciò che ho ascoltato in un'intervista.	○	○	○
So indicare aspetti positivi e negativi di una problematica (p. es. turismo).	○	○	○
So prendere posizione pro o contro qualcosa (p. es. un'iniziativa, una proposta).	○	○	○
So descrivere alcuni aspetti del mio Paese.	○	○	○

SCRIVERE

	☺	😐	☹
So scrivere il mio curriculum vitae.	○	○	○
So scrivere una domanda di assunzione per uno stage.	○	○	○
So prendere posizione su un tema dato (p. es. qualità della vita in città).	○	○	○
So descrivere e valutare schematicamente le mie caratteristiche personali, preferenze, capacità ed esperienze per scegliere un'attività adatta a me (p. es. volontariato).	○	○	○
So fornire informazioni e consigli relativi al mio Paese.	○	○	○

Lo so fare?

☺ Sì, non c'è problema!   😐 Sì, ma non tanto bene.   ☹ Non ancora: è uno dei prossimi obiettivi!

APPUNTI

GODIAMOCI LA VITA!

1. Abbasso lo stress! Attività per tutti i gusti

Inserite le seguenti attività nella casella adatta. Alcune attività vanno bene in più caselle.

| fare una passeggiata | guardare un film | organizzare una cena con amici | leggere un libro | nuotare |
| fare un picnic | giocare a calcio | meditare | fare jogging | fare un'escursione nella natura |

	attività all'aperto	attività al chiuso
attività individuali		
attività di gruppo		

2. Se sei stanco, fai una pausa!

a. Completate le frasi con il verbo all'imperativo (forma tu).

Hai mai avuto uno di quei periodi terribili con tantissime cose da fare contemporaneamente e l'unica cosa che vorresti fare è scappare? Se sì, allora sei stressato. Eccoti una serie di consigli che potrebbero semplificarti la vita.

1. Per prima cosa, se ti senti stressato, (respirare) respira ✓ lentamente, (concentrarsi) concentrati ✓ sul tuo respiro per alcuni minuti. Il respiro unisce la nostra mente e il nostro corpo. Quando siamo stressati facciamo respiri corti e frequenti, mentre quando siamo rilassati, i nostri respiri sono lenti e profondi.

2. Se non sai bene come ti devi organizzare, (pianificare) pianifica ✓ la tua giornata. Alla sera (dedicare) dedica ✓ 5 – 10 minuti per fare la lista delle attività da fare il giorno successivo. E non (andare) ~~vai~~ andare a letto tardi. (dormire) dormi almeno 7 ore a notte.

3. Se sei stressato, non (perdere) ~~prendi~~ perdere tempo su Internet e (smettere) smetti di controllare ogni 10 minuti la tua casella di posta elettronica. Non (diventare) ~~diventa~~ diventare schiavo del web. La necessità di essere continuamente online sta creando una generazione di nevrotici! (uscire) Esci con gli amici e (divertirsi) divertiti ! È molto meglio!

4. Se hai la sensazione di avere troppe cose in testa, non (fare) ~~Fare~~ tutto contemporaneamente. (fare) Fai una cosa alla volta. Il multitasking è una bugia del nostro secolo!

5. Se vuoi essere più ordinato, (liberarsi) liberati delle cose inutili, (selezionare) seleziona gli oggetti che non ti servono più e (regalarli) regalali ! In questo modo anche il caos nella tua testa diminuisce.

b. E cosa fate voi se siete stanchi, nervosi, stressati o di cattivo umore? Scrivete qualche frase come nell'esempio.

Esempio: Se sono di cattivo umore, esco con gli amici e mi diverto con loro.

UNITÀ 1

3. Ci vuole esercizio...

Completate le seguenti frasi con le forme corrette di bisogna, ci vuole / ci vogliono oppure avere bisogno. Attenzione ai tempi! Usate l'indicativo presente, il passato prossimo o l'imperfetto.

1. Dopo gli esami di fine semestre gli studenti _____ di una bella vacanza.
   Ma per andare in vacanza _____ molti soldi e per avere i soldi per le vacanze
   _____ lavorare durante il semestre. Insomma, la vita da studente non è facile!
2. Per fare il tiramisù _____ : uova, zucchero, mascarpone e savoiardi.
3. Fino a una decina di anni fa per andare da Milano a Roma _____ circa 6 ore.
   Adesso, con il treno superveloce _____ teoricamente solo poche ore, ma il
   problema è che a volte _____ anche molta pazienza perché i treni sono spesso
   in ritardo e quindi _____ aspettare a lungo.
4. Per laurearsi _____ superare tutti gli esami previsti dal piano di studi.
5. Ora parlo bene l'italiano. Ma _____ di molto tempo per raggiungere un buon livello.
6. Alcuni esperti dicono che per trovare un buon lavoro _____ una laurea specialistica
   e _____ avere almeno un anno di esperienza di lavoro.
7. Prima _____ di un'ora per andare all'università perché abitavo dall'altra parte della
   città. Ora mi sono trasferita e da casa mia all'università _____ 10 minuti.
8. Nei periodi di stress _____ imparare a rilassarsi e per farlo _____
   delle tecniche speciali.
9. La riforma del lavoro in Italia oggi è una realtà. Ma _____ molti anni per realizzarla
   e _____ aspettare ancora per vedere i risultati concreti.

4. Cruciverba sportivo

Risolvete il cruciverba con le parole corrette.

ORIZZONTALE

3. Gioco di squadra in cui ci si passa
   la palla con le mani e si cerca di metterla
   nel canestro della squadra avversaria.
5. È uno sport che si pratica in bicicletta.
6. Sport di squadra in cui si deve cercare
   di far cadere la palla nella metà campo
   della squadra avversaria. Si possono
   usare solo le mani.

VERTICALE

1. Attività sportiva che si fa per salire su
   una montagna.
2. Per praticare questo sport ci vuole la neve.
4. Serie di movimenti coordinati per spostarsi
   in acqua. Si pratica al mare, in piscina o al lago.

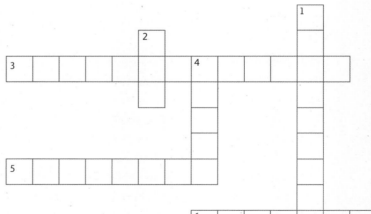

5. Cosa si dice per...?

a. Mettete nella colonna adatta le seguenti espressioni.

Mi dispiace, ma ho da fare.   Che ne dici di...?   Hai voglia di...?   Bella idea!

Non posso proprio, ho un altro impegno.   Facciamo alle...?   Fra un'ora da/a/in...?

Volentieri!   Peccato, ma devo proprio...

fare una proposta	accettare	rifiutare	prendere un appuntamento

b. Cosa direste in queste situazioni? Scrivete qualche frase.

Un tuo compagno / Una tua compagna di corso che non ti piace per niente
ti invita a bere una birra.

Un tuo amico / Una tua amica ti propone di fare una camminata in montagna.

Un'amica italiana ti invita al cinema a vedere un film italiano.

Un vicino di casa che non conosci ti invita a una festa a casa sua.

Hai appuntamento con un'amica ma non avete ancora definito dove e quando.

6. L'amico entusiasta

*Un vostro amico, sempre entusiasta di quello che proponete, perfeziona però sempre
le vostre proposte. Completate le sue risposte con l'imperativo (forma noi) e il pronome
adatto come nell'esempio.*

1. Paolo, organizziamo un fine settimana a Firenze con Stefano e Umberto? – Sì, bellissimo,
   ma _organizziamolo_ in estate così c'è bel tempo.
2. Hai voglia di guardare un film insieme a casa mia? – Sì, ma (guardare / il film)
   _____ martedì sera così viene anche Antonella.
3. Ti va di fare un giro in bici domenica mattina? – Certo, ma (fare / il giro in bici)
   _____ verso le 10 così non c'è ancora tanta gente.
4. Visitiamo insieme la mostra sui Futuristi? – Sì, (visitare / la mostra)
   _____ giovedì sera e (dire / questo) _____ anche a Laura!
5. Che ne dici di fare una partita a calcio? – Bella idea, ma (fare / la partita)
   _____ sabato sera così domenica dormo di più.
6. Andiamo a fare una passeggiata al parco? Ho voglia di stare nella natura. – Sì, perfetto,
   ma (andare / al parco) _____ presto così non fa ancora caldissimo.

7. Se correre aiuta il cervello e lo fa crescere

a. Leggete il seguente articolo e segnate con una crocetta le risposte esatte.

Gli esperti hanno scoperto che le persone che si mantengono in forma hanno una memoria maggiore e un pensiero più lucido. Il running aumenta anche le dimensioni del cervello, perché il movimento favorisce il rinnovamento cellulare

Correre è una cosa positiva, si sa, ma non solo per il vostro fisico. Perché a quanto pare quest'abitudine ha un effetto benefico anche sul cervello. Secondo i ricercatori dell'università del Kentucky, negli Stati Uniti, le persone che si mantengono in forma hanno una memoria maggiore e un pensiero più lucido. Al contrario chi alla palestra preferisce il divano ha capacità cognitive minori. La ricerca si aggiunge ad altre che associano lo sport a un minor invecchiamento del cervello anche perché il movimento favorisce il rinnovamento cellulare. Secondo gli esperti statunitensi potrebbe anche «rallentare» l'Alzheimer.

Lo studio. La ricerca dell'università del Kentucky ha preso in esame 30 adulti fra i 59 e i 69 anni. I ricercatori hanno analizzato i flussi di sangue nel cervello e le sue dimensioni hanno evidenziato l'importanza delle differenze tra pigri e sportivi. «Abbiamo osservato il rapporto positivo fra fitness cardio-respiratorio e flusso sanguigno. Le persone pigre avevano un cervello di dimensioni ridotte». Il risultato di questa ricerca va nella stessa direzione di uno studio analogo tedesco su persone fra i 60 e i 77 anni. Dopo un programma di esercizi in palestra durato tre mesi, i pazienti hanno registrato un netto miglioramento della memoria. Mentre un altro studio sui topi al National Institute on Aging, di Baltimore, ha messo in evidenza che le cellule dell'ippocampo, l'area del cervello che gestisce la memoria, si riproducevano più in fretta nei topolini «magri».

«Un'attività aerobica di intensità moderata – spiega Linda Clare, docente di Clinical Psychology of Ageing and Dementia all'università di Exeter University – come, ad esempio, il footing o andare in bicicletta, può produrre cambiamenti nella struttura del cervello. Questo 'aumenta' le riserve cognitive, rendendo il cervello più resistente alle patologie».

Effetto positivo sugli anziani. Negli ultimi anni numerose ricerche hanno confermato che le persone anziane, o quasi, che fanno un po' di moto hanno una minore probabilità di andare incontro a problemi mentali e cognitivi, demenze comprese.

Una ricerca di qualche anno fa, per esempio, aveva seguito per 5 anni 4.615 anziani canadesi in buona salute, mostrando il valore protettivo dell'attività fisica regolare. Pochi anni dopo l'Honolulu-Asia Aging Study ha monitorato per più di dieci anni migliaia di anziani residenti alle Hawaii e ha quantificato così il risultato: chi faceva a piedi più di tre chilometri al giorno aveva un rischio di sviluppare demenza inferiore agli altri del 40%.

(adattato da: *Se correre aiuta il cervello e lo fa crescere* di Valeria Pini, www.repubblica.it, 02/05/2016)

1. Chi fa sport...

○ ha più memoria.   ○ è più bello.   ○ ha meno problemi cognitivi.   ○ ha il cervello più grande.
○ vive più a lungo.   ○ è più allegro.   ○ resiste di più alle malattie.

Vero o falso?

	☺	☹
2. Il movimento aiuta le cellule a rimanere giovani.	○	○
3. Quello presentato dall'articolo è un risultato nuovo.	○	○
4. Alcuni studi si basano sui risultati di esperimenti fatti sugli animali.	○	○
5. Il cervello dei pigri è più piccolo.	○	○

b. *Volete attivare la vostra memoria e imparare più velocemente i vocaboli? Andate a fare un po' di jogging. Bastano anche 10 minuti al giorno. Mentre correte, provate a pensare a qualche frase in italiano.*

8. Il corpo umano

Un marziano torna sul suo pianeta e racconta agli amici che aspetto hanno i terrestri. Completate il testo con le parti del corpo mancanti.

Allora ragazzi, incredibile! Dovreste vederli, i terrestri, sono veramente brutti. In alto hanno una specie di palla, che loro chiamano _____ , dove si trovano due _____ con cui possono vedere, un _____ per sentire gli odori, due _____ per ascoltare e uno strano buco dove mettono le cose da mangiare, la _____ . Questa è formata da due _____ : il _____ superiore e quello inferiore. I terrestri usano le _____ anche per baciare altri terrestri. In questo strano buco, che loro chiamano appunto _____ , ci sono anche i _____ , di solito 32, che servono per mangiare. Questa strana palla è collegata al resto del corpo tramite un _____ , da cui partono due _____ , un _____ sinistro e uno destro e alla fine di ognuno c'è una _____ con cinque _____ : il _____ più grande si chiama pollice, quello più piccolo mignolo. Tutti i terrestri, soprattutto quelli che mangiano molto o che bevono tanta birra, hanno una _____ . Il terrestre ha anche due _____ per camminare. Ogni _____ ha in mezzo un _____ , che serve per piegarla. In fondo ci sono due _____ . Anche questi hanno delle _____ , ma in questo caso il _____ più grande si chiama alluce. Poi cosa c'è ancora? Il _____ , come dice la parola stessa, lo usano per sedersi. Poi c'è la _____ , che i terrestri possono vedere solo allo specchio. Ad alcuni terrestri a volte fa male, soprattutto se portano degli oggetti pesanti.

▶II 2.1   9. 'Yogando' s'impara (anche l'italiano)

a. *Ascoltate la descrizione dei seguenti esercizi di yoga e abbinate a ogni descrizione la figura corretta.*

UNITÀ 1

b. *Riascoltate le descrizioni*
e scrivete le parti del corpo
che vengono nominate.

c. *Riascoltate e segnate con una crocetta.*

	l'albero	il triangolo	il guerriero
1. Quale esercizio devi fare se...			
a) vuoi essere più sicuro di te?	○	○	○
b) cerchi più equilibrio nella tua vita?	○	○	○
c) vuoi rendere le gambe più forti?	○	○	○
2. In quale posizione devi...			
a) avere le mani unite sopra la testa?	○	○	○
b) toccare con una mano il pavimento e con l'altra allungarti verso l'alto?	○	○	○
c) piegare una gamba e avere l'altra allungata?	○	○	○

d. *E ora riascoltate le descrizioni, seguite le istruzioni in italiano e fate veramente gli esercizi* ☺ .

10. Dal dottore

Completate i consigli del medico con l'imperativo (forma di cortesia).

1. Mi sento sempre stanchissima.   (prendere) _____ della pappa reale.
2. Non dormo più di notte.   (andare) _____ a dormire solo quando è stanco.
3. Comincio a perdere i capelli.   (provare) _____ con il lievito di birra.
4. Sto ingrassando un po' troppo.   (fare) _____ un po' di sport.

11. Altri consigli

a. *Alla fine del semestre l'insegnante chiede agli studenti la loro opinione per poter migliorare*
le sue lezioni. Completate i consigli degli studenti con l'imperativo (forma di cortesia).

(arrivare) _____ puntuale alla lezione e non (finire) _____ troppo tardi.
(portare) _____ il buon umore a lezione e (spiegare) _____ con entusiasmo
la materia che insegna. Se qualcuno non capisce, non (arrabbiarsi) _____ , ma (avere)
_____ pazienza e (ripetere) _____ fino a quando lo studente non capisce.
(aiutare) _____ gli studenti a preparare le relazioni orali e gli (dare) _____
dei consigli. (organizzare) _____ anche qualcosa al di fuori dell'università.
(cercare) _____ di stimolare gli studenti ad appassionarsi alla materia. Agli esami
non (essere) _____ troppo severo, ma (essere) _____ giusto con tutti.
(fare) _____ il suo lavoro con passione.

ALMA Edizioni

b. Aggiungete altri quattro consigli che ritenete utili.

1. _____ 3. Non _____

2. _____ 4. Non _____

12. Arriva la primavera

Il Signor Cuno vorrebbe dimagrire un po' e condurre una vita regolare. Decide di andare dal medico, che gli dà i seguenti consigli. Completate con il verbo e, dove necessario, anche con i pronomi.

Allora, (fare) _____ sport ma non (farlo) _____ tutti i giorni, solo due volte alla settimana. Non (mangiare) _____ troppa carne, meglio la verdura e (cucinarla) _____ al vapore. Poi (prendere) _____ l'abitudine di mangiare una mela al giorno, conosce il detto no? «Una mela al giorno toglie il medico di torno», ma (mangiarla) _____ prima dei pasti perché aiuta ad assorbire i grassi. Non (mettere) _____ zucchero o dolcificanti nel caffè: (berlo) _____ amaro. Non (bere) _____ troppo vino, (berne) _____ solo un bicchiere a pasto. Non (esagerare) _____ con i dolci, anzi, se può (evitarli) _____ ! E poi le sigarette, Signor Cuno! (eliminarle) _____ del tutto! Se Le viene voglia di fumare, non (cedere) _____ alla tentazione, (fare) _____ qualcosa d'altro per distrarsi, (telefonare) _____ ad un amico, (mangiare) _____ un frutto, (pensare) _____ ad altro. E poi non (innervosirsi) _____ sempre per niente! (stare) _____ tranquillo. Non (uscire) _____ tutte le sere, (andare) _____ a letto più regolarmente. Non (addormentarsi) _____ davanti alla TV e (spegnerla) _____ prima di andare a dormire. (ritornare) _____ tra un mese e vediamo come sta.

13. Formale o informale?

a. Leggete le seguenti frasi e segnate con una crocetta se si tratta di un'affermazione formale o informale.

	formale	informale
1. Vieni alle 14.00, sali al terzo piano e chiedi di Conte.	○	○
2. Compili il modulo in stampatello, per favore.	○	○
3. Non essere così antipatico e poi non fumare qui perché dà fastidio.	○	○
4. Vada prima all'ufficio relazioni internazionali.	○	○
5. Finisci di fare i compiti e poi esci con i tuoi amici.	○	○
6. Mi dia una mano, per favore. La borsa è troppo pesante.	○	○
7. Faccia come dico io.	○	○
8. Mi dica per favore quando posso trovare il Prof. Fazio.	○	○

b. Trasformate le frasi dall'imperativo formale (Lei) a quello informale (tu) e viceversa.

UNITÀ 1

14. Consigli per imparare l'italiano

Ecco alcuni consigli in rima per imparare l'italiano. Completate il testo con i verbi indicati all'imperativo (forma di cortesia).

_____ i vocaboli la mattina e

_____ anche qualche frase carina.

Il pomeriggio _____ i CD, anzi _____ tutto il dì,

_____ dei libri il fine settimana, Le sembra davvero una cosa strana?

Ah, e non _____ la grammatica... in fondo non è così antipatica.

_____ di conoscere qualche italiano genovese, fiorentino o siciliano

e _____ con lui di giorno e di sera in estate, in inverno e anche

in primavera.

studiare
scrivere
ascoltare / ascoltarli
leggere
dimenticare
cercare
uscire

15. Occhio alla forma!

Completate le frasi con la forma adatta.

| dirgli | dacci | mi faccia | mi dia | dillo | dille | mi dica | ci vada | fammi |

1. Dr. Kuhn, ho saputo che viene a Milano. _____ sapere quando arriva.
2. Anna, se vedi Stefania, _____ che l'aspetto al bar dell'università.
3. Se incontro Sergio gli devo dire qualcosa? – No. Non _____ niente.
4. Io non so più cosa fare. _____ Lei cosa farebbe in questa situazione.
5. _____ per favore tre etti di tortellini.
6. Valentina, _____ sapere come è andato l'esame.
7. Io e Giorgio non sappiamo dove andare a Capodanno. _____ un consiglio, Barbara!
8. Senta, Signora Martini, io ora non ho tempo di andare in banca. _____ Lei, per favore.
9. Puoi dire a Fabio del compleanno di Federico? – Va bene, tu però _____ a Lorenzo.
   Io non ho il suo numero di cellulare.

Lo sapevate che...?

Gli italiani sono un popolo di pigroni! La vera passione degli italiani? Sembrerebbe il divano se si considerano i dati dell'Istat. Secondo l'Istituto nazionale di statistica i numeri sulla partecipazione ad attività fisiche e sportive non sono molto incoraggianti. Solo uno su tre dichiara di praticare uno o più sport nel tempo libero. E al Sud ancora meno che al Nord: il 22% al Sud, mentre la percentuale delle persone che pratica qualche sport al Nord è del 35%. Circa il 42% della popolazione si dichiara completamente sedentaria: non fa nessuno sport e nessuna attività fisica.

VIAGGIANDO S'IMPARA

1. Oggetti utili per un viaggio

Scrivete accanto alla definizione di quale oggetto si tratta. Aggiungete anche l'articolo determinativo.

1. È utile per leggere le informazioni sui luoghi che si visitano: ....
2. Servono a tenere calde le mani: ....
3. Lo portate quando andate al mare per fare il bagno o per stare in spiaggia: ....
4. È un documento che serve per poter andare in un Paese extraeuropeo: ....
5. Se volete dormire in tenda o all'aperto, dovete averlo: ....
6. È comodo se volete fare un'escursione. Ci mettete dentro le cose che vi servono: ....
7. Se volete guidare una macchina, la dovete avere: ....
8. Per fare delle belle foto è meglio dello smartphone: ....
9. Il sole è bello, ma bisogna anche proteggere la pelle. Per questo vi serve... ....
10. Serve per lavarsi i denti e qualche volta ci dimentichiamo di portarlo: ....

2. Primo maggio a Roma

Completate il riassunto dell'ascolto con i verbi al passato prossimo.

Caterina e Franziska (essere) .... a Roma per il fine settimana del primo maggio.
(rimanere) .... cinque giorni e (andare) .... a un concerto.
Il concerto gli (piacere) .... molto e anche loro (cantare) ....
Bella ciao. Inoltre (loro – girare) .... un po' per Roma, (visitare) ....
la Cupola di San Pietro e (vedere) .... anche altri posti turistici. Caterina (fare)
.... un po' da guida.

3. Voglia di Sicilia

Completate le frasi con 'venire voglia' al passato prossimo e con il pronome adatto.

1. Monica ha letto *Il Gattopardo* di Tomasi di Lampedusa
   e .... di andare in Sicilia.
2. Io e Susi siamo andate in un nuovo ristorante siciliano e
   .... di mangiare i cannoli tutti
   i giorni.
3. Alvaro ha visto delle fotografie di Palermo e
   .... di partire.
4. Elena, come .... di passare
   qualche mese a Stromboli? – Dopo una vacanza alle Eolie
   .... *una voglia* irresistibile di abitare per
   un po' vicino a un vulcano.

UNITÀ 2

4. Dilemma grammaticale: *che* o *cui* preceduto da preposizione?

Completate i testi con che *oppure* cui *preceduto da preposizione.*

a) Ieri all'università c'è stato l'incontro sulla letteratura di viaggio ___di cui___ mi ha parlato Sofia. Alcuni autori contemporanei ___che___ scrivono di viaggi hanno presentato i loro libri. A me è piaciuta soprattutto la presentazione del libro *Vagamondo: il giro del mondo senza aerei* di Carlo Taglia. È un libro autobiografico ___che___ l'autore ha scritto dopo un giro del mondo un po' particolare: 95.450 chilometri senza aerei in 528 giorni. L'esperienza ___di cui___ parla l'autore è soprattutto quella spirituale: il concetto di viaggio inteso come viaggio introspettivo. Il moderatore della serata, ___che___ è un mio professore di letteratura, è stato molto bravo e gli ha fatto delle domande molto intelligenti. A me l'incontro è piaciuto molto, ma agli altri ___con cui___ sono andata no. Soprattutto Marta e Giulia, ___a cui___ però non piace mai niente, hanno dato dei giudizi molto negativi. Si sono lamentate di tutto, anche della sala dell'università ___in cui___ c'è stato l'incontro!!

b) Un libro ___in cui___ ho letto una recensione interessante e ___che___ voglio leggere è *Sostiene Pereira* di Antonio Tabucchi, ___che___, oltre a essere stato uno scrittore, è stato anche professore di letteratura portoghese all'università di Pisa, sua città natale. I suoi legami con la cultura portoghese erano molto forti e infatti *Sostiene Pereira* è ambientato a Lisbona negli anni Trenta, periodo ___in cui___ nasce la dittatura di Salazar. Pereira è un giornalista ___che___ si occupa della pagina culturale di un giornale del pomeriggio, il *Lisboa*. Poi conosce un ragazzo ___che___ lo farà riflettere sul ruolo dell'intellettuale nella società, ___che___ non si deve solo limitare a denunciare le ingiustizie, ma deve agire attivamente per la loro eliminazione.

▶II 2.2   ### 5. Intervista

A lezione avete lavorato con il questionario "E tu, come viaggi?". Ora ascoltate l'intervista a Stella e segnate le sue risposte. In alcuni casi sono possibili più risposte.

---

1. Quali tipi di viaggi fai generalmente nel corso di un anno?
   ● fine settimana   ● 1 settimana   ● vacanze lunghe (più di 10 giorni)   ● nessuno

   _____

2. Quante volte all'anno fai questo tipo di viaggi, in media? _____

   _____

3. Perché viaggi? Per...
   ● riposo   ● svago / divertimento   ● fare nuove esperienze   ● visitare posti nuovi
   ● dedicarmi alle mie attività preferite (sport, cultura, concerti ecc.)   ● altro: _____

   _____

4. Con chi viaggi di solito?
   ● da solo/a   ● con il / la ragazzo/a   ● con gli amici   ● con la famiglia   ● in gruppo (associazione /
   gruppo organizzato sportivo, culturale, religioso, politico, di volontariato)   ● altro: _____

   _____

5. Con quali mezzi di trasporto viaggi?

● in aereo ● in treno ● in macchina ● in nave ● in autostop ● altro: _____

6. Che tipo di alloggio preferisci, in genere? (max 2 risposte)

● hotel ● affittacamere/B&B ● ostello ● appartamento in affitto ● altro: _____

7. Quali sono i prossimi luoghi che desideri visitare?

Nel tuo Paese: _____ All'estero: _____

(adattato da: https://it.surveymonkey.com/r/indaginegiovanieviaggi)

6. Completate con la forma corretta di *proprio*.

1. Se si ospita qualcuno a casa _____ , bisogna essere aperti e disponibili.

2. Si impara sempre dai _____ errori, per questo sono utili.

3. Per chi vuole esprimere la _____ creatività in cucina, l'Italia è il Paese ideale.

4. Chi viaggia e non vuole cambiare le _____ abitudini, non impara molto dalle altre culture.

5. Chi è modesto, sa riconoscere i _____ limiti.

7. Viaggia e...

Completate il testo con i vocaboli mancanti. Attenzione: ci sono due vocaboli in più!

mezzo	vitto	alloggio	manuali	suonare	innato	basso costo
medio	gratuita	giocare	usanze			

Esiste una piattaforma digitale, che si chiama Bed and Learn, che ti permette di viaggiare a _____ perché risparmi sulle spese per il _____ e l' _____ . Per esempio se sei bravo nei lavori _____ o se sai _____ uno strumento puoi offrire le tue competenze in cambio di ospitalità _____ . Bed and Learn è un _____ per conoscere la cultura e le _____ di un Paese condividendo un'esperienza con le persone del posto e sostiene il bisogno di esplorare e di viaggiare che è _____ in ognuno di noi.

8. Pensieri di viaggio

Completate questo breve testo con chi, che oppure cui preceduto da preposizione.

Quando l'unica cosa _a cui_ pensate è viaggiare, significa che è arrivato il momento di staccare per un po' dalla routine quotidiana. C'è _chi_ viaggia per rilassarsi, _chi_ viaggia alla ricerca di se stesso e _chi_ viaggia per scappare dalla propria quotidianità. Viaggiare deve essere un'esperienza _che_ ci lascia sensazioni profonde e ci fa crescere. Non è importante la meta _che_ vogliamo raggiungere, ma è importante lo stato d'animo _con cui_ iniziamo il viaggio. Attenti anche ai compagni di viaggio _che_ scegliamo, perché sono le persone _con cui_ passiamo tutto il giorno. Non organizzate un viaggio con una persona _con cui_ non andate d'accordo. Potreste rovinarvi la vacanza. Pochissime le cose _di cui_ abbiamo veramente bisogno: pochi vestiti, un po' di soldi in contanti e un quaderno _in cui_ scrivere le nostre avventure. Il resto è superfluo. Partite e godetevi il viaggio!

UNITÀ 2

9. Completate le frasi usando il gerundio.

1. Come fai ad imparare così velocemente una lingua? – _Parlando_ molto e _facendo_ molti esercizi. (parlare – fare)

2. Valentina, perché parli così bene il tedesco? – _Essendo_ di Bolzano, l'ho imparato a scuola da piccola. (essere)

3. Gianni, quando vai a fare la spesa? – Normalmente mi fermo al supermercato _tornando_ a casa dall'università. (tornare)

4. Gherardo, come fai a sapere sempre tutto? – _Leggendo_ , _studiando_ e non _perdendo_ tempo a dormire sempre come fai tu. (leggere – studiare – perdere)

5. Scusi professoressa, come faccio ad imparare le parole nuove? – _Scrivendole_ su un quaderno e _ripetendole_ ad alta voce. (scriverle – ripeterle)

10. Rispondete alle domande liberamente usando il gerundio.

1. Come impari l'italiano? _____
2. Come ti prepari per un esame? _____
3. Come pianifichi un viaggio? _____
4. Come ti diverti nei fine settimana? _____

11. Lento e low-impact. Scopri il viaggio a basso impatto

a. Leggete il seguente articolo e scegliete le risposte corrette.

Sono molti i turisti che condividono il pensiero di Marcel Proust e pensano che «Il vero viaggio di scoperta non consiste nel cercare nuove terre, ma nell'avere nuovi occhi». Ed è proprio con occhi nuovi che ritorna a casa chi viaggia come turista responsabile, nel rispetto degli ambienti naturali che visita e delle culture dei popoli che incontra.

Per sostenere e promuovere questa modalità di viaggio le principali associazioni del turismo consapevole hanno dato vita all'*Associazione Italiano Turismo Responsabile*, convinte che un altro turismo è possibile. Perché, se è bello viaggiare e conoscere altri luoghi, non obbligatoriamente sempre lontani, bisogna limitare al massimo gli effetti negativi che può produrre un'industria del turismo di massa su ambienti, culture, società ed economie dei Paesi di destinazione, specie nel sud del mondo. Il viaggio deve sì regalare emozioni, relax, spiagge da sogno, paesaggi mozzafiato o visite a beni culturali di rara bellezza, ma non bisogna dimenticare che in ogni luogo che accoglie il turista ci sono piccole e grandi comunità locali.

L'incontro tra questi due mondi diventa quindi il valore aggiunto di un viaggio responsabile. Il turismo responsabile non vuole essere un pellegrinaggio laico tra i mali e le ingiustizie del mondo; non dimentica la vacanza, il desiderio di conoscere popoli e luoghi, ma non si accontenta di rimanere in superficie e scava un po' più a fondo, per avvicinare il turista al viaggiatore.

Non è solo una questione di stile o di qualche incontro in più. Nel viaggio responsabile si preferiscono mezzi di trasporto, alloggi, ristoranti e strutture turistiche rispettosi dell'ambiente. I gruppi di turisti / viaggiatori sono solitamente piccoli (non superano le 10–15 persone) in modo da entrare più facilmente in contatto con le realtà locali. Ci si muove lentamente (dimenticate i tour che promettono in pochi giorni la visita di mezzo Brasile) in modo da avere il tempo di soffermarsi sulle sensazioni che offrono i luoghi visitati.

Il mercato dei viaggi responsabili si è decisamente sviluppato negli ultimi anni. L'attenzione si è spostata recentemente dai viaggi verso mete lontane, solitamente America Latina, Asia e Africa, al turismo nazionale.

(adattato da: *Lento e low-impact. Scopri il viaggio a basso impatto* di Giuseppe Ortolano, www.repubblica.it, 10/11/2015)

1. Secondo Marcel Proust il viaggio...
   ○ aiuta a scoprire nuove terre.
   ○ è una metafora per dire che il vero modo di scoprire il mondo è sviluppare un modo nuovo di guardare le cose.

2. Il turismo responsabile... (sono possibili più risposte)
   ○ non dovrebbe avere effetti particolarmente negativi sui luoghi visitati.
   ○ dovrebbe regalare sensazioni uniche e dare la possibilità di vedere paesaggi bellissimi.
   ○ dovrebbe rispettare le comunità locali.
   ○ dovrebbe aiutare a eliminare le ingiustizie del mondo.
   ○ prevede mezzi di trasporto veloci così si possono vedere molti posti in poco tempo.
   ○ prevede viaggi in gruppi numerosi per utilizzare meglio le risorse.
   ○ in Italia è un fenomeno antico.
   ○ in Italia organizza solo viaggi all'estero.

b. *Plurilinguismo: spesso se non vi viene in mente il significato di una parola, potete pensare alle altre lingue che conoscete. Rileggete il testo e completate la tabella con le parole mancanti.*

italiano	inglese	francese	la mia lingua
responsabile	responsible	responsable	....
....	to sustain	soutenir	....
....	convinced	convaincu	....
....	value	la valeur	....
....	to promise	promettre	....

12. Primo maggio a Roma

Completate il dialogo con i verbi al passato prossimo o all'imperfetto.

■ Ragazze, (stare) .... a Roma in maggio, vero?

● Sì, il primo maggio (essere) .... un giorno di festa e (noi / avere) .... tempo. Così (noi / decidere) .... di andare al concerto del primo maggio. Lì (esserci) .... molti giovani che (venire) .... da diversi posti d'Italia. Il concerto (durare) .... tutto il giorno: (iniziare) .... verso le tre e poi (finire) .... a mezzanotte. Il tempo (essere) .... bellissimo e (fare) .... anche abbastanza caldo, ma lì vicino (esserci) .... dei giardini pubblici in cui si (potere) .... andare per fare delle pause.

■ Vi (piacere) .... il concerto?

● Sì, molto. Soprattutto *Bella ciao*. Un gruppo (suonarla) .... due volte e tutti (cantare) .... insieme. (essere) .... notte quando (tornare) .... a casa. Proprio una bella esperienza!

UNITÀ 2

13. Passato prossimo oppure imperfetto?

a. Completate le frasi inserendo la forma corretta del passato prossimo o dell'imperfetto.

1. Quando (essere) _____ piccola, Laura (vivere) _____ a Brescia con la famiglia.
   Nel 1999 (trasferirsi) _____ a Berlino.

2. Quando io e mio fratello (essere) _____ piccoli, la nostra famiglia (andare)
   _____ sempre in vacanza a Sondalo, un piccolissimo paese in montagna. Lì noi bambini
   (giocare) _____ nella natura tutto il giorno, (fare) _____ molte passeggiate
   con i nostri genitori e (divertirsi) _____ molto. Una volta però i nostri genitori (preferire)
   _____ andare al mare.

3. Marco (studiare) _____ in Francia per due anni e (vivere) _____ con alcuni
   francesi che (amare) _____ molto la lingua italiana.

4. Io e tuo padre (vedersi) _____ la prima volta nella mensa dell'azienda: tuo padre
   (parlare) _____ con alcuni colleghi e io (mangiare) _____ con una collega
   al tavolo vicino. (avere) _____ entrambi 24 anni. Dopo due anni di fidanzamento
   (sposarsi) _____ e dopo un anno (nascere) _____ tu!

b. Ora scegliete almeno un verbo dell'esercizio 13a che serve a...

...descrivere una situazione: _____

...descrivere una persona: _____

...raccontare un'azione abituale: _____

...raccontare singole azioni concluse / fatti compiuti: _____

...raccontare un fatto nuovo, che indica un cambiamento: _____

14. Coniugate i verbi al passato prossimo o all'imperfetto.

1. Fino a una trentina di anni fa non (esistere) _____ il computer e non (esserci)
   _____ neppure i cellulari. I computer e i cellulari (nascere) _____ tra gli anni
   Settanta e gli anni Ottanta.

2. Prima prendere l'aereo (costare) _____ molto di più perché non (esserci) _____
   le compagnie low cost. La gente (comprare) _____ i biglietti nelle agenzie di viaggio. Poi, alla
   fine degli anni Novanta, (nascere) _____ la prima compagnia low cost europea, la Ryan Air.

3. Una volta gli italiani (andare) _____ in vacanza tutti gli anni in agosto negli stessi posti.

▶II 2.3 ### 15. Karin improvvisamente decide di cambiare città e facoltà.

Ascoltate l'intervista e completate con le informazioni.

prima _____

a un certo punto _____

adesso _____

16. L'università italiana tra passato e presente

a. Completate il testo con i verbi all'imperfetto, al passato prossimo o al presente.

Una volta i corsi di laurea (durare) _____ quattro o cinque anni, ma molti studenti (finire) _____ anche più tardi e così l'età media degli studenti italiani (essere) _____ molto alta. Inoltre molti studenti (abbandonare) _____ l'università prima di arrivare alla laurea. Un altro problema che (esistere) _____ nel mondo universitario italiano (essere) _____ la mancanza di un contatto con il mondo del lavoro. Pochi studenti (fare) _____ dei tirocini o degli stage nel periodo degli studi. Poi nel 2001 (esserci) _____ un'importante riforma che si chiama 3 + 2. La riforma (cambiare) _____ il sistema degli studi universitari secondo un modello concordato con gli altri Paesi dell'Unione Europea. Ora i corsi di laurea (durare) _____ tre anni. Chi (volere) _____, dopo la laurea di tre anni, (potere) _____ continuare con una laurea magistrale che (durare) _____ due anni. Per questo la riforma (chiamarsi) _____ 3 + 2.

b. E nel vostro Paese? Scrivete qualche frase su com'era prima l'università e se anche nel vostro Paese ci sono stati cambiamenti.

17. Viaggiare come ai vecchi tempi

a. Completate questo racconto di un viaggio alternativo, coniugando i verbi al passato prossimo o all'imperfetto.

Stella (laurearsi) **si è laureata** nel 2014 in scienze politiche, (cominciare) **ha cominciato** subito a lavorare, ma non (essere) **era** ✓ soddisfatta del suo lavoro. Una sera, a una festa, (incontrare) **ha incontrato** ✓ Giovanni, un suo vecchio compagno di studi. Anche lui insoddisfatto del lavoro e con la stessa voglia di andare via e così, in poco tempo, (loro / decidere) **hanno deciso** ✓ di fare un viaggio di un mese a basso costo, senza programmi, senza cellulari e con due soli vestiti. Nient'altro. Solo voglia di staccare. Meta: l'Irlanda. E in poco tempo lei e Giovanni (partire) **sono partiti** ✓.
Dove (dormire) **hanno dormito** per tutto il mese? *Couchsurfing*, un divano a casa di altri.
Come (spostarsi) **si spostavano** ✓ di solito? Normalmente in treno e in autostop, ma una volta (fare) **hanno fatto** ✓ una tappa anche a piedi. Lo zaino? Praticamente inesistente. Stella e Giovanni (avere) **avevano** ✓ solo

due vestiti e un paio di scarpe. Cosa (fare) **facevano** ✓ durante il giorno? (girare) **Giravano** ✓ e (cercare) **cercavano** ✓ di vivere il più possibile come le persone locali. Normalmente (mangiare) **mangiavano** ✓ in locali semplici frequentati da gente del posto e una volta (andare) **sono andati** ✓ a casa di un irlandese conosciuto in un pub. La sera spesso (chiacchierare) **chiacchieravano** con le persone che li (ospitare) **ospitavano** ✓.
Stella racconta: «All'inizio mi (sembrare) **sembrava** strana l'idea di viaggiare così, ma poi (scoprire) **ho scoperto** che, anche se non hai una valigia piena di abiti e non hai il cellulare costantemente acceso, viaggi benissimo lo stesso. Ci guadagni in leggerezza fisica e mentale». Cosa (imparare / loro) **hanno imparato** alla fine di questo viaggio? Che vivere con meno è un modo per «sentire» di più.

UNITÀ 2

b. Diario di viaggio. Scrivete un breve testo su un viaggio che vi è piaciuto particolarmente. Queste domande possono aiutarvi. Dove siete stati? Quanto tempo? Con chi? Cosa vi è piaciuto e cosa no? Dove alloggiavate? Cosa facevate? Come organizzavate le vostre giornate? Cosa avete imparato da questo viaggio?

18. Pro e contro

Linda e Francesco parlano dei vantaggi e degli svantaggi del couchsurfing. Scegliete la variante corretta.

- Voglio andare a New York per qualche giorno, ma gli alloggi sono carissimi!
- Perché non provi con il couchsurfing? *Sono d'accordo / Per me*, è un buon modo per viaggiare a basso costo.
- Sì, però / *Sono d'accordo*, non sai dove vai a finire... Chi è e soprattutto com'è il padrone di casa? No, non è un'idea che fa per me...
- È vero, ma / *Anche secondo me* devi essere sfortunato per trovare un padrone di casa antipatico. Normalmente sono persone aperte e curiose di conoscere gente e culture diverse. Io avrei più dubbi per la pulizia.
- Sì, sulla pulizia *per me / sono d'accordo*. Magari dormi su un divano poco pulito e scomodissimo e ti svegli la mattina pure con il mal di schiena...
- Sì, è vero, ma / *Anche secondo me* non devi dormire un mese su quel divano. È solo per qualche giorno.
- No, no, il couchsurfing non mi convince. *Non sono d'accordo, / Secondo me* è meglio l'ostello: pago poco, ma ho delle garanzie.
- *Secondo me, invece, / Anche secondo me* l'ostello è anonimo. Con il couchsurfing magari conosci persone che sono del posto e ti sanno dare dei consigli su cosa fare e dove andare...

19. Viaggiando in Rete

Il Grand Tour era un viaggio culturale formativo delle classi colte europee nel XVIII e XIX secolo e l'Italia era una delle «tappe d'obbligo». Con l'aiuto di Internet, organizzate il vostro Grand Tour moderno in Italia. Scegliete una città o un posto che ancora non conoscete. Decidete la durata del viaggio, come vi volete spostare, cercate una sistemazione che vi piace (casa, couchsurfing, campeggio ecc.) e organizzate il vostro soggiorno. Portate il vostro programma di viaggio a lezione e confrontatelo con quello dei vostri compagni di corso. I siti delle compagnie aeree low cost e altri siti di viaggio vi possono aiutare.

> **Lo sapevate che...?**
> L'Unesco ha lo scopo di indicare, catalogare e preservare siti di eccezionale importanza, sia naturale che culturale, per il patrimonio comune dell'umanità. Attualmente l'Italia è lo Stato che detiene il maggior numero di siti inclusi nella lista dei patrimoni dell'umanità. Il primo sito ad essere stato iscritto nel patrimonio culturale mondiale è quello della Val Camonica nel 1979, il più importante complesso di arte rupestre del continente europeo (più di 200.000 figure incise sulle rocce nell'arco di quasi 8.000 anni), seguito dall'Ultima Cena di Leonardo da Vinci nel convento della Chiesa Santa Maria delle Grazie a Milano. Se volete vedere tutti i siti italiani dell'Unesco potete visitare il sito: www.sitiunesco.it

ALMA Edizioni

RACCONTAMI UNA STORIA!

1. La nostra vita è fatta anche di...

Completate le parole con le lettere mancanti.

1. DI _ _ T _ _ _ _ _ O
2. _ _ E _ A _
3. _ _ _ EA _ V _ T _
4. F _ _ T _ _ IA
5. _ _ I _ G _ O

6. _ _ R _ _ D _ _ E _ TO
7. R _ M _ _
8. M _ V _ _ E _ T _
9. _ _ _ M _ _ C _ Z _ _ E

2. Le parole del cinema

Completate la seguente descrizione con i generi cinematografici mancanti.

I film che mi piacciono di più sono quelli _____ :
trovo infatti interessante vedere come si raccontano al cinema i grandi
eventi del passato. Qualche volta guardo volentieri anche i film di
_____ : trovo divertenti le storie ambientate sugli altri
pianeti con tecnologie che non esistono. Invece rido raramente quando
guardo una _____ . Non so perché, ma spesso trovo
l'umorismo nei film noiosissimo. Se sono dell'umore giusto mi piace vedere
anche un film _____ : anche se sono tristi, amo
i film che toccano i sentimenti profondi e magari mi metto anche a piangere.
Se sono stanca e ho voglia di relax mi piace mettermi davanti alla TV e guardarmi
un bel _____ , sperando di non capire subito chi è l'assassino.
Un genere che proprio non guardo mai è quello dei film _____ :
non so che gusto ci sia ad avere paura...

3. Il contrario con la S

Scrivete per ogni parola il suo contrario.

1. comodo ↔ _____
2. fortunato ↔ _____
3. gradevole ↔ _____
4. proporzionato ↔ _____
5. coperto ↔ _____

6. fiducia ↔ _____
7. piacevole ↔ _____
8. contento ↔ _____
9. vantaggio ↔ _____
10. carico ↔ _____

4. Il mondo del cinema. Chi fa cosa?

Scrivete la professione (con l'articolo determinativo) accanto alla definizione.

1. _____ è il responsabile artistico e tecnico di un film. Dirige gli attori, coordina il set cinematografico e si occupa delle riprese e delle inquadrature.

2. _____ è chi scrive il «libro» con la trama del film e con quello che gli attori devono dire.

3. _____ è quella figura che si occupa dei finanziamenti e dei costi di produzione di un film e che cerca un distributore per mostrarlo nelle sale cinematografiche.

4. _____ è la persona che recita un ruolo in un film.

5. Un concerto memorabile

Completate con l'aggettivo in -bile corrispondente alle frasi scritte sotto.

Qualche anno fa io e Dario siamo andati al concerto di Vasco Rossi, uno dei cantanti rock più amati d'Italia. Come (1) _____ , i biglietti erano (2) _____ , anche perché noi avevamo deciso di andare al concerto all'ultimo momento. Ma abbiamo rischiato ugualmente e siamo andati allo stadio abbastanza presto a cercare dei biglietti. Davanti allo stadio, già alle 14.00, c'era una folla (3) _____ e faceva un caldo (4) _____ . Dopo varie ricerche, abbiamo trovato due biglietti ad un prezzo (5) _____ . Quando il concerto è iniziato, la folla era (6) _____ . Vasco sprizzava un'energia (7) _____ , e, con quel suo modo di fare (8) _____ , entusiasmava il pubblico. Sulle note di «Alba chiara», canzone (9) _____ ad un suo concerto, il pubblico ha cominciato a cantare in modo (10) _____ . Io e Dario abbiamo cantato e ballato per tutto il concerto e alla fine eravamo così sudati e distrutti da essere quasi (11) _____ . Veramente una serata (12) _____ .

(1) si poteva prevedere   (2) che non si possono trovare   (3) che non si poteva immaginare

(4) che non si poteva credere   (5) che si poteva accettare   (6) che non si poteva contenere

(7) che si può invidiare   (8) che non si può imitare   (9) che non può mancare

(10) che non si può dimenticare   (11) che non si può riconoscere   (12) che rimane nella memoria

Un aggettivo… raccomandabile!
Di una musica che, per la semplicità della sua melodia,
si impara e si ricorda facilmente si dice che è: orecchiabile.

6. L'Italia superlativa

Trovate l'abbinamento corretto e scrivete delle frasi con il superlativo relativo.

Esempio: La Sicilia è l'isola più grande del Mediterraneo.

La Sapienza	statua / famosa / Michelangelo
A Bologna	monumento / visitato / Roma
Il Colosseo	università / antica / Europa
Il Po	università / grande / Europa
Il David	regione / piccola / Italia
La Valle d'Aosta	fiume / lungo / Italia
La *Divina Commedia*	teatro d'opera / importante / Milano
La Scala	opera / famosa / Dante Alighieri

7. Rispondete alle domande usando l'imperfetto o il passato prossimo dei verbi modali.

1. Sofia, ieri sei andata al corso di danza? – (io / volere) _____ andarci, ma poi (dovere) _____ finire un lavoro.
2. Perché Tatiana si è trasferita a Oslo? – In realtà non (volere) _____ andarci, ma l'università le ha fatto un'ottima proposta di lavoro.
3. Ma Fabrizio come ha fatto a comprare una macchina così cara? – (potere) _____ comprarla perché sua mamma gli ha dato dei soldi.
4. Ieri Lorenzo (dovere) _____ andare dal dottore, ma non ci è andato perché si è dimenticato.

8. Una 'giornata no'

Completate la mail di Cinzia con i verbi al passato prossimo o all'imperfetto.

Ciao Elena,

scusa se ieri non ti ho chiamato, ma la mia è stata una giornata da dimenticare.
(volere) Volevo alzarmi presto per studiare, ma (essere) sono stata troppo stanca
dopo la festa della sera prima da Giovanni e Alex. Così (alzarsi) mi sono alzata quasi
all'una con un umore nero da far paura. (farsi) Mi sono fatta la doccia velocemente
ed (essere) Era già ora di uscire. Non (potere) sono potuta neanche
andare al mercato, perché (dovere) ho dovevo/sono dovuta andare a mangiare dai miei. Nel
pomeriggio (avere) ho avuto un appuntamento con Luca alle 15.00, ma lui non (potere)
è potuto venire perché gli (rompersi) si è rotto il motorino.
Ieri sera, infine, sai che (noi / dovere) dovevamo andare al cinema, no? Ecco, non
(potere) siamo potuti andarci, perché Susi (dovere) è dovuta andare
da suo fratello, non so perché. Valeria invece non (stare) stava bene e quindi non
Voleva (volere) uscire. Così io (dovere) sono dovuta rimanere
a casa perché non (avere) avevo nessuna voglia di uscire da sola!!!
Allora ci vediamo venerdì in palestra!
Cinzia

UNITÀ 3

9. In quel mentre...

Completate le frasi con i verbi al passato prossimo o all'imperfetto.

1. Mentre (io / dormire) _____, Federico (studiare) _____ in camera sua, Monica (suonare) _____ la chitarra, Patrizia e Roberta (cucinare) _____ e Lorenzo e Virginia (giocare) _____ con il tablet. Poi (arrivare) _____ Fabrizio e Viola.

2. Mentre (io / essere) _____ sull'autobus per andare all'aeroporto, (telefonare) _____ Antonella. Mentre io e Antonella (parlare) _____ al telefono, il mio vicino (ascoltare) _____ la nostra telefonata.

3. Ieri (andare) _____ in biblioteca a studiare perché a casa proprio non (riuscire) _____ a concentrarmi. Mentre (cercare) _____ di concentrarmi in biblioteca, (entrare) _____ Ivano, il mio ex ragazzo, e così (smettere) _____ di studiare. Infatti mentre (leggere) _____ , (pensare) _____ a lui e alla nostra relazione finita male.

10. In biblioteca... con il gatto

Completate il seguente racconto con i verbi al passato prossimo o imperfetto.

Ieri, mentre (io / studiare) _____ in biblioteca, (entrare) _____ un gatto. A me piacciono molto i gatti e così ho cominciato a giocare con lui. Mentre (giocare) _____ con il gatto, la mia vicina (venire) _____ a dirmi che la stavo distraendo. Mentre io e lei (discutere) _____ , (arrivare) _____ il custode. Mentre (provare) _____ a giustificarmi, (suonare) _____ il cellulare del custode e ho cominciato a ridere. Mentre (ridere) _____ , una studentessa (alzarsi) _____ e (dire) _____ di smetterla. Allora anche un altro studente (lamentarsi) _____ ad alta voce. Mentre tutti i presenti in biblioteca (litigare) _____ , il gatto (fuggire) _____ . Probabilmente divertito...

11. Che ne dite di... fare l'esercizio?

Completate i dialoghi con le espressioni qui di seguito.

perché non	volentieri	ho già un impegno	che ne dici
ti va invece di	perché no	che ne dici di	se lo dici tu	d'accordo

1. ● Giulia, domani sera pensavamo di andare al concerto di Niccolò Fabi. _____ ?
   ■ _____ ? Quanto costa?
   ● 27 euro.
   ■ 27 euro?! È tantissimo!
   ● Lo so, non è poco, però lui è bravo.
   ■ Boh, _____ ... Però, guarda, per me è troppo. Grazie comunque dell'invito. Senti, _____ andiamo invece sabato sera al concerto del gruppo di Luca e Fabrizio?
   ● Oh sì, volentieri. Sono bravissimi.

2. ▲ Lorenzo, domenica andiamo al museo di storia naturale?

◆ Mmm, no, non ho molta voglia. _____ andare al cinema?

▲ Al cinema ci vado già di sera. E _____ fare una passeggiata al parco?

◆ Oh sì, _____ , di mattina?

▲ Di mattina no, _____ . Facciamo di pomeriggio?

◆ _____ !

12. Aggettivi e film

Segnate se le coppie di aggettivi sono contrari o sinonimi.

	S	C		S	C
attuale – datato	○	○	complicato – semplice	○	○
avvincente – appassionante	○	○	interessante – noioso	○	○
coinvolgente – trascinante	○	○	piacevole – bello	○	○
monotono – noioso	○	○	banale – originale	○	○

13. Parlare di film

▶‖ 2.4 *a. Ascoltate i dialoghi e segnate a chi è piaciuto un film e a chi no.*

	Cinzia	Davide	Antonella
La grande bellezza			
Fuocoammare			
La dolce vita			
Quo vado?			

▶‖ 2.4 *b. Adesso riascoltate i dialoghi, sottolineate tutti gli aggettivi che sentite e cercate nel vocabolario il significato di quelli che non conoscete.*

commovente   serio   noioso   stereotipato   avvincente   sentimentale   divertente
trascinante   vario   improbabile   banale   appassionante   impegnato   datato   attuale
difficile   originale   geniale   monotono   emozionante   esagerato   pesante   ridicolo
superficiale   convincente   profondo   coinvolgente

c. Pensate a un film che avete visto di recente. Scrivete una breve recensione in cui raccontate la trama, descrivete i personaggi, la musica e quello che vi è piaciuto e fate un paragone con altri film che avete visto. Infine dategli un voto da una a cinque stelle. Portate la vostra recensione in classe e decidete qual è il film che merita di essere visto.

14. Punti di vista

Giulia e Fulvio sono una coppia che litiga su tutto. Leggete le loro opinioni e completate con che *o di.*

1. Se Giulia dice che Roma è più cara _di_ Milano, Fulvio risponde che a Milano c'è più smog _che_ a Roma.

2. Se Fulvio dice che viaggiare in aereo è più comodo _che_ viaggiare in treno, Giulia risponde che il treno è più romantico _dell'_ aereo.

UNITÀ 3

3. Se Fulvio dice che vivere in campagna è più sano _che_ vivere in città, Giulia risponde che vivere in città è più divertente _che_ vivere in campagna.

4. Se Giulia dice che i filosofi sono più noiosi _dei_ politici, Fulvio risponde che i politici sono più bugiardi _dei_ filosofi.

5. Se Fulvio dice che in Italia ci sono più motorini _che_ abitanti, Giulia risponde che ci sono più turisti _che_ motorini e che il motorino è più comodo _del_ autobus.

6. Se Fulvio dice che è meglio fare sport di mattina _che_ di sera, Giulia risponde che di mattina è meglio studiare _che_ fare sport.

7. Se Giulia dice che le ragazze sono più intelligenti _dei_ ragazzi, Fulvio risponde che loro sono più secchione _che_ intelligenti.

8. Ma vivono felici e contenti, oggi ancora più _di_ prima.

15. Di bene in meglio

Completate le frasi con:

meglio	peggio	migliore	peggiore	maggiore	minore

1. Biagio ha vissuto ad Amburgo qualche anno, ma parla tedesco _peggio_ di Pierluigi.

2. Secondo la classifica annuale del «Sole 24 Ore», si vive _meglio_ nelle piccole città del Nord e del Centro perché ci sono problemi _minori_ .

3. Alberto ha 4 anni più di me, è il mio fratello _____ , invece Sara ha un anno meno di me, è la mia sorella _____ .

4. ■ Ti va bene se ci vediamo sabato pomeriggio?
   ● Per me sarebbe _____ domenica. Sabato ho già un appuntamento.

5. La _____ parte degli studenti vorrebbe vedere un film e quindi, siccome siamo in un sistema democratico, guardiamo un film.

6. I cinque anni a Monaco da studente sono stati proprio belli. Gli anni _____ della mia vita.

7. Fortunatamente io e Andrea non ci siamo sposati. I tre anni con lui sono stati gli anni _____ della mia vita.

8. ■ Ciao Luca, come vanno le cose con la tua ragazza?
   ● Non toccare l'argomento. Di male in _____ !

9. Per trovare informazioni sullo studio in Italia, la cosa _____ è visitare i siti Internet delle università.

16. L'Italia per André

André torna da un lungo viaggio in Italia e racconta le sue impressioni ai suoi amici. Completate con le parti mancanti, necessarie per formare il comparativo di maggioranza e il superlativo relativo.

Secondo me...

1. Roma è _____ cara _____ Torino, ma Milano è _____ città _____ cara d'Italia.

2. Il mare della Puglia mi sembra _____ limpido _____ mare della Toscana, ma _____ mare della Sardegna è _____ limpido d'Italia.

ALMA Edizioni

3. Sciare sull'Etna è sicuramente _____ originale _____ sciare sulle Dolomiti, ma le piste delle Dolomiti sono _____ varie d'Italia.

4. Visitare i Musei Vaticani secondo me è _____ interessante _____ visitare i Musei Capitolini, ma gli Uffizi sono _____ musei _____ interessanti del Belpaese.

5. Poi, lo sapete, a me piace mangiare e la cucina pugliese è _____ saporita _____ cucina toscana, ma la cucina siciliana è _____ gustosa d'Italia.

6. E poi ci sono gli italiani… I tedeschi sono _____ organizzati _____ italiani, questo è vero, ma gli italiani per me sono veramente _____ creativi del mondo.

17. Una giornataccia

Tatiana giovedì scorso aveva l'esame di letteratura italiana, ma è stata una giornata un po' particolare. Completate le frasi come nell'esempio scegliendo tra le possibilità qui di seguito. Usate il trapassato prossimo.

> dimenticarsi di studiare   comprare da mangiare   studiare molto   prenderla mia sorella
> ~~la sveglia rompersi~~   finire l'esame   leggere

1. Mi sono alzata troppo tardi perché *la sveglia si era rotta* .
2. Non ho fatto colazione perché il giorno prima non _____ .
3. Non ho potuto prendere la macchina perché _____ .
4. Quando sono arrivata all'università i miei compagni di corso _____ .
5. Durante l'esame il professore mi ha chiesto di parlare di un autore che io _____ .
6. Poi il professore mi ha chiesto di parlare di un libro che io però non _____ .
7. Alla fine non ho superato l'esame perché in realtà non _____ .

18. Paolo è andato via per il fine settimana. Quando è tornato...

Completate la storia come nell'esempio utilizzando il trapassato prossimo. Se siete a lezione, leggete la vostra versione e confrontatela con quella degli altri compagni.

Lunedì mattina, quando Paolo è tornato …
la casa era sporchissima perché
Antonio e Gianluca avevano organizzato una festa .
Gianluca era a letto perché

Antonio invece non c'era perché

La cucina era sporchissima perché

Nella sua stanza dormiva una ragazza che

I suoi CD erano in disordine perché

Lui si è arrabbiato un sacco perché

19. Cibo per la mente

Leggete il seguente brano e segnate le informazioni corrette (sono possibili più soluzioni).

COSA SUCCEDE NELLA NOSTRA MENTE QUANDO LEGGIAMO UN LIBRO?

I libri ci fanno sognare, ci aiutano a sviluppare la nostra immaginazione. Tutto questo è davvero molto romantico, ma leggere un libro ha degli effetti reali sulla nostra mente. Ci credete? Questo è lo studio proposto da Open Education Database, che ha stilato una classifica delle cose che succedono nella nostra mente quando leggiamo un libro. Ecco alcuni esempi:

1 Ascoltare le parole mette in moto il cervello: noi siamo abituati ad ascoltare narrazioni di qualsiasi tipo, tutto il giorno, e il nostro cervello è abituato ad immagazzinare informazioni. Quindi pensate a quanto potrebbe essere funzionale ascoltare un audiolibro oppure ascoltare qualcuno leggere.

2 Leggere esperienze equivale a viverle: avete mai provato la sensazione di sentirvi completamente attratti dalla storia di un libro, sentirvi pienamente coinvolti dalle esperienze dei personaggi? Questo succede ovviamente perché il libro vi piace, ma anche perché il vostro cervello non capisce che state semplicemente leggendo un libro e quindi secondo la vostra mente quelle esperienze le state vivendo veramente. Tra voi e il libro si crea una piacevole sintonia.

3 Leggete per piacere o per dovere? Sappiate che, secondo i ricercatori della Stanford University, i diversi tipi di lettura stimolano meglio il cervello. Lo studio letterario stimola molte funzioni cognitive, mentre la lettura di piacere fa affluire più sangue alle diverse aree del cervello.

4 Leggere in lingua aiuta il cervello a crescere: avete una conoscenza base dell'inglese o del francese? Non abbiate paura, leggete i libri in lingua originale. Questo permetterà al vostro cervello di crescere.

5 La struttura della storia ci aiuta a pensare meglio: ogni libro è composto da tre parti essenziali: l'inizio, lo sviluppo e la conclusione. Questo aiuta il nostro cervello a pensare in sequenza e ci permette di ampliare la nostra capacità di attenzione.

6 Leggere ci fa diventare più empatici: abbandonarsi ad una storia, assaporare pagina dopo pagina le avventure dei personaggi, ci fa diventare più empatici anche nella vita reale. Leggere profondamente ci fa provare emozioni più profonde.

(adattato da: Ecco perché leggere un libro fa bene alla nostra mente, www.libreriamo.it, 16/10/2014)

Secondo lo studio chi legge libri...

○ diventa più empatico nella vita reale.
○ diventa lui stesso più creativo.
○ pensa in modo più strutturato.
○ ha il cervello più piccolo.
○ non vive nella realtà.
○ vive più esperienze.
○ ha più memoria.
○ è più bravo a scrivere.
○ vive più a lungo.

Lo sapevate che...?

Torino è la culla dell'industria cinematografica italiana: qui nel 1904 hanno girato il primo cortometraggio. Per questo proprio a Torino si trova il Museo del Cinema. Disposto su cinque piani, ha una cineteca con settemila film, migliaia di oggetti d'arte, fotografie, manifesti e una biblioteca. L'originalità del museo è che si trova nella famosa Mole Antonelliana, simbolo della città. Costruita nel 1863, con i suoi 167,50 metri è stata per molto tempo il più alto edificio in muratura d'Europa.

UNO SGUARDO AL FUTURO

1. 'Ho bisogno di un po' di aria...' Le vacanze di...

Completate con i verbi al futuro.

1. Valeria (andare) _andrà_ al mare, non (studiare) _studiarà_ per niente,
   ma (leggere) _leggerà_ molti libri. Forse (annoiarsi) _annoierà_ un po'.
2. Ugo e Linda (lavorare) _lavoreranno_ tutto il mese. (avere) _Avranno_ ✓ poco tempo per
   riposarsi, ma (vedere) _vedranno_ ✓ tanti bei musei. (divertirsi) _divertiranno_ ✓ di sicuro.
3. Tu e Antonio (andare) _andrete_ ✓ a Parigi, (fare) _farete_ ✓ un corso di francese
   all'università e (incontrare) _incontrerete_ ✓ tanta gente simpatica. (vedere) _vedrete_ ✓
   molti bei posti e forse (bere) _berrete_ ✓ molto champagne.
4. E tu? Dove (andare) _andrai_ ✓ ? Quanto tempo (rimanere)
   rimarrai in vacanza?

2. Le professioni del futuro

Completate il testo con le forme corrette del futuro.

LE PROFESSIONI DEL FUTURO

Come (essere) _____ il lavoro in
futuro? A quali professioni fra 10 anni non si
(potere) _____ più rinunciare?
Innanzitutto il mondo delle professioni (dovere)
_____ confrontarsi con i cambiamenti
della società come l'invecchiamento della
popolazione. C'è inoltre da scommettere che le
protagoniste del futuro (essere) _____
le nuove tecnologie e (diventare)
_____ normale lavorare come
freelance. Una prima figura professionale che
(diventare) _____ indispensabile
(essere) _____ il consulente
per la casa intelligente.
La nostra casa (riempirsi) _____ di
oggetti connessi tra loro attraverso la Rete

e il consulente (organizzare) _____
al meglio i molti oggetti tecnologici che ci
(circondare) _____ .
E come (cambiare) _____ il mondo
dell'istruzione? Il mercato delle università online
(continuare) _____ a crescere.
Ma non solo, se si (volere) _____
imparare una lingua straniera o frequentare altri
tipi di corsi sul web si (potere) _____
consultare docenti online. Entro il 2025,
secondo alcuni studiosi, la richiesta degli
insegnanti freelance (crescere) _____
enormemente e il mondo dell'educazione e
dell'insegnamento (andare) _____
incontro a grandi cambiamenti.

UNITÀ 4

3. Buoni propositi per il futuro

Avete deciso di cambiare qualcosa di voi che non vi piace o di realizzare uno dei vostri desideri.
Scrivete una lista di buoni propositi da appendere sulla porta di casa per leggerla tutti i giorni.

| siete troppo pigri | volete imparare a ballare | altro |

Esempio: sono troppo pigra

| volete trovare l'amore | volete cambiare città / Paese |

| volete concentrarvi di più sullo studio |

- mi iscriverò a un corso di fitness
- andrò sempre a prendere l'autobus o la metro una fermata dopo
- il fine settimana non dormirò fino a mezzogiorno

4. L'anno prossimo...

Completate le frasi con il verbo al futuro e, se siete a lezione,
cercate il compagno o la compagna che è più simile a voi.

	sì	no	forse
1. (io / continuare) _____ a studiare l'italiano.	○	○	○
2. (finire) _____ l'università.	○	○	○
3. (andare) _____ in vacanza in Italia.	○	○	○
4. (trasferirsi) _____ in una nuova città.	○	○	○
5. (dovere) _____ lavorare.	○	○	○
6. Io e il mio ragazzo / la mia ragazza (andare) _____ a vivere insieme.	○	○	○

5. Quando avrò 40 anni...

Angela racconta che cosa avranno fatto secondo lei i suoi compagni di classe prima dei 40 anni.

Monica non (laurearsi) _____ , (trasferirsi) _____
in Toscana e (diventare) _____ un'artista famosa. Gianluca (viaggiare)
_____ in tutto il mondo e (aprire) _____ un centro
culturale a Marta, sul lago di Bolsena. Elena e Giovanni (vivere) _____ per un po'
in Islanda e (decidere) _____ di tornare in Sicilia. Barbara e Alessandra non (trovare)
_____ ancora nessun compagno. Alvaro (entrare) _____ nel
guinness dei primati per il numero di lingue imparate da un essere umano.
Io (scrivere) _____ un sacco di libri. Con il mio futuro compagno non (sposarsi)
_____ , ma (fare) _____ un giro del mondo.
E voi cosa (fare) _____ prima di compiere 40 anni?

1. _____
2. _____
3. _____
4. _____
5. _____

ALMA Edizioni

6. Accoppiata vincente

Abbinate correttamente le espressioni. Sono possibili diverse soluzioni.

coppia   civile

matrimonio   di fatto

famiglia   in chiesa

unione   allargata

7. Verbi irregolari al modo congiuntivo

Completate la tabella con le forme irregolari mancanti. Le prime tre persone sono uguali.

	io	tu	lui/lei/Lei	noi	voi	loro
essere				siamo		
avere	abbia					
andare		vada				
fare					facciate	
dire			dica			
dare		dia				
uscire						escano
bere			beva			
venire	venga				veniate	
rimanere						rimangano

8. Il congiuntivo

Completate le frasi con il verbo adatto e non dimenticate di usare il congiuntivo.

	tu _____ troppo poco.	finire
1. Credo che	il film _____ alle 22.00.	studiare
	Gianpiero e Davide _____ il treno delle 7:15.	prendere
	io _____ per Palermo domani.	preferire
2. Roberta pensa che	tu e Anna _____ molta gente.	partire
	i suoi genitori _____ andare al cinema dopo cena.	conoscere
	Fabrizio _____ poco il giornale.	trasferirsi
3. Mi sembra che	Enrico _____ vedere un documentario sugli anni Sessanta.	volere
	Andrea _____ a Bari dopo la laurea.	leggere
	Susi e Filippo _____ sempre alle 9:00?	vestirsi
4. Credete che	io _____ in modo eccentrico?	sapere
	noi insegnanti _____ tutte le regole di grammatica?	svegliarsi

9. Completate il testo con i verbi mancanti. I verbi sono in ordine.

dare	fare	avere	andare	uscire	bere	rimanere	essere	dire	dare	andare

Penso che Federico e Monica _diano_ una festa per il compleanno di Monica e mi sembra che
la _facciano_ a casa loro perché credo che _aviano_ una casa molto grande. Credo che
ci _vadano_ molti dei nostri compagni di corso. Io non so ancora se posso andarci, perché i miei
ultimamente credono che io _esca_ troppo e _beva_ troppo alcol, ma se pensano
che io _rimanga_ a casa sabato sera si sbagliano perché, visto che studio tutta la settimana,
penso che _sia_ giusto divertirsi il fine settimana! Ma alla fine penso che i miei non mi
_____ niente e mi _____ il permesso di andarci. L'unica cosa è che non voglio
andarci da sola. Forse potrei chiedere a Roberta perché credo che _____ anche lei alla festa.

10. Favorevole o contrario?

Completate queste due interviste utilizzando le forme corrette di indicativo o congiuntivo.

Tu e Dario vivete insieme da molto. Perché non vi sposate?
Sì, io e Dario, il mio compagno, (convivere)
conviviamo da quattro anni. Non abbiamo
mai voluto sposarci perché crediamo che vivere
insieme (essere) _sia_ una decisione
da rinnovare ogni giorno. Ci sembra che in questo
modo il voler stare insieme (acquistare)
acquista? ancora più significato.
Credete che il matrimonio (potere) _possa_
cambiare le cose tra di voi?
No, no, secondo noi non (essere) _è_
di certo un atto formale come quello del matrimonio
a rovinare una relazione. Semplicemente crediamo
che lo Stato non (dovere) _deva / debba_
mettere il naso nelle nostre relazioni private perché
queste (riguardare) _riguardano_ solo noi.
E se un domani deciderete di avere dei figli? Non credete
che la legge (offrire) _offra_ (offra) *più garanzie*
ai figli nati nel matrimonio?
Secondo noi una decisione così importante non
(dovere) _deve_ essere presa con
il codice civile in mano. Inoltre ormai la legge
(tutelare) _tutela_ le coppie di fatto,
e quindi anche i figli nati da una coppia di fatto,
nello stesso modo.

Invece voi, Alberto e Maria, vi siete sposati giovani,
a 26 anni...
Sì, ci siamo conosciuti e dopo due anni ci siamo
sposati. Eravamo innamoratissimi e crediamo che
il matrimonio (dare) _dia_ maggiori
garanzie alla coppia. E poi pensiamo che la
promessa pubblica davanti a qualcuno (significare)
significhi assumersi maggiori
responsabilità. Ci sembra che chi convive non
(volere) _voglia_ prendersi troppe
responsabilità. Noi pensiamo che il matrimonio
(creare) _crei_ una base più solida
anche per i nostri futuri figli.
E poi i nostri genitori dicono che una coppia che
non (sposarsi) _si sposa_ non (amarsi)
si ama e forse (avere)
hanno ragione loro.
Ma pensiamo anche che ognuno (dovere)
deve / debba decidere come meglio crede.
Convivenza o matrimonio
in fondo sono uguali.
L'importante è la
presenza di sentimenti
forti e genuini
alla base.

11. La famiglia che cambia in Italia

Completate le frasi con il congiuntivo presente dei verbi indicati e pensate se, secondo voi,
le affermazioni sono vere o false. Leggete poi il testo per verificare le vostre ipotesi.

1. Credo che il 25% delle coppie (divorziare) _____ .
2. Mi sembra che il 50% circa delle coppie (decidere) _____ di non sposarsi con rito religioso.
3. Penso che gli italiani (preferire) _____ convivere.
4. Mi sembra che l'Italia oggi (essere) _____ molto diversa da 50 anni fa.
5. Mi pare che tutti gli italiani (avere) _____ voglia di sposarsi.
6. Mi sembra che tra Nord e Sud non (esistere) _____ grandi differenze.
7. Credo che le convivenze (diminuire) _____ .
8. Penso che al Nord una coppia su dieci (convivere) _____ .
9. Credo che al Sud il concetto di famiglia (resistere) _____ .
10. Mi sembra che la politica (reagire) _____ velocemente ai cambiamenti della società.

LA FAMIGLIA CAMBIA MENTRE LA POLITICA DORME

Più separazioni e basta matrimoni in chiesa

Matrimoni in costante diminuzione da cinquanta anni. Un divorzio ogni quattro coppie sposate. Quasi metà delle nozze celebrata con rito civile e una coppia ogni dieci composta da conviventi. La famiglia italiana raccontata con i dati dell'Istat mostra quanto è cambiata la scala di valori nel Belpaese, sempre meno legato all'idea tradizionale di famiglia e allergico ai legami «per sempre». L'Italia di oggi è molto diversa non solo da quella di cinquanta, ma anche di venti o dieci anni fa. E anche se la politica prova a ignorare o rimandare le riforme in tema di famiglia, sui temi etici gli italiani hanno già fatto quel salto che i loro legislatori non sembrano voler accompagnare. Se nel 2013 si sono sposati 32 italiani ogni diecimila abitanti, nel 1961 erano più del doppio: 79 ogni diecimila (un calo del 59 per cento). Confrontando il dato più recente con quello di cinque o dieci anni prima, la voglia di sposarsi risulta in forte diminuzione: il 22 per cento meno del 2008, e meno 30 per cento rispetto al 2003. E se la diminuzione dei matrimoni poteva non rappresentare una novità assoluta per i più informati, a sorprendere è certamente il fatto che in molte regioni sono ormai oltre la metà gli italiani che preferiscono sposarsi davanti a un ufficiale di stato civile piuttosto che a un prete. Nel 2013 il 43 per cento dei cittadini ha messo da parte la religione per il suo «giorno più bello».

È una società irriconoscibile se confrontata con quella di venti anni prima. Le differenze tra Nord e Sud sono piuttosto grandi, ed emerge un Paese diviso in due. Con le regioni settentrionali altamente secolarizzate, dove i matrimoni cattolici sono in minoranza, e il meridione, dove il matrimonio davanti all'altare è ancora prevalente.

Anche le convivenze sono in crescita. Nel Nord Italia rappresentano ormai il 10 per cento delle coppie, mentre sono il 7 per cento nelle regioni centrali. Valori decisamente più bassi al Sud, dove resiste il concetto di famiglia tradizionale: sposata e in chiesa. Qui infatti convivono solo tre coppie su cento.

(adattato da: La famiglia cambia mentre la politica dorme Più separazioni e basta matrimoni in chiesa di Lorenzo Di Pietro, www.espresso.repubblica.it, 23/02/2015)

12. Il decalogo degli stanziali platonici

Gli stanziali platonici sono il contrario dei nomadi digitali. Completate il loro decalogo con il congiuntivo o l'indicativo e, se usate il congiuntivo, sottolineate le espressioni da cui dipende.

1. Evviva la staticità! Crediamo che essere mobili, creativi ed indipendenti sempre e per forza (creare) _____ solo stress.

2. Viviamo non inseguendo nessun sogno. Riteniamo che la vera felicità (consistere) _____ nell'accontentarsi di quello che si ha senza correre all'infinito dietro a un obiettivo.

3. Desideriamo che gli altri (condividere) _____ con noi soprattutto due cose: la capacità di esprimere le emozioni e il saper ridere insieme.

4. Anche secondo noi muoversi liberamente (essere) _____ un diritto di tutti, ma per noi è importante che le persone (imparare) _____ ad essere felici anche a casa propria.

5. Vogliamo che la gente (scoprire) _____ che il vero viaggio è quello in noi stessi. Non crediamo che 'fare collezione' di viaggi (aiutare) _____ a crescere interiormente.

6. Pensiamo che per conoscere se stessi non si (dovere) _____ andare necessariamente in giro per il mondo. Noi diciamo che si (potere) _____ vivere l'avventura anche in una tenda montata nel giardino di casa.

7. Rifiutiamo i social network. Speriamo che prima o poi la gente (capire) _____ che la vita è quella al di là dello schermo di un computer o di uno smartphone. Speriamo che (ritornare) _____ di moda vedere, toccare, parlare con le persone reali e guardare il mondo attraverso i propri occhi e non quelli dello smartphone.

8. Preferiamo i giornali e i libri cartacei alla Rete. Anche se viviamo immersi nell'informazione, ci sembra che la gente (sapere) _____ sempre di meno.

9. Secondo noi le nuove tecnologie (costruire) _____ nuovi muri invece di distruggerli. Siamo in tantissimi a credere che troppa connessione (fare) _____ male alla salute, (diminuire) _____ la nostra libertà e ci (costringere) _____ a essere sempre raggiungibili.

10. Non vogliamo creare nulla. Vogliamo vivere nel presente, crediamo che la vita (essere) _____ oggi, e pensiamo che nella contemplazione (trovarsi) _____ il segreto della felicità. Desideriamo solo contemplare le meraviglie del mondo. Possibilmente sdraiati su un prato fiorito.

13. Congiuntivo o infinito?

Completate le frasi secondo il senso e inserite dove necessario la preposizione di.

1. Paolo pensa _____ una vita sana,   fare
   a Stefano invece sembra che lui _____ troppo.   fumare
2. Davide spera che Gianpiero _____ l'esame perché   superare
   loro sperano _____ per le vacanze subito dopo.   partire
3. Valentina crede che Mario _____ oggi,   arrivare
   Mario invece pensa _____ domani.   arrivare
4. Martino spera _____ fra sei mesi.   laurearsi
   Anche i suoi genitori sperano che lui _____ presto. laurearsi

14. Preposizioni sì o no? E se sì quale?

Costruite delle frasi secondo il senso. Non sempre è necessaria una preposizione.

Non riesco		scrivere la sua tesi di laurea due settimane fa.
Ho cominciato		partire per Londra fra un mese.
In estate mi piace	di	studiare l'italiano un anno fa.
È difficile		diventare medico.
Credo	a	mangiare?
Anna ha deciso		fare un master in Inghilterra.
Dopo l'università andrò	da	andare regolarmente a lezione.
Studio medicina		svegliarsi tutte le mattine alle 6.00.
È importante	per	finire di leggere quel noiosissimo libro.
Avete qualcosa		trasferirsi a Bologna.
Claudio ha finito		fare sport all'aria aperta.
Spero		prendere un bel voto all'esame.

15. Internet. Maneggiare con cautela

Scegliete la variante corretta.

L'utilizzo di Internet presenta sicuramente *molti / qualche* vantaggi, ma anche *alcuni / qualche* svantaggio. Ormai quasi *ogni / ognuno* persona è collegata. Su Internet troviamo praticamente *qualche / tutte* le informazioni che vogliamo: anche dal paesino più piccolo in Italia per esempio ci si può collegare e si possono vedere *tutti / alcuni* dei capolavori che sono custoditi in musei che magari non andremmo mai a visitare. Le mail hanno accelerato il sistema di comunicazione scritto. Scriviamo una mail e dopo *alcune / qualche* ora riceviamo già una risposta. *Molti / Ognuno* pensano che Internet significhi libertà assoluta. Ma per *ognuno / alcuni* proprio questo eccesso di libertà rappresenta un pericolo. *Tutti / Ognuno* possono collegarsi e così *ogni / ognuno* di noi può finire su pagine diseducative. Questo può essere pericoloso soprattutto per i più giovani. Internet può inoltre trasformarsi in una dipendenza. Anche in questo caso sono colpiti soprattutto i più giovani: non possono più farne a meno e non distinguono più il mondo virtuale da quello reale... Quindi Internet ha sì portato *molti / qualche* cambiamento positivo, ma va utilizzato con cura. *Ogni / Qualche* volta che ci colleghiamo pensiamo se è veramente necessario.

UNITÀ 4

16. Alcuni consigli per chi vuole andare in Italia

Completate il testo con gli indefiniti elencati qui di seguito.

| ognuno | alcuni (2x) | qualche (2x) | tutto | ogni (2x) | troppa | altre | alcune | tutti (2x) | molte |

Ecco _____ consiglio a chi vuole fare un viaggio in Italia. Innanzitutto non dovete avere
_____ fretta di vedere _____ . È bene sapere che ci sono _____ cose che
si possono fare, ma ce ne sono _____ che è meglio evitare.
Provate _____ specialità locale. _____ regione italiana ha le sue. Conoscere gli usi
e i costumi dei luoghi scelti vi eviterà _____ situazioni imbarazzanti. _____ paese
ha tradizioni e costumi differenti che _____ dovrebbero rispettare. Questa è una regola
che vale per _____ i viaggi. Non siate troppo rigidi e programmati e provate a trascorrere
_____ giorni in città e paesi che non avevate previsto di visitare. Tuttavia questi sono solo
_____ consigli. È chiaro che poi _____ debba decidere per sé.

▶II 2.5 ## 17. Generazione Z

Ascoltate l'intervista ad Antonio e completate le frasi.

1. Antonio durante l'intervista descrive se stesso come... (sono possibili più risposte)
   ○ innovatore   ○ passivo   ○ rivoluzionario   ○ realista   ○ sognatore
   ○ trasgressivo   ○ ottimista   ○ individualista   ○ pigro   ○ conformista

2. E la sua generazione come... (sono possibili più risposte)
   ○ rivoluzionaria   ○ passiva   ○ realista   ○ trasgressiva
   ○ individualista   ○ pigra   ○ ottimista   ○ impegnata socialmente

3. Secondo lui la nostra società ha bisogno...
   ○ di persone che urlano per farsi ascoltare.   ○ di persone più riflessive.
   ○ di persone con una formazione scientifica.   ○ di persone che sanno lavorare manualmente.

4. Tra dieci anni Antonio...   ○ spera di vivere in Italia.   ○ abiterà di sicuro con i genitori.
   ○ lavorerà come insegnante.   ○ si sarà laureato.   ○ vorrà lavorare nel sociale.

5. Antonio   ○ vuole sposarsi.   ○ vuole adottare dei bambini.

6. In Italia le unioni tra persone dello stesso sesso   ○ sono vietate.   ○ sono possibili.

Lo sapevate che...?

Secondo l'Istat, il 62,5% dei giovani sotto i 35 anni vive ancora con i genitori. Il 35,5% è composto da
studenti, il 29,7% da disoccupati, ma gli altri sono lavoratori. La media europea è il 48,1%. La precarietà
del lavoro e le retribuzioni basse sono i fattori che maggiormente influiscono su questa decisione. Le
donne sono più indipendenti dei coetanei: nel 2015 «solo» il 56,5% abitava ancora con la famiglia d'origine,
contro il 68,2% dei ragazzi. La percentuale più alta si rileva nelle regioni del Sud (67,8%): seguono, non a
grande distanza, il Centro (61,4%) e il Nord (58,1%).

(adattato da: *I giovani italiani under 35 vivono con i genitori, anche se lavorano*, www.repubblica.it, 24/09/2016)

CHE PROGETTI HAI?

1. Chi è?

Scrivete accanto alla definizione la professione corretta al maschile e al femminile e aggiungete gli articoli determinativi.

1. Scrive articoli per il giornale: _____
2. Accompagna gruppi di turisti nelle visite di città, musei, gallerie ecc.: _____
3. Lavora nel campo del sociale per aiutare a risolvere situazioni di bisogno: _____
4. 'Riscrive' un libro, un articolo o un libretto di istruzioni in un'altra lingua: _____
5. È il medico degli animali: _____
6. Lavora in un'azienda privata o in un'istituzione pubblica e svolge un lavoro dipendente e non manuale: _____
_____
7. Taglia e acconcia i capelli, soprattutto alle donne: _____
8. Persona che lavora per garantire la sicurezza dei cittadini: _____

2. Il portinaio del condominio di via del Paradiso sa tutto di tutti.

Completate i nomi delle professioni dei condomini con la parte mancante.

Al primo piano abitano i Conte. Lei è diretrice di una piccola azienda di abbigliamento, suo marito invece è ingegnere in un'importante multinazionale americana. Hanno un figlio che fa il giornalista in un giornale locale. Al secondo piano ha appena comprato casa la Signora Bernagozzi che ha sempre degli orari strani. Probabilmente è una cantante perché sento che canta sempre. Nel condominio ci sono tanti artisti. All'ultimo piano, nella mansarda, vive il Signor Cuno, famoso scrittore e anche poeta. Ha già pubblicato molti libri. Poi al quarto piano vive la dott.ssa Canova con suo figlio. Lei è avvocato, il figlio invece è impiegato presso una banca. La signora D'amico, invece, la vicina, è veterinaria. Suo marito è farmacista. Il dott. Ugolini, invece, è professore di letteratura greca all'università, mentre sua moglie è insegnante d'italiano in un liceo. A uno dei due figli, Federico, piacerebbe diventare assistente sociale. Infine c'è una ragazza che abita da sola, Susi, che parla perfettamente il tedesco e l'inglese e che lavora come interprete, ma so che le piacerebbe lavorare anche come guida turistica.

VIA DEL PARADISO

3. Come si dice?

Leggete l'articolo e segnate con una crocetta chi è a favore dell'uso dei femminili per alcune professioni e chi contro e aggiungete le loro motivazioni.

CAMBIARE O NO I NOMI AL FEMMINILE

Perché infermiera sì e ingegnera no? Perché sarta sì e ministra no? Per i linguisti non c'è discussione: Luca Serianni si dice favorevole alla femminilizzazione: «La comunità dei parlanti è per istinto conservatrice e ha paura delle parole nuove». La si potrebbe considerare quindi più una questione generazionale: la difficoltà, per parlanti più anziani, ad accettare il cambiamento. Di opinione simile, nonostante l'età, è Sergio Lepri, anno di nascita 1919 e storico direttore dell'Ansa, a cui si devono diversi commenti a favore delle forme femminili: «L'androcentrismo linguistico è un problema che esiste solo in Italia e che non esiste in francese, in tedesco né in spagnolo, dove addirittura c'è la 'presidenta'. Da noi non si vuole accettare che le donne esercitino professioni per

secoli solo maschili. Ed è paradossale che alcune ministre preferiscano essere ministri». Anche sulla questione del suffisso *-essa*, che per alcuni potrebbe suonare negativo, Lepri è molto chiaro: «Non arriverei a dire la poeta e la professora, perché poetessa e professoressa sono storicamente entrate nell'uso». Ci vuole buonsenso oltre che buongusto. «Non mi piace...», conclude Giuseppe Conte. All'orecchio del poeta assessora suona male. «Mi sembra un uso del femminismo al posto sbagliato. La dignità femminile è grandiosa e stupenda ma non passa, secondo me, dal mettere una *-a* ai termini che definiscono il potere».

(adattato da: *Cambiare o no i nomi al femminile* di Paolo Di Stefano, http://27esimaora.corriere.it, 17/12/2016)

	A favore	Contro	Argomenti
Luca Serianni	○	○	_____
Sergio Lepri	○	○	_____
Giuseppe Conte	○	○	_____

accademia della crusca

4. Avrebbe voluto...

Completate i racconti mettendo il verbo al condizionale passato.

1. Cinzia, 75 anni, casalinga, vive alla periferia di Roma. Si lamenta in continuazione della sua vita perché...
(volere) *avrebbe voluto* fare la cantante lirica. A lei (piacere) *sarebbe piaciuto*
girare il mondo e cantare nei teatri d'opera più famosi. (cantare) *avrebbe cantato* le opere
più famose. (conoscere) *avrebbe conosciuto* i VIP di tutto il mondo.

2. Luigi, 55 anni, impiegato presso le assicurazioni. Sposato, padre di tre figli maschi. Nella sua vita in
realtà (preferire) *avrebbe preferito* lavorare in borsa. (divertirsi) *si sarebbe divertito*
a giocare con i soldi degli altri e (speculare) *avrebbe speculato* per guadagnare il più possibile.
Non (volere) *avrebbe voluto* sposarsi. Gli (piacere) *sarebbe piaciuto* anche avere
una bambina, ma sono arrivati solo maschi.

3. Paolo e Francesca, amanti finiti all'inferno nella *Divina Commedia* di Dante. In vita Francesca, moglie
di Gianciotto, s'innamora di Paolo, fratello di Gianciotto, che, scoprendo i due amanti, li uccide.
Francesca, all'inferno, ripensa alla sua vita... "Non (dovere) *avrei dovuto* sposare quello
stupido di Gianciotto. (sposarsi) *Mi sarei sposata* più volentieri con il mio adorato Paolo così
non (innamorarsi) *mi sarei innamorata* di nessun altro e non (tradire) *avrei tradito*
nessuno. Io e Paolo (vivere) *avremmo vissuto* insieme, forse (avere) *avremmo avuto*
dei figli, la nostra (essere) *sarebbe stata* una normalissima storia d'amore e nessuno (ricordarsi) *si sarebbe ricordato* di noi. E soprattutto noi non (finire) *saremmo finiti*
all'inferno!".

5. Chi cerca, trova

a. Trovate i verbi o gli aggettivi da cui derivano le seguenti parole.

traduzione ←   originalità ←   grandezza ←
iscrizione ←   divertimento ←   creatività ←
movimento ←   ricchezza ←   banalità ←
giovinezza ←   pubblicazione ←   bellezza ←

b. Riflettiamo sulla lingua.

I sostantivi che finiscono in **-mento**, **-zione** oppure **-sione** derivano spesso da un   .
I sostantivi che finiscono in **-ità** o **-ezza** derivano spesso da un   .

c. Aggiungete voi qualche sostantivo che finisce in -mento, -zione / -sione e -ità o -ezza.

6. Italiani con la valigia

Da questo articolo si sono 'staccate' alcune frasi. Mettetele al posto giusto.

CERVELLI IN FUGA

Lavorano in ogni angolo del mondo ma, al contrario dei loro colleghi, i ricercatori italiani «fuggiti all'estero» non pensano di ritornare in patria. O almeno, sono pochi ad avere nostalgia: 1) _____ . Il perché è facile da capire. In Italia le condizioni di lavoro sono meno favorevoli da tutti i punti di vista: 2) _____ . Fuori dall'Italia, i nostri dottori di ricerca si trasformano e riescono a produrre più dei loro colleghi stranieri, a tutto vantaggio di quei Paesi che formano troppo pochi ricercatori. Uno studio recente sulla popolazione e le politiche sociali 3) _____ , che si traduce come «fuga di cervelli». In un capitolo dal titolo «L'emigrazione dei ricercatori italiani: cause ed implicazioni», 4) _____ . O non si tratti invece di «normale mobilità» dei ricercatori, come in tutti i Paesi del mondo. Nello studio si analizzano anche le motivazioni di una dinamica che sembra sempre più un esodo che impoverisce il Paese. Perché, 5) _____ , esportiamo anche ricercatori.

(adattato da: *Quei 3 mila cervelli in fuga ogni anno da un'Italia che non saprebbe cosa farne* di Salvo Intravaia, www.repubblica.it, 26/02/2016)

a) guadagni più bassi, poche possibilità di carriera e scarsa soddisfazione
b) mostra un quadro preciso del cosiddetto *brain drain*
c) tra il *made in Italy* famoso in tutto il mondo
d) si cerca di comprendere, innanzitutto, la dimensione di questa fuga e, soprattutto, se esiste davvero
e) meno della metà

7. Dall'attivo al passivo e viceversa

a. Trasformate le seguenti frasi dalla forma attiva a quella passiva usando solo il verbo essere, come nell'esempio.

La commissione d'esame **ha scelto** la candidata Tatiana Fumasoli per il posto di professore.
Per il posto di professore **è stata scelta** dalla commissione d'esame la candidata Tatiana Fumasoli.

1. Molti studenti hanno seguito il corso di italiano. *Il corso di italiano è stato seguito da molti studenti*
2. Credo che le nuove tecnologie abbiano influenzato la lingua moderna.
3. Fino al 1989 un muro divideva Berlino. *Fino al 1989, Berlino era divisa ... dento dal muro.*
4. In futuro il mercato del lavoro richiederà professioni legate alla digitalizzazione.
5. Alla conferenza il professore ha presentato i risultati della ricerca.
6. Molte aziende considerano un anno di studio all'estero un requisito importantissimo.
7. Secondo le ultime ricerche anche alcuni lavori provocherebbero la depressione.
8. Stefano aveva avvisato Paolo del ritardo con un sms.
9. Fra qualche mese la casa editrice Hueber pubblicherà un nuovo manuale d'italiano.
   Un nuovo

b. Trasformate ora le frasi dal passivo all'attivo.

1. Molti studi statistici sull'Italia vengono realizzati dall'Istat.
2. La Gioconda è stata rubata nel 1911 da un impiegato del Louvre, un certo Vincenzo Perruggia.
3. In futuro il telefono fisso verrà probabilmente sostituito dagli smartphone.
4. Il libro *L'amica geniale* di Elena Ferrante è stato letto da tantissime persone in tutto il mondo.
5. La polizia era stata avvisata dai vicini di casa.

8. Ecco qual è il mestiere dei sogni dei bambini di oggi

Completate il testo con i verbi al passivo. Usate il presente o il passato prossimo.

È il mondo che si evolve e finisce per influenzare le aspirazioni dei più piccoli. Così oggi nessuno o quasi immagina più di fare da grande il pilota d'aereo, il calciatore o l'astronauta. Qual è la professione più desiderata? Vediamo insieme... La trama (realizzare) _____ da questo professionista, anche i personaggi (creare) _____ dalla stessa persona e le sfide che i protagonisti devono affrontare (decidere) _____ sempre da lui. Sapete chi è? È il videogame designer. Una ricerca che (fare) _____ da Hasbro ci rivela che, secondo la maggior parte dei bambini intervistati, l'informatica sarà la materia fondamentale del loro futuro lavoro. C'è chi vuole sviluppare app e nuovi siti Internet, ma i videogiochi (amare) _____ sempre di più. Non a caso in Italia negli ultimi anni (istituire) _____ master e corsi di formazione universitari sul tema. Infine Alfonso D'Ambrosio, professore in un istituto superiore di Monselice, in provincia di Padova, in classe insegna ai suoi allievi come (progettare) _____ videogiochi educativi. E per questo (premiare) _____ «Docente innovativo 2015» al Global Junior Challenge di Roma.

(adattato da: *Ecco qual è il mestiere dei sogni dei bambini di oggi* di Lorenza Castagneri, www.lastampa.it, 01/01/2016)

9. Un'esperienza... prima ancora di cominciare!

Leggete le seguenti mail e trasformate i verbi in corsivo nella forma passiva. Dove necessario cambiate anche l'ordine della frase e utilizzate, dove lo ritenete più opportuno, il verbo venire.

● ● ●	Messaggi

Ciao Antonella!
Ho ricevuto una proposta di tirocinio da una scuola elementare per seguire un bambino francofono che ha problemi con l'italiano. So che tu hai già fatto un tirocinio in una scuola. Mi sai dire come funziona di preciso? Per esempio: nel mio percorso mi *seguirà* un tutor, e questo è chiaro. Ma deve essere un tutor di lingua francese? E, non studiando francese come lingua straniera, cosa succede se l'università non *riconosce* lo stage? E poi la scuola mi *pagherà*?
Ti prego aiutamiiiii!! Grazie. Un bacio e a presto.
Linda

Messaggi

Ciao Linda!

Eccoti in breve la mia esperienza. I due moduli più importanti all'inizio sono: un contratto con la scuola, che compila la scuola, e la lettera di presentazione che *scriverà* il tuo tutor. Quando ho fatto io il tirocinio, un paio di anni fa, il tutor *aveva consegnato* i due moduli alla segreteria di facoltà. Stai attenta perché l'università riconosce i crediti solo se lo studente *svolge* il tirocinio in un ambito che ha a che fare con quello che studia e, se tu non studi francese, magari l'università non *accetterà* il tirocinio e rischi di lavorare inutilmente. La segreteria all'epoca mi *aveva dato* queste informazioni. Ti consiglio quindi di andare in segreteria ad informarti bene prima di cominciare... Comunque di solito la scuola non *retribuisce* i tirocinanti. Magari ti *rimborseranno* le spese.

In bocca al lupo e a presto!

Antonella

---

10. Questo esercizio va fatto!

Completate le frasi con andare + participio passato. *Attenti ai modi e ai tempi.*
Scegliete tra i verbi sotto indicati.

| fare | consegnare | spegnere | organizzare | lavare | frequentare | compilare |

1. L'insegnante: «Ragazzi, le lezioni _____ regolarmente!»
2. Il dentista: «I denti _____ dopo ogni pasto!»
3. La segretaria: «Fino all'anno scorso per l'iscrizione ai corsi di lingua _____ un modulo. Ora l'iscrizione è solo online.»
4. Il professore: «Le tesine _____ entro la fine del semestre.»
5. La hostess: «Il telefonino _____ durante il decollo e l'atterraggio.»
6. Il laureato: «Il piano di studi _____ con intelligenza.»
7. Lo studente: «Non so se _____ anche l'esercizio 18. Non ho capito.»

11. I giovani italiani cercano ancora un lavoro stabile

a. Leggete il testo.

Il lavoro stabile rimane tra le più grandi preoccupazioni dei giovani italiani. La ricerca di una stabilità che non è solo simbolo di tranquillità economica, ma che influisce notevolmente sulla vita dei giovani. Lo conferma un sondaggio UE, l'Eurobarometro della Commissione Europea, sul ruolo dei giovani nella società con interviste a tredicimila ragazzi tra i 15 e i 30 anni. I ragazzi italiani sono più preoccupati rispetto ai coetanei di altri Paesi riguardo alla ricerca e conquista di un lavoro stabile terminati gli studi, registrando la percentuale più alta, con l'84% degli intervistati. I giovani sono preoccupati di dover continuare a dipendere da qualcun altro, dai genitori; manca un serio accompagnamento dalla scuola / università al lavoro. Il mondo del lavoro sta cambiando, come viene ricordato spesso, e i ragazzi dovranno avere capacità di adattamento, di lavorare in altri Paesi e quindi l'idea del posto fisso non va vista come un obiettivo, ma non vanno neppure accettati standard contrattuali sempre peggiori. Il sondaggio descrive la triste realtà che trovare un lavoro stabile per i giovani italiani è ormai percepito come una possibilità remota. Proprio per questo un'intera generazione spesso emigra in cerca di opportunità lavorative più stabili. Un grande spazio negli interessi dei giovani europei è occupato dal volontariato: uno su quattro dei giovani UE si dedica ad attività di volontariato. In particolare il 44% è impegnato nell'assistenza e negli aiuti umanitari e il 40% in attività che riguardano l'istruzione, la formazione e lo sport; nel campo artistico o culturale la quota è del 15%. I ragazzi italiani che si occupano di volontariato sono il 49%, soprattutto nel campo degli aiuti allo sviluppo e umanitari.

(adattato da: *I giovani italiani cercano ancora un lavoro stabile* di Irene Giuntella, www.ilsole24ore.com, 26/04/2015)

b. Plurilinguismo: le lingue che già conoscete vi aiutano ad imparare meglio anche altre lingue. Rileggete il testo e completate la tabella con le parole mancanti.

italiano	inglese	spagnolo	tedesco	la mia lingua
preoccupazione	preoccupation	preocupación		
	to confirm	confirmar		
	adaptation	adaptación		
	remote	remoto		
	to dedicate	dedicarse		

c. Vero o falso?

1. Gli italiani sono più preoccupati della loro situazione lavorativa rispetto ai ragazzi degli altri Paesi europei.
2. I giovani italiani sono contenti di dipendere dai genitori.
3. Molti giovani italiani credono che sarà difficile trovare un'occupazione stabile.
4. Molti giovani italiani non vanno a lavorare all'estero.
5. Il volontariato nell'UE viene praticato da quasi la metà dei giovani.
6. In Italia il 25% dei ragazzi intervistati fa del volontariato.

UNITÀ 5

12. Una lettera d'accompagnamento

Ricostruite la seguente lettera di accompagnamento seguendo l'ordine qui sotto.

1. Frase standard con cui si indirizza la lettera a una persona precisa. ○
2. Formula di apertura. ○
3. Il candidato si presenta e indica gli studi fatti. ○
4. Il candidato indica la propria specializzazione. ○
5. Il candidato descrive la professione attuale. ○
6. Il candidato indica le sue qualità e competenze. ○
7. Il candidato indica il motivo della sua candidatura. ○
8. Il candidato spera di potersi presentare personalmente. ○
9. Formula di chiusura. ○

a) Attualmente lavoro come giornalista freelance per la pagina culturale di un giornale locale.
b) Poiché vorrei maturare ulteriori esperienze nel campo del giornalismo, mi piacerebbe svolgere un periodo di tirocinio presso la redazione del Vostro giornale.
c) Cordiali saluti.
d) Egregio Dott. Furno,
e) Nella speranza di poterLa incontrare personalmente per un colloquio, porgo
f) Mi chiamo Paola Zuffellato e mi sono laureata a pieni voti in Lettere Moderne nel 2013.
g) Mi considero una persona motivata, creativa, flessibile e dinamica. Sono abituata ad interagire con gli altri e lavoro bene in gruppo.
h) Alla cortese attenzione del Dott. Massimo Furno, responsabile della redazione culturale.
i) Nel 2015 ho conseguito il Master in giornalismo presso l'Università Statale di Milano.

▶II 2.6 ## 13. Selezione del personale

Il dott. Zoder, avvocato in uno studio legale internazionale, incontra Sofia Lupo, una candidata interessata ad un'assunzione. Scrivete il CV della candidata in base alle informazioni ascoltate. Integrate le informazioni mancanti in base all'idea che vi siete fatti voi della candidata.

CURRICULUM VITAE

Nome
_____

Istruzione e formazione
_____

Esperienze lavorative
_____

Lingue straniere
_____

Competenze personali
_____

Interessi e attività extraprofessionali
_____

14. La vostra candidatura

Rispondete a uno degli annunci che trovate nel manuale, al punto 11 dell'unità 5. Allegate alla candidatura il vostro CV.

> **Lo sapevate che...?**
> Secondo il XVII Rapporto di AlmaLaurea sulla condizione occupazionale dei laureati italiani, la percentuale di laureati che trova lavoro ad un anno dal conseguimento di una laurea triennale è del 66%, mentre è del 70% se si tratta di una laurea magistrale. Chi trova lavoro con più facilità sono i laureati in professioni sanitarie, seguiti dai laureati magistrali in ingegneria e quelli che hanno una laurea in ambito chimico-farmaceutico ed economico-statistico. Se, oltre alla laurea, si ha anche un'esperienza all'estero o un'esperienza di tirocinio, le possibilità di trovare un lavoro aumentano del 10% rispetto a chi non ha esperienza di questo tipo.

ALMA Edizioni

MILLE E UN'ITALIA

1. I volti dell'Italia ieri e oggi

Abbinate i seguenti personaggi e luoghi italiani alle categorie sotto indicate.

Federico Fellini   Tiziano   Cristoforo Colombo   Giovanni Boccaccio   Maria Montessori
Procida   Giacomo Puccini   Alessandro Manzoni   Gianni Versace   Etna   Sandro Botticelli
Barilla   Umberto Eco   Giuseppe Verdi   Giuseppe Garibaldi   Le Cinque Terre   Alberobello
Ferrari   Giotto   Caterina de' Medici   Leonardo da Vinci   Alessi   Rita Levi-Montalcini

1. Arte figurativa

2. Geografia

3. Letteratura – musica – cinema

4. Made in Italy

5. Personaggi storici

2. Uno nessuno centomila: i dialetti italiani.

Completate questo breve testo con le frasi mancanti.

In Italia, accanto all'italiano, 1) _____ . I dialetti si usano
perlopiù per comunicare nei rapporti familiari e 2) _____ e sono
espressione di tradizioni che 3) _____ . In regioni come il Veneto,
la Campania o la Sicilia il dialetto è ancora molto usato, 4) _____ .
Per un italiano non è difficile riconoscere 5) _____ . Infatti ogni
italiano parla con una particolare pronuncia e cadenza e 6) _____ .

a) nelle occasioni di dialogo quotidiano
b) da quale area geografica viene un altro italiano
c) usa parole e costruzioni particolari che possono variare da regione a regione
d) convivono un gran numero di dialetti
e) ma anche nelle altre regioni esiste un tipo d'italiano chiamato regionale
f) fanno parte della storia di un determinato posto

▶II 2.7   **3.   Non è vero, ma ci credo…**

Ascoltate le interviste a questi due studenti e segnate le loro risposte. Segnate nella terza riga quelle che potrebbero essere le vostre risposte.

	Oggetto portafortuna	Riti scaramantici il giorno dell'esame	Cosa non fa perché porta sfortuna
Valeria			
Alberto			
Io			

4.   Guida per studenti superstiziosi: leggende universitarie e riti scaramantici.

a. Leggete il testo e poi completate la tabella con il nome della città, quello dell'università (dove citato) e con quello che non devono fare gli studenti.

NON È VERO, MA CI CREDO

Voci di corridoio alimentano superstizioni universitarie e obbligano gli studenti a superare ostacoli sovrannaturali. In ogni ateneo, infatti, sembra che ci siano dei riti scaramantici da rispettare rigorosamente. Gli studenti della Sapienza di Roma, ad esempio, sanno che non bisogna assolutamente guardare dritto negli occhi la statua della Dea Minerva che si trova nel cortile interno della cittadella universitaria: il rischio? Non laurearsi. Stessa città, altra superstizione, ma ateneo diverso. A Lettere e filosofia di Tor Vergata non bisogna attraversare la stella che decora la pavimentazione del cortile interno del campus. Girarci intorno sembra l'unica soluzione possibile. Gli universitari pisani, invece, non devono salire sulla Torre pendente prima del conseguimento della laurea. A Milano ogni Università ha una superstizione diversa. All'Università Cattolica per esempio la scalinata che finisce con due colonne laterali è un portasfortuna, si consiglia infatti di evitarla il giorno prima di un esame.

Spostandosi verso Sud, precisamente nella città di Napoli, gli studenti di Storia dell'Arte della Federico II non possono visitare *Il Cristo velato*, la scultura marmorea di Giuseppe Sanmartino conservata nel Museo Cappella Sansevero. A Bologna la leggenda che si tramanda riguarda la Torre degli Asinelli: è sconsigliato visitarla prima di essersi laureati. Ma se ciò non bastasse, si deve anche evitare di attraversare Piazza Maggiore in diagonale. Firenze vieta ai suoi studenti di visitare il campanile di Giotto. Ma anche spostandoci all'estero, ritroviamo strane usanze per scacciare la sfortuna e ottenere la desiderata laurea. Il portafortuna numero uno degli studenti giapponesi sembra essere per esempio il polipo ed è usanza metterne una statuetta sul comodino il giorno prima dell'esame. Insomma ateneo che vai, superstizione che trovi! State attenti a non incappare in una di queste temute leggende studentesche se non volete ritrovarvi la sfortuna tra i piedi.

(adattato da: *Leggende universitarie e riti scaramantici: guida per gli studenti* di Martina Ponzio, www.zon.it, 25/02/2015)

	Città (università)	Cose da non fare
1		
2		
3		
4		
5		
6		
7		

b. *E voi? Scrivete un breve testo in cui raccontate se siete superstiziosi e se avete dei riti scaramantici prima di un esame o di un evento importante. Se non lo siete per niente, fate una breve indagine tra compagni di università e amici e scrivete i risultati di quello che avete scoperto.*

5. **Una storia d'altri tempi**

Completate con il passato remoto.

Il nonno (incontrare) *incontrò* la nonna a casa di alcuni amici di famiglia. La nonna era molto bella, simpatica ed era una donna molto indipendente e il nonno (innamorarsi) *si innamorò* subito. La cosa strana era che entrambe le famiglie erano contro il fidanzamento. Dopo un paio d'anni di fidanzamento (sposarsi) *si sposarono* . Quando il nonno (finire) *finì* gli studi, (cominciare) *cominciò* subito a lavorare nella piccola azienda di famiglia. Subito dopo il padre di mio nonno (morire) *morì* e così mio nonno (dovere) *dovette* occuparsi dell'azienda, che però (fallire) *fallì* dopo pochi anni. La nonna però era una persona molto decisa e non voleva rimanere nel paese di montagna dove era nata. Inizialmente (loro / trasferirsi) *si trasferirono* a Roma, dove il nonno aveva anche dei parenti. A Roma però il nonno non (trovare) *trovò* lavoro e così, dopo qualche anno, (arrivare) *arrivò* la grande decisione. (loro / partire) *Partirono* per l'America dove (restare) *restarono* per il resto della loro vita.

UNITÀ 6

6. Regolarità nell'irregolarità

Inserite nello schema le seguenti forme del passato remoto e aggiungete quelle regolari che mancano.

bevvi	lessero	venne	vissi	decisero	lessi	persero	nacquero	crebbe	bevvero

decisi	nacqui	visse	crebbi	perse

	io	tu	lui / lei	noi	voi	loro
perdere	persi				perdeste	
crescere						crebbero
leggere			lesse			
decidere			decise			
nascere			nacque			
vivere						vissero
venire	venni					vennero
bere			bevve			

7. Se si parla di lingua italiana, non si può fare a meno di parlare del sommo poeta, Dante Alighieri.

Completate la seguente biografia con i verbi al passato remoto. I verbi non sono nell'ordine giusto.

nascere	conoscere	sposarsi	morire (2x)	frequentare	dovere	fare	innamorarsi

cominciare	dedicare	avere	raccontare	scrivere

Dante Alighieri _____ a Firenze nel 1265 in una famiglia della piccola nobiltà fiorentina. _____ l'Università di Firenze e di Bologna e _____ amicizia con alcuni dei poeti più importanti della scuola del Dolce Stil Novo. Ancora giovanissimo _____ Beatrice, figura femminile centrale nell'opera del nostro poeta, _____ e _____ a scrivere sonetti per lei. Beatrice purtroppo _____ nel 1290. A lei Dante _____ la *Vita Nova*, un'opera in parte in versi e in parte in prosa in cui _____ la storia dal loro primo incontro fino alla morte di lei. In seguito _____ con Gemma di Manetto Donati, da cui _____ tre figli.

A causa delle sue idee politiche – era un convinto sostenitore dell'autonomia della città di Firenze dal potere del papa – _____ andare via da Firenze. Durante gli anni dell'esilio _____ la *Divina Commedia*, la sua opera più famosa. _____ nel 1321.

ALMA Edizioni

8. E ora il quiz *Chi vuol essere letterato?*

Completate la domanda con il verbo al passato remoto e rispondete. Le lettere delle risposte esatte vi diranno una parola che si usa per descrivere un libro noiosissimo.

QUIZ

1. Cosa (scrivere) _____ Niccolò Machiavelli?
   a. Il Principe [U]   b. Il Re [L]   c. Il piccolo principe [N]

2. È l'autore della *Divina Commedia* e (morire) _____ nel 1321.
   a. Boccaccio [A]   b. Dante [N]   c. Petrarca [I]

3. Da quale dialetto (nascere) _____ la lingua italiana?
   a. Il napoletano [S]   b. Il romano [T]   c. Il toscano [M]

4. Dove (ambientare) _____ Shakespeare *Giulietta e Romeo*?
   a. A Venezia [E]   b. A Verona [A]   c. A Vicenza [P]

5. Quale scrittore (andare) _____ in Italia e poi (pubblicare)
   _____ il famoso libro *Viaggio in Italia*?
   a. Johann Wolfgang Goethe [T]   b. Hermann Hesse [C]   c. Bertolt Brecht [D]

6. (Amare) _____ molte donne e il suo nome (diventare)
   _____ sinonimo di Dongiovanni. Nelle sue memorie (raccontare)
   _____ la sua vita avventurosa.
   a. Giacomo Casanova [T]   b. Giacomo Leopardi [D]   c. San Francesco d'Assisi [A]

7. (Scolpire) _____ per esempio il *David* e la *Pietà*, ma pochi sanno
   che (scrivere) _____ anche delle poesie. Chi è?
   a. Michelangelo [O]   b. Bernini [B]   c. Boccioni [G]

8. (Fare) _____ un lungo viaggio in Cina, e dopo questo viaggio
   (decidere) _____ di scrivere il famoso libro *Il Milione*.
   a. Cristoforo Colombo [I]   b. Marco Polo [N]   c. Amerigo Vespucci [O]

9. Carlo Goldoni è un autore che (vivere) _____ nel
   a. Settecento [E]   b. Ottocento [M]   c. Novecento [P]

Soluzione: quando un libro è pesante e noiosissimo si dice che è:

□ □ □ □ □ □ □ □ □

9. Mai due volte nella stessa città... Siete curiosi di sapere come continua la storia?

a. Scegliete la variante corretta.

Un anno *passava / era passato*, lui stava per sposare la donna sbagliata, quando *riceveva / ricevette* una cartolina da Stoccolma, sul retro il nome di un albergo. Nessuna firma. *Partì / Partiva* quel giorno stesso, senza rimpianti. [...] La *sentì / sentiva*, al risveglio, parlare al telefono, già in piedi, la valigia pronta. Non *chiese / chiedeva* niente. *Diceva / Disse*: ‹Mai due volte...›. Lei *sorrise / sorrideva e completò / completava*: ‹...nella stessa città›. E *andò / andava* via. Due anni dopo,

aveva sposato la donna giusta e *aspettava / aspettò* un figlio da lei quando *ricevette / riceveva* una chiamata da un luogo chiamato Port Elizabeth. [...] *Aveva / Ebbe* un abito bianco, largo, eppure teso sulla pancia. ‹Sarà la nostra nomade bambina›, gli *disse / diceva*. Fatti due calcoli, lui *si rese conto / era reso conto* dell'assurdo, ma lo *accettò / accettava* con entusiasmo, abbracciandola. *Rivide / Rivedeva* la piccola due anni dopo, a Parigi.

b. Ed ora finite la storia mettendo voi i verbi al tempo giusto. Scegliete tra passato remoto e imperfetto.

L'anno seguente (lui / ricevere) _____ una cartolina da Roma, largo Argentina. Con ritrovata energia (lui / correre) _____ all'appuntamento con l'eresia: la seconda volta nella stessa città. (lui / aspettare) _____ al posteggio dei taxi, la macchina (accostare) _____ , e (scendere) _____ una donna

identica a come lei era stata trent'anni prima. (lei / portare) _____ una rosa e un biglietto. (lei / dire) _____ : ‹Da parte di mia madre, che se n'è andata›. Il biglietto (dire) _____ : ‹Mai due volte nella stessa città. Due volte nella stessa vita›. (loro / allontanarsi) _____ abbracciati.

10. Nuovi italiani e le loro esperienze in Italia

Completate con la forma del condizionale passato per esprimere il futuro nel passato.

Passano senza problemi dal napoletano al senegalese. O dal toscano a uno dei tanti dialetti cinesi. Sono i figli e le figlie degli immigrati di seconda generazione. Ecco cosa raccontano delle loro esperienze.

1. Dunia: quando arrivai in Italia con la mia famiglia, alcuni avevano paura che non (io / integrarsi) mi sarei integrata facilmente. Io invece sapevo che (laurearsi) mi sarei laureata senza problemi e (trovare) avrei trovato facilmente un lavoro che mi piace. Mi piacciono le sfide e mi sono impegnata duramente per raggiungere i miei obiettivi.

2. Yungi e Hu: non immaginavamo che (noi / trovarsi) ci saremmo trovati bene in Italia ed eravamo sicuri che ci (mancare) sarebbero mancato molto il nostro Paese. Invece siamo contentissimi di essere qui.

(adattato da: *Mai due volte nella stessa città* di Gabriele

3. Nadja: a scuola mi dicevano che non (imparare) _avrei imparato_ l'italiano con facilità, e invece sono riuscita anche a pubblicare un libro in italiano.

4. Ahmed, tu dicevi che non (sposarsi) _ti saresti sposato_ con un'italiana. Ora sei sposato e hai tre figli. – Sì, ma non pensavo che (innamorarsi) _mi sarei innamorato_ così profondamente. E sono contentissimo della mia scelta.

11. Le parole non sono mai abbastanza

ORIZZONTALE

4. Colore molto vivace.
5. Persona che parla molto.
6. Chi non parla è…
7. Figli.

VERTICALE

1. Si trova per esempio nella scrivania e ci si mettono gli oggetti che servono per scrivere. Anche negli armadi ce ne sono.
2. Parola che fa male.
3. Cose buone da mangiare.

12. Scelte di vita di studenti stranieri

Riformulate le frasi come nell'esempio usando il congiuntivo passato.

Esempio: André ha deciso di trasferirsi in America dopo la maturità.
            → Credo che André abbia deciso di trasferirsi in America dopo la maturità.

1. Liam e Babak hanno scelto di iscriversi a Psicologia già molto tempo fa.

2. Miriam si è iscritta a Scienze politiche perché non sapeva cosa fare dopo la scuola.

3. Sophie ha preferito proseguire gli studi non nella sua città d'origine, ma a Pavia.

4. Lily non si è pentita di essersi iscritta a Economia e commercio.

5. Mark e David si sono laureati due anni fa.

6. Tu e Tatjana avete perso un'occasione d'oro a non andare a Londra.

7. Mary e Valerie dopo la laurea sono andate a lavorare all'estero.

13. Evviva il congiuntivo!

Inserite il verbo al tempo giusto e segnate accanto ad ogni frase se l'azione espressa dal verbo al congiuntivo è contemporanea (C), anteriore (A) o è riferita al futuro (F).

Credo che tu	_____ raramente il corso di filosofia l'anno scorso.	(frequentare)	_____
	normalmente _____ studiare in biblioteca	(preferire)	_____
Spero che Linda	_____ il prossimo esame con me.	(preparare)	_____
	_____ l'estate scorsa al mare.	(divertirsi)	_____
Penso che Fabrizio	_____ di lavorare due mesi fa.	(smettere)	_____
e Massimo	ora _____ un nuovo lavoro.	(cercare)	_____

14. La scelta di Amal. Roberta, la sua migliore amica, racconta.

Completate con il congiuntivo presente o passato.

Penso che Amal (decidere) _____ di studiare medicina già molti anni fa, quando era ancora al liceo. Era bravissima a scuola e voleva studiare qualcosa per aiutare gli altri. Mi sembra che (seguire) _____ i consigli dei professori. Se non mi ricordo male, credo che (ascoltare) _____ in modo particolare i consigli del professore di latino che lei stimava molto. Lei non crede che le aspettative dei genitori (essere) _____ determinanti per la sua scelta. Ritiene infatti che le aspirazioni professionali personali (avere) _____ sempre più importanza rispetto alle aspettative dei genitori. Amal pensa che studiare medicina le (potere) _____ permettere di realizzare i suoi sogni e spera che la ricerca di un lavoro in un ospedale non (durare) _____ troppo a lungo. Crede che per molti studenti l'università oggi (rappresentare) _____ un modo per riuscire ad avere più possibilità sul mercato del lavoro. Lei pensa che l'università (dovere) _____ essere anche un'importante occasione di crescita personale e spera che per nessuno (essere) _____ una perdita di tempo. Credo che dopo l'università lei (fare) _____ un'esperienza all'estero con *Medici senza frontiere*. Mi sembra che l'anno scorso (andare / già) _____ in America Latina con un'associazione umanitaria. Crede che per ogni medico (essere) _____ importante mettere a disposizione di popolazioni meno fortunate le proprie conoscenze. I genitori di Amal sperano che lei (prendere) _____ la decisione giusta e che non (pentirsi) _____ della sua scelta.

Lo sapevate che...?

Secondo i dati Istat, a gennaio del 2015 gli italiani erano poco meno di 61 milioni, dei quali oltre 5 milioni (l'8,3%) erano stranieri. Quali sono le quattro comunità straniere più numerose? Al primo posto c'è la comunità romena con il 22,9% di tutti gli stranieri, poi quella albanese (9,3%), quella marocchina (8,7%) e al quarto posto quella cinese (5,4%). Il 60% degli stranieri parla in italiano con gli amici e il 38,5% in famiglia. Tra i bambini stranieri (6 – 13 anni) il 69,1% ha il migliore amico di nazionalità italiana.

(adattato da: Istat, gli italiani sono 61 milioni: l'8% sono stranieri. «Fuga cervelli» in aumento di F. Q., www.ilfattoquotidiano.it, 20/05/2015)

A MISURA D'UOMO

1. Vivere in città

Giovanni descrive la sua città, ma ha dimenticato alcune parole. Aiutatelo a completare il testo con la parola o l'espressione corretta.

provincia ecologica imprese la raccolta differenziata dei rifiuti associazioni ricreative e culturali
il tasso di disoccupazione inquinamento culturale piste ciclabili l'età media

Vivo in una bella città giovane, con tanti studenti, e infatti _____ dei suoi abitanti
è piuttosto bassa. È una città in cui trovare lavoro non è difficile: ci sono molte _____
e così _____ è ai livelli minimi. Inoltre è una città _____ :
ci sono molte _____ , così le persone possono andare in bicicletta, e la maggior
parte dei cittadini ritiene importante fare _____ perché
pensano che sia giusto riciclare. Vorrei anche aggiungere che è una città culturalmente attiva e infatti
ci sono tantissime _____ . Inoltre è circondata dai monti, l'aria
è pulita, non ci sono industrie e quindi non c'è molto _____ . Certo, resta sempre
una città di _____ , non è sicuramente una metropoli, ma il connubio tra vita
semplice di provincia e vivacità _____ la rendono unica.

2. Di Mantova si dice che...

Completate le frasi con il congiuntivo.

Dicono che...

1. ...molti (trasferirsi) _____
   a Mantova per lavorare.
2. ...Mantova (avere) _____
   un'alta qualità della vita.
3. ...Mantova (essere) _____ una città interessante e che i turisti
   (apprezzare) _____ le sue bellezze.
4. ...i mantovani (sapere) _____ cucinare bene e che ai golosoni
   (piacere) _____ moltissimo le specialità del luogo.
5. ...Mantova (ospitare) _____ il più famoso festival della letteratura in Italia.
6. ...Mantova e i suoi dintorni (essere) _____ davvero splendidi.

UNITÀ 7

3. Il congiuntivo imperfetto. Finalmente pochi verbi irregolari!

a. Completate la tabella. I verbi già inseriti nella tabella vi possono aiutare.

	io	tu	lui/lei/Lei	noi	voi	loro
essere	fossi			fossimo		
bere					beveste	
dare			desse			dessero
fare	facessi					
stare		stessi			steste	

b. Riflettete sulla grammatica.

Quale particolarità hanno la prima e la seconda persona singolare?

_____

c. Completate il cruciverba con le forme verbali richieste al congiuntivo imperfetto.

ORIZZONTALE

5. loro – dire
6. tu – fare

VERTICALE

1. tu – tradurre
2. noi – dire
3. lui – bere
4. lei – proporre

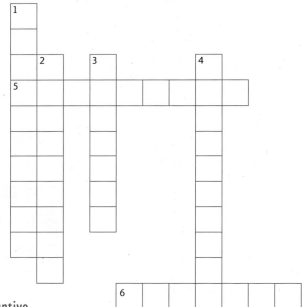

4. Conoscere l'Italia e imparare il congiuntivo

a. Completate le frasi con il congiuntivo presente.

1. Credo che Eataly (essere) _____ una catena di ristoranti.
2. Credo che Mantova (trovarsi) _____ in Emilia-Romagna.
3. Mi sembra che Oscar Farinetti (recitare) _____ nella serie televisiva *Gomorra*.
4. Mi sembra che il Festival della Letteratura (cominciare) _____ sempre in aprile.
5. Penso che a Mantova (abitare) _____ circa 500.000 persone.

b. Dopo aver controllato su Internet le risposte, riformulate le frasi al passato e aggiungete la risposta corretta.

Esempio: Credevo che Eataly fosse una catena di ristoranti e invece è una catena di punti vendita con prodotti italiani in cui si possono anche conoscere e provare le varie specialità.

5. Dal presente al passato

Trasformate le frasi come nell'esempio.

Mi sembra che Eataly venda solo prodotti italiani. → Mi sembrava che Eataly vendesse solo prodotti italiani.

1. Mi sembra che Mantova sia una città con molti aspetti interessanti.
   Mi sembrava che Mantova fosse una città con molti aspetti interessanti

2. Credo che Raffaella viva a Mantova e lavori al Festival della Letteratura.
   Credevo che Raffaella vivesse a Mantova e lavorasse al Festival...

3. Spero che Danila e Giulia facciano con me il giro in bicicletta della Pianura Padana.
   Speravo che Danila e Giulia facessero con me il giro in bicicletta...

4. Antonella non crede che io legga molti libri.
   Antonella non credeva che io leggessi molti libri

5. Davide spera che tu e Gianpiero andiate con lui alla festa di Carlo.

6. Mi sembra che a Milano Eataly si trovi in un edificio della vecchia fiera.

7. Patrizia pensa che a Palazzo Te a Mantova si possano bere dei tipi particolari di tè.

6. Dalla città grande alla piccola

Antonio si è trasferito da poco da Roma a Cremona, piccola città in Lombardia.
Completate le sue impressioni con le forme del congiuntivo presente o imperfetto.

Dicono che la vita di provincia dopo un po' (stare) _stia_ stretta, che la gente (parlare) _parli_ sempre degli altri e (sapere) _sappia_ tutto di tutti e che i giovani (annoiarsi) _si annoiano_ perché non c'è niente da fare. All'inizio anch'io credevo che non (esserci) _ci fosse_ niente da fare e pensavo che la gente (divertirsi) _si divertisse_ a controllare quello che fa il vicino. Ma non è così. Ora credo che vivere in una città piccola (avere) _abbia_ più vantaggi che vivere in una metropoli, ma i primi tempi non sono stati facili. Se sei abituato a vivere in una città grande, pensi che (essere) _sia_ normale che uno (perdere) _perda_ un sacco di tempo nel traffico, (aspettare) _aspetti_ un autobus mezz'ora o (cercare) _cerchi_ un parcheggio per un'ora. Dopo un po' che vivi in provincia invece ti rendi conto che la vita frenetica delle metropoli è assurda e cominci ad apprezzare le distanze brevi e ti sembra che la gente (vivere) _viva_ in modo più rilassato. E poi non ho mai creduto che conoscere tutti i vicini (potere) _potesse_? essere un fatto negativo. Al contrario: il senso di comunità è molto più forte e, se ne hai bisogno, c'è sempre qualcuno pronto ad aiutarti. All'inizio confesso che mi sembrava strano che tutti mi (salutare) _salutassero_ e in effetti mi sentivo un po' controllato. Ora invece sono contento che gli altri (sapere) _sappiano_ della mia presenza e non mi piace più l'anonimato della grande città. Inoltre non pensavo che le associazioni culturali (offrire) _offrissero_ un programma così ricco. Insomma, sono contento di vivere qui e non tornerei più indietro.

UNITÀ 7

7. Completate con le forme del congiuntivo imperfetto e del condizionale presente.

1. Se Antonio (avere) _avesse_ bisogno di una macchina, ne (comprare) _comprerebbe_ una di seconda mano.

2. Roberta e Patrizia (perdere) _perderebbero_ qualche chilo, se (fare) _facessero_ più sport e (mangiare) _mangiassero_ di meno.

3. Sicuramente (io / parlare) _parlerei_ meglio l'italiano, se il mio ragazzo (essere) _fosse_ italiano.

4. Cosa (tu / fare) _farei_ , se (finire) _finissi_ l'università domani?

5. Se (io / essere) _fossi_ più alta, (giocare) _giocherei_ volentieri a pallacanestro.

6. Se Monica e Federico (andare) _andassero_ in vacanza in luglio, Marco ed io (andare) _andaremo_ con loro.

7. (io / concentrarsi) _____ di più sullo studio, se i miei vicini non (fare) _____ così tanto rumore.

8. Se (io / essere) _____ un colore, (essere) _____ il giallo limone, il mio colore preferito.

9. Morena dice sempre che se (essere) _____ un uomo, (portare) _____ una bella barba lunga.

8. Cosa faresti se...?

Completate prima con il verbo al tempo e modo giusto e poi rispondete alle domande su un foglio a parte.

1. Se (tu / dovere) _____ lasciare casa tua immediatamente, cosa (portare) _____ con te? Puoi portare tre cose.

2. Se (tu / essere) _____ una persona importante, chi (preferire) _____ essere? Un politico, un musicista, un cantante o uno scrittore?

3. Se (nascere) _____ un'altra volta, in quale periodo storico ti (piacere) _____ vivere?

4. Che cosa (volere) _____ inventare, se non (esserci) _____ già?

9. Quanti se!

Completate le frasi liberamente.

1. Se decidessi di trasferirmi in un altro Paese, _____
_____ .

2. Conoscerei meglio la realtà italiana, se _____
_____ .

3. Se tutti gli studenti studiassero un anno in un Paese straniero, _____
_____ .

4. I miei genitori avrebbero più tempo libero, se _____
_____ .

5. Guarderei più film italiani, se _____
_____ .

10. Riformulate le seguenti frasi con un periodo ipotetico.

Esempio: Mi dispiace che mercoledì sera non potrò venire al cinema con te, ma ho un altro impegno.
→ Se non avessi un altro impegno, verrei volentieri.

1. Martina vuole andare in Italia, ma deve preparare l'esame.
Se _____ .

2. Mi piacerebbe moltissimo passare un fine settimana a Napoli, ma devo studiare.
Se _____ .

3. Mamma mia, Anna sta lavorando troppo e non ha mai tempo di uscire con gli amici.
Se _____ di meno, _____ .

4. Non so proprio niente di politica italiana!
Se _____ di più i giornali, _____ .

5. Gli studenti hanno difficoltà con il periodo ipotetico.
Se _____ più esercizi, _____ .

11. Oddio, ancora i pronomi!

a. Inserite i verbi nella sezione adatta della tabella in basso e sottolineate quelli che si comportano in modo diverso rispetto al tedesco. Quali verbi hanno sia un oggetto diretto che indiretto?

aiutare   ringraziare   chiedere   telefonare   incontrare   seguire   domandare   chiamare
rispondere   accompagnare

Oggetto diretto	aiutare qualcuno, ...
Oggetto indiretto	telefonare a qualcuno, ...

b. Ora completate la conversazione con i pronomi diretti o indiretti. Attenzione: c'è un doppio pronome.

● Ciao Anna, hai saputo di Valentina?

■ No, cosa è successo?

● Ha un nuovo ragazzo. Sai come si sono conosciuti? Valentina aveva un appuntamento dal dentista. Ha parcheggiato la macchina, ma _____ ha parcheggiata come sempre un po' male e infatti ha toccato la macchina davanti. Un ragazzo è sceso e _____ ha detto di andare alla scuola guida. Valentina _____ ha chiesto se lui faceva per caso l'insegnante di scuola guida e _____ poteva aiutare. Lui ha cominciato a ridere e così tutti e due si sono calmati e lui _____ ha invitata a prendere un caffè nel bar lì vicino, dove hanno cominciato a chiacchierare. Alla fine lei _____ ha ringraziato e si sono salutati. Il giorno dopo Valentina _____ ha incontrato per caso al supermercato e lui _____ ha chiesto il suo numero di telefono e lei _____ ha scritto su un bigliettino. Lui _____ ha telefonato e _____ ha domandato se aveva voglia di andare al cinema e lei _____ ha risposto di sì. Adesso Valentina _____ vede quasi tutti i giorni e lui _____ chiama ogni sera e dà la buonanotte e quando si vedono lui alla fine _____ accompagna sempre a casa in macchina così non guida lei.

■ È proprio una storia carina! È da molto che non sento Valentina. Stasera _____ telefono e chiedo come va!

UNITÀ 7

12. Scegliete il pronome combinato corretto.

1. Devo scrivere una mail a Dario. *Gliela / Ce la* scrivo dopo le lezioni.
2. Mi dai per favore le fotocopie? – Sì, aspetta un attimo. *Me le / Te le* do fra due minuti.
3. Marco, Davide, se avete bisogno di CD per la festa *te li / ve li* porto io!
4. Dott. Cuno, mi porta per favore il vocabolario? – Sì, *Glielo / ve lo* porto subito.
5. Morena mi porta la mia pasta preferita dall'Italia. *Me li / Me ne* porta tre chili.

13. Completate i seguenti dialoghi usando i pronomi combinati.

1. ● Morena, ti piace il mio anello?
   ■ Fantastico, ma chi _te l'_ ha regalato?

2. ● Mamma mia!! Che brutti quegli orecchini.
   ■ Lo so, ma _me li_ ha regalati mia suocera e, sai, stasera siamo a cena da lei...

3. ■ Signorina, scusi, il colore di questa gonna non mi piace. _Me ne_ potrebbe portare una verde?
   ● Certo signora, _Gliene_ porto subito una.

4. ▲ Susi, sai che a Berlino vengono anche Fabrizio e Viola? _Te l'_ avevo già detto?
   ◆ No, non _me l'_ avevi ancora detto.

5. ● Ti piacciono i pantaloni di Anna?
   ■ Sì. _Glieli_ ha fatti sua mamma, no?

6. ● Stasera io e Roberta ceniamo fuori ma non sappiamo quale ristorante scegliere.
   ■ Se volete, _ve ne_ consiglio uno io, dove si mangia benissimo e si spende poco.

7. ▲ Valeria, mi presti i tuoi appunti di diritto del lavoro?
   ◆ Mi dispiace, ma li ha Umberto. _Glieli_ ho dati due settimane fa. Quando _me li_ riporta _te lo_ dico.

14. Pronomi 'scombinati'

Scoprite dove si devono inserire i pronomi combinati sotto elencati. Sono nell'ordine giusto.

te l'	me l'	ve lo	glielo	ce lo	gliel'	gliela	gliela	te li	me li	gliene

● Ciao Stefania, come va? Ci vediamo alla festa di Monica?

■ Che festa? Io non ne so niente.

● Ma come, non ha detto? Fa una festa sabato sera per il suo compleanno e voleva invitare anche te e Roberto. Non è che ha parlato con Roberto?

■ Mah, mi sembra strano. Roberto avrebbe detto.

● Oppure sta aspettando come al solito l'ultimo minuto e poi dice. O magari si è dimenticata, sbadata come è. Adesso la chiamo e chiedo.

■ Sì, penso anch'io. Figurati se non dice. Senti, ma allora dobbiamo comprarle un regalo? Tu hai già comprato?

● No, sto andando adesso. Vieni?

■ No, adesso non posso. Devo finire una tesina per il professor Gugolini e devo consegnare lunedì. Ma cosa le vuoi comprare?

● Mah, pensavo a una bella camicia che ho visto in un negozio vicino a casa e che le piace. Ma costa un po'. Se vuoi, compriamo insieme così non devi pensare al regalo. E poi dobbiamo portarle dello spumante.

■ D'accordo. Allora camicia e spumante. Ma ora non ho soldi con me. Posso dare sabato?

● Perfetto. Se dai alla festa va benissimo. E di bottiglie di spumante compro tre, va bene?

■ Benissimo. Ciao allora.

15. Concordanza

Rispondete alle domande al passato prossimo. Attenzione alla concordanza!

Esempio: Quando hai ridato i soldi a Gianluca? – Glieli ho ridati due settimane fa.

1. Chi ti ha dato il libro di Simona Vinci? – _____ Dario.
2. Chi ti ha regalato le rose? – _____ Giovanni.
3. Chi vi ha mandato gli auguri per il matrimonio? – _____ tutti i nostri amici in giro per il mondo.
4. Cosa porti a Linda alla festa? Una torta di prugne? – No, _____ già la scorsa volta. Questa volta farei l'insalata di carote.
5. Chi avrà regalato quell'anello a Elena, l'hai visto? – Sì, secondo me _____ Paolo.

16. I pronomi... dove devo metterli?

Rispondete alle domande come nell'esempio. Usate il verbo modale indicato tra parentesi.

Esempio: Mamma, ci dai il dolce? (volere) – No, ora non ve lo voglio dare / ora non voglio darvelo.
            Prima dovete finire la minestra di verdura.

1. Quando ci mostri l'appartamento nuovo? – _____ sabato sera. (potere)
2. Quando devi consegnare la tesina al Prof. Gugolini? – _____ fra un mese. (dovere)
3. Hai già mandato le foto ai tuoi? – No, non ancora, _____ presto. (volere)
4. Quando mi riporti gli appunti di storia? – _____ domani sera. (potere)
5. Paolo, ci puoi portare anche quest'anno il panettone? – Certo, _____ anche quest'anno. (potere)

UNITÀ 7

17. Quanto sei ecologico?

a. Ascoltate l'intervista a Cinzia e rispondete poi alle domande.

1. Cinzia...
   - ○ compra i prodotti che costano di meno.   ○ compra i prodotti regionali.
   - ○ non dà importanza alla provenienza dei prodotti.

2. Fa la spesa...
   - ○ nei negozietti.   ○ più spesso al supermercato.   ○ nei discount.

3. Compra questi prodotti solo se sono biologici:
   - ○ la frutta   ○ la carne   ○ le uova   ○ il pesce   ○ la verdura   ○ il pane

4. Per lei comprare prodotti biologici è:
   - ○ più una questione etica.   ○ più una questione di salute.   ○ entrambe le cose.

5. Cinzia...
   - ○ fa la raccolta differenziata con tutti i prodotti.   ○ ricicla solo con vetro e carta.
   - ○ cerca di riciclare tutto.

6. Cinzia pensa che...
   - ○ la lentezza e l'importanza del cibo genuino siano valori antiquati.
   - ○ la lentezza e l'importanza del cibo genuino siano valori da riscoprire.

7. In base a questa intervista si capisce che Cinzia è una consumatrice...
   - ○ biologica.   ○ indifferente.   ○ consapevole.   ○ sprecona.

b. E voi? Riascoltate l'intervista e provate a rispondere in forma scritta alle domande che sono state fatte a Cinzia.

Lo sapevate che...?

A Pollenzo, vicino a Cuneo, in Piemonte, c'è un'università speciale: l'Università degli Studi di scienze gastronomiche, nata da un'idea del fondatore di Slow Food, Carlo Petrini. È un'università privata, ma legalmente riconosciuta dallo Stato italiano, che ha come obiettivo quello di creare un centro internazionale di formazione e ricerca per una nuova agricoltura sostenibile, per lo studio ed il mantenimento delle diversità bio-culturali e per creare un approccio interdisciplinare al cibo. L'offerta didattica integra infatti anche le scienze sociali, quelle umane, le scienze biologiche ed agrarie e le scienze e tecnologie alimentari.

TESORI D'ITALIA

1. **Turisti d'Italia**

a. In Italia sì, ma dove? Quali sono secondo voi le preferenze dei turisti stranieri?
Provate a fare la classifica e confrontatela poi con i dati riportati nelle soluzioni.

○ località montane   ○ città di interesse storico e artistico   ○ località di lago
○ località termali   ○ località collinari e di interesse vario   ○ località marine

b. Quali sono, secondo voi, le regioni più visitate? Provate a fare la classifica e confrontatela
poi con i dati riportati nelle soluzioni.

○ Campania   ○ Emilia-Romagna   ○ Veneto   ○ Lazio
○ Lombardia   ○ Trentino-Alto Adige   ○ Toscana   ○ Sicilia

2. **Patrimonio Mondiale dell'Umanità**

Cosa vuol dire che un sito è considerato patrimonio dell'umanità?
Abbinate la definizione corretta.

1. I beni culturali   a) sono formazioni fisiche, geologiche o biologiche
di straordinario valore estetico o scientifico.

2. I siti naturali   b) sono il risultato dell'azione combinata di uomo e natura e rappresentano
il legame tra la natura e la cultura.

3. I siti misti   c) sono monumenti o siti eccezionali dal punto di vista storico, artistico o scientifico.

▶II 2.9   3. **Ascoltate l'intervista alla responsabile di un'agenzia di viaggi e scegliete la risposta corretta.**

1. Per il turismo sostenibile...
   ○ il viaggiatore è l'elemento più importante.
   ○ l'armonia tra viaggiatore e territorio è di
   fondamentale importanza.
2. Il turismo sostenibile...
   ○ si concentra sul posto da visitare.
   ○ considera anche aspetti come gli alloggi
   e gli spostamenti.
3. Lo scopo del turismo sostenibile è...
   ○ far conoscere alcuni aspetti poco noti
   delle zone turistiche più famose.
   ○ far conoscere zone meno conosciute.
   ○ andare soprattutto a scoprire le città d'arte.

4. Gli alberghi diffusi normalmente...
   ○ sono nel centro storico.
   ○ sono fuori dal centro storico.
5. Il turismo sostenibile cerca di proporre viaggi...
   ○ solo in alta stagione.   ○ tutto l'anno.
6. L'agenzia di Paola Zuffellato propone un viaggio
   in Puglia...
   ○ con un autobus elettrico.   ○ a piedi.
   ○ in bicicletta.
7. Il turismo sostenibile...
   ○ fa attenzione anche al cibo.
   ○ fa attenzione solo alle località.

UNITÀ 8

4. Congiuntivo trapassato

Completate le frasi con il congiuntivo trapassato.

1. Mi sembrava che Maria e Alberto l'anno scorso (fare) _____ il giro della Puglia in bicicletta, non in macchina.
2. Giovanni ha vissuto sei mesi in Messico? Credevo che (essere) _____ in Nuova Zelanda.
3. Tu e Davide abitate a Firenze già da due anni? Non sapevo che (trasferirsi) _____ già così tanto tempo fa.
4. Non sapevo che Richard Wagner (vivere) _____ a Venezia.
5. Non sai chi è Elena Ferrante? Pensavo che (leggere) _____ tutti i suoi libri.
6. Non sapevo che Tatiana (vincere) _____ la borsa di studio per Londra. Sono contenta per lei!

5. Turismo sì o turismo no?

a. Inserite al posto giusto le espressioni adatte (alcune si possono usare più volte). Sono possibili più soluzioni.

| quindi | in secondo luogo | in primo luogo | innanzitutto | inoltre | poi | in conclusione |
| non solo | ma anche |

Turismo sì: _____ c'è da dire che il turismo in Italia è una forma di guadagno fondamentale. L'Italia potrebbe vivere di solo turismo, e questo è risaputo. _____ l'Italia è un Paese bellissimo ed è normale che tutti lo vogliano visitare, e _____ mi sembra chiaro che la maggior parte delle persone voglia vedere i posti più rinomati. E _____ , se si ha magari poco tempo a disposizione, si preferisce andare a Venezia invece che, per esempio, a Trieste, altra città sicuramente splendida, ma meno importante di Venezia. Il turismo permette _____ di produrre ricchezza importante per il territorio, _____ di far conoscere le bellezze e i prodotti del posto, creando in questo modo nella zona un'economia dinamica.

Turismo no: Io sono decisamente contro il turismo di massa. _____ perché i posti diventano invivibili, artificiali e finti; _____ perché nei mesi di alta stagione i prezzi sono improponibili, un vero e proprio furto. _____ se vai al mare, nelle spiagge più famose, non trovi spazio per stendere l'asciugamano e anche le spiagge più belle diventano orribili masse di gente. E _____ non dimentichiamoci che bar e negozi storici spesso devono chiudere per lasciare il posto a negozi di souvenir, discoteche assordanti e lounge bar alla moda e così anche il più pittoresco dei posti perde tutta la sua autenticità e il suo fascino. _____ mi sembra che il motto del turismo di massa sia ‹distruggere, non visitare› e _____ io sarei favorevole a fare una legge che limitasse gli accessi turistici.

b. Scrivete anche voi qualche frase a favore o contro il turismo utilizzando i connettivi conosciuti.

6. Ho sempre un sacco di cose... da fare

La vostra insegnante / Il vostro insegnante elenca tutto quello che c'è ancora da fare prima della fine del semestre. Completate le sue parole con da + verbo. Scegliete tra i verbi qui di seguito. In alcuni casi sono possibili più soluzioni.

| fare | leggere | finire | decidere | vedere | imparare | consegnare |

Ragazzi, prima del test c'è ancora la lezione 8 _____ ! Tra l'altro c'è ancora il periodo ipotetico

_____ . Poi c'è _____ la differenza tra passato prossimo e imperfetto dei verbi

sapere e *conoscere* e abbiamo ancora dei brani _____ . Inoltre alcuni di voi hanno ancora alcuni

lavori scritti _____ . Infine c'è _____ la data per andare

in pizzeria tutti insieme e del film italiano _____ .

7. Bellezze italiane

Inserite le seguenti parole al posto giusto (se necessario con l'articolo determinativo). Alcune parole vanno inserite più volte.

| torre | piazzetta | vicoli | campanile | mura |

1. _____ di Giotto a Firenze e quello di San Marco
   a Venezia sono famosi in tutto il mondo.

2. _____ di Pisa non è l'unica _____ pendente d'Italia.
   Anche _____ degli Asinelli a Bologna è famosa per la sua pendenza.

3. _____ aureliane che circondano Roma furono costruite dall'Imperatore Aureliano
   tra il 270 e il 275 d. C. e, con il loro percorso di oltre 18 km, sono ancora oggi _____
   antiche più lunghe e meglio conservate al mondo.

4. Il centro storico di Genova è uno dei più grandi e caratteristici d'Europa, con i suoi tanti
   _____ stretti sembra un labirinto in cui ci si può perdere facilmente.
   Queste stradine a Genova hanno un nome particolare: carruggi.

5. Piazza Umberto I a Capri è chiamata anche _____ .

▶II 2.10 ### 8. Conoscere l'Italia

Ascoltate le descrizioni dei seguenti monumenti ed edifici e completate la tabella.

	nome	luogo	costruito nel secolo	almeno una caratteristica
1				
2				
3				
4				

UNITÀ 8

9. Come se...

Completate le frasi con il congiuntivo imperfetto o trapassato dei verbi indicati.

1. Da quando è diventato ricercatore, Michele si comporta come se (diventare) _____ il rettore dell'università.

2. Fra un po' devo tornare a Berlino. Sono cinque anni che vivo a Roma, ma è come se (arrivare) _____ ieri.

3. Io e Susi ci conosciamo da pochi mesi, eppure è come se (conoscersi) _____ da sempre.

4. Ho una fame mostruosa! È come se non (mangiare) _____ da tre giorni.

5. Fabio è proprio arrogante. Parla sempre come se (sapere) _____ tutto lui.

6. Manuela ha vissuto un anno a New York eppure non si ricorda niente. È come se non ci (essere / mai) _____ .

10. Volontari al servizio della cultura

a. Completate l'articolo con le parti mancanti che trovate sotto.

I NUMERI DELL'INDUSTRIA CULTURALE IN ITALIA: UN ESERCITO DI OLTRE 800MILA VOLONTARI AL SERVIZIO DEL PATRIMONIO

L'Italia riesce solo in minima parte a valorizzare il suo ricco patrimonio culturale. E, nel farlo, 1) _____ che operano nel settore della valorizzazione e della tutela dei beni culturali. Sono più di 7 mila le donne e gli uomini di tutte le età che mettono a disposizione del FAI 2) _____ disponibili per aprire al pubblico i Beni e a prendersene cura. E più di 25.000 gli apprendisti ciceroni coinvolti fino ad oggi. Il FAI non si occupa soltanto del patrimonio, ma lavora anche per 3) _____ , con un'attenzione particolare verso i giovani. Il volontariato culturale in Italia è un fenomeno dalle dimensioni inaspettate. Un esercito di oltre 800mila persone dedica parte del proprio tempo a 4) _____ per garantire l'apertura di luoghi altrimenti negati ai visitatori, per contribuire alla loro tutela e conservazione, per impegnarsi attivamente nella difesa dei beni culturali e del paesaggio. All'interno del solo no profit il valore aggiunto legato al bello e alla cultura sfiora il 10%. La funzione essenziale che il no profit può avere e già ha è quella dell'innovazione, dell'individuare nuovi bisogni e reinterpretarli. Sono volontari tanti pensionati, ma anche moltissimi giovani: per questi ultimi il volontariato culturale 5) _____ .

(adattato da: *I numeri dell'industria culturale in Italia: un esercito di oltre 800mila volontari al servizio del patrimonio* di Silvia Morosi, www.corriere.it, 30/11/2015)

a) entusiasmo, passione e competenze come volontari

b) può essere un canale d'inserimento nel mondo del lavoro

c) musei, chiese, siti archeologici, monumenti, beni artistici, parchi e riserve naturali

d) sensibilizzare gli italiani alla conoscenza, al rispetto e alla cura dell'arte e della natura

e) assumono un ruolo fondamentale i volontari e le associazioni

b. Rileggete l'articolo e indicate con una crocetta se le seguenti affermazioni sono vere o false.

	☺	☹
1. L'Italia è capace di valorizzare adeguatamente il proprio patrimonio culturale.	○	○
2. I volontari sono fondamentali per il settore culturale.	○	○
3. I volontari lavorano solo in ambito amministrativo.	○	○
4. Il settore del volontariato non è innovativo.	○	○
5. Per molti giovani il volontariato serve a entrare nel mercato del lavoro.	○	○

11. Passato prossimo o imperfetto? Scegliete la forma giusta.

Ho conosciuto / Conoscevo Stella l'anno scorso. Abitavo a Siena da due mesi, studiavo e prestavo servizio di volontariato presso un museo perché volevo fare un'esperienza in ambito culturale, un ambito di cui *sapevo / ho saputo* poco, ma mi interessava molto. Quando sono arrivato non *sapevo / ho saputo* benissimo l'italiano. Inoltre non *ho conosciuto / conoscevo* nessuno. Prima di partire *sapevo / ho saputo* delle difficoltà iniziali che hanno sempre tutti, ma ero veramente un po' perso. Per fortuna all'università sono stati tutti molto gentili e, grazie a un paio di organizzazioni studentesche, *ho conosciuto / conoscevo* altri studenti e ho cominciato a inserirmi nella vita universitaria. Poi *ho saputo / sapevo* che il Centro linguistico organizzava dei corsi d'italiano per gli studenti stranieri e così mi sono iscritto subito ad un corso. Al corso *ho conosciuto / conoscevo* moltissimi studenti stranieri. Ma *sapevo / ho saputo* che per imparare bene l'italiano sarebbe stato meglio conoscere qualche italiano. Dopo qualche tempo *sapevo / ho saputo* dalla mia insegnante che una studentessa italiana cercava uno studente tedesco per fare un tandem tedesco-italiano. E così *ho conosciuto / conoscevo* Stella, la mia attuale ragazza. Lei *sapeva / ha saputo* già bene il tedesco, ma lo voleva migliorare per fare un master di un anno a Berlino. Grazie a me *ha conosciuto / conosceva* un sacco di persone a Berlino e si è integrata perfettamente.

12. Lacrime di coccodrillo

Completate le frasi del periodo ipotetico del terzo tipo con il congiuntivo trapassato e il condizionale passato.

1. Ieri è stata una serata noiosissima! Mentre stavo guardando un film demenziale
   alla TV mi sono addormentato. Se non ~~mi fossi addormentato~~ davanti   addormentarsi
   alla televisione ~~sarei andato~~ al concerto con gli altri e   andare
   ~~mi sarei divertito.~~ .   divertirsi

2. All'esame di storia Marco ha preso un voto bruttissimo. Ovvio! Invece di studiare
   usciva tutte le sere con i suoi amici. Se Marco ~~fosse uscito~~   uscire
   un po' di meno e ~~avesse studiato~~ di più, probabilmente   studiare
   ~~avrebbe preso~~ un voto migliore.   prendere

3. I tuoi hanno ragione! Ma perché non gli hai detto del fine settimana a Londra?
   Se gli _____ la verità, non _____   dire   arrabbiarsi
   così.

4. Ecco. Adesso siamo completamente al verde!! Se _____   noi / fare
   delle vacanze meno lunghe, non _____ così tanti soldi.   noi / spendere

5. Patrizia si lamenta della sua giornata di ieri. Una giornata da dimenticare!

    Se ieri non _____ alla conferenza della prof.ssa Porta,

    non _____ da morire e _____

    per la lezione.

andare
annoiarsi   prepararsi

6. Monica e Federico hanno perso l'aereo per Berlino. Se _____

    prima e non _____ tanto traffico,

    _____ in tempo!

partire
trovare
fare

---

13. **Se, se, se... Se mio nonno avesse le ruote, sarebbe una carriola.**

Completate le frasi con il verbo al modo e al tempo giusto. Attenzione al tipo di periodo ipotetico!

1. Se partissimo subito, (arrivare) _____ in tempo per lo spettacolo.
2. Fabio non si sarebbe mai iscritto alla facoltà di Giurisprudenza, se suo padre non (essere)
   _____ un avvocato famoso.
3. Se fossi rimasta in Italia, probabilmente (sposarsi) _____ e (avere)
   _____ dei figli.
4. Se passi per Roma, (telefonare) _____ a Gianluca, così lo saluti da parte mia.
5. Se a Capodanno i miei (andare) _____ via, organizzerò una bella festa a casa mia.
6. Se Valentina non avesse vissuto tanto tempo a Parigi, non (ottenere) _____
   il posto all'Istituto di cultura francese di Roma.
7. Se avessi dieci anni in meno, (dovere) _____ ancora fare l'esame di maturità.
8. Lorenzo, se esci, (comprare) _____ il latte perché è finito.
9. Se voi non (andare) _____ così veloci, avreste visto il cartello!
10. Se Ugo e Caterina (laurearsi) _____ l'anno prossimo, faranno una bella festa
    insieme.
11. Se ieri sera Max non (uscire) _____ , questa mattina non avrebbe avuto
    tante difficoltà a svegliarsi.

---

14. **Riflettiamo sulla lingua.**

a. Abbinate la frase al tipo di periodo ipotetico indicato.

1. Se continua a piovere, non esco.
2. Se abitassi in Italia, probabilmente parlerei meglio l'italiano. ....
3. Se mi farai il tiramisù, lo mangerò volentieri. ....
4. Se Valeria avesse studiato giurisprudenza, non sarebbe diventata una ballerina famosa. ....
5. Se fossi un fiore, sarei una margherita. ....
6. Se vai in Sicilia, portami per favore il pesto al pistacchio. ....

a) ipotesi reale (esprime qualcosa di probabile nel presente o nel futuro)

b) ipotesi possibile (esprime qualcosa che potrebbe essere, anche se non è probabile)

c) ipotesi impossibile (esprime qualcosa di impossibile)

d) ipotesi irrealizzabile (esprime qualcosa di passato e quindi non più realizzabile)

b. Riassumiamo: quali modi e tempi verbali si usano...?

1. ...per esprimere qualcosa di probabile (nel presente o nel futuro)?
2. ...per esprimere qualcosa di possibile, anche se improbabile, o qualcosa di impossibile?
3. ...per esprimere qualcosa di irrealizzabile, in quanto riferito al passato?

15. Mail... piene di ipotesi

Tra Lorenzo e Valeria c'è un breve scambio di mail. Completate con i verbi mancanti.
Attenzione all'uso dei modi e dei tempi.

Cara Valeria,

come stai? Se non mi facessi sentire io, tu non (scrivere) _____ mai, eh? Senti,
hai già organizzato qualcosa per il prossimo marzo? Io sarò in Italia, a Roma, per le giornate del FAI
perché lavorerò come guida! E, visto che starò in Italia un po', (io / essere) _____
contentissimo se venissi anche tu, così potremmo finalmente rivederci! Scusa se te lo scrivo
solo ora, ma me l'hanno confermato ieri. Se me l'avessero detto prima, ovviamente, ti (scrivere)
_____ subito perché so che hai sempre un sacco di cose da fare... Però ho pensato
di avvisarti ugualmente, perché so che sei un'appassionata di arte e architettura e così se (riuscire)
_____ a venire, potresti vedere moltissimi posti interessanti che normalmente
non sono aperti al pubblico. Ovviamente, se (tu / decidere) _____ di venire, non
(avere) _____ problemi di alloggio perché potresti stare da me. Mi raccomando!
Pensaci e guarda che mi piacerebbe un sacco se (avere) _____ tempo di venire,
così finalmente staremmo un po' insieme 😊!
Lorenzo

Ciao Lorenzo!!

Che bella idea!! Grazie dell'invito, ma è un po' tardi 😞. Se l'avessi saputo prima, (organizzarsi)
_____ e (venire) _____. Purtroppo proprio in quel periodo
molto probabilmente farò uno stage agli Uffizi di Firenze. Sai, sto finendo l'università e mi piacerebbe lavorare in un museo importante. Se mi confermassero il tirocinio in quel periodo, sicuramente
non (potere) _____ prendermi dei giorni di vacanza. Senti, ma se il fine settimana successivo (essere) _____ ancora a Roma, potresti fare tu un salto a Firenze.
Lo sai che se vuoi, (potere) _____ sempre dormire da me. Se poi quel fine settimana (esserci) _____ bel tempo, potremmo anche organizzare una gita a Fiesole
che è bellissima in primavera!!! Cavolo, però, se me l' (scrivere) _____ prima,
(venire) _____ sicuramente! Che peccato 😞! E comunque, se decidi poi di venire
a Firenze, (dire a me) _____ con un po' di anticipo, così mi organizzo!
Un abbraccio e a presto
Valeria

---

16. Campo estivo del FAI. Leggete il brano e rispondete alle domande.

Parco Villa Gregoriana

Boschi, sentieri, resti antichi, grotte naturali, un fiume inghiottito nella roccia e una spettacolare cascata: poco distante da Roma, ai piedi dei famosi templi romani di Tivoli, Parco Villa Gregoriana è il parco romantico voluto da Papa Gregorio XVI nella prima metà dell'Ottocento. Un luogo incantato che ha incarnato l'estetica della cultura romantica e ha da sempre attirato la curiosità e stimolato la creatività di viaggiatori ed artisti, dai tempi più remoti al celebratissimo periodo del Grand Tour. I ragazzi avranno l'opportunità di tornare indietro nel tempo e prendersi cura di un luogo così ricco di arte e natura: ogni giorno potranno imparare aspetti diversi della gestione di un bene culturale, dall'accoglienza ai visitatori, alla gestione del bookshop fino all'assistenza alle visite, con incontri di formazione sul management, il marketing e la comunicazione, oltre che sugli aspetti storico-artistici del luogo. Ci sarà anche da sporcarsi le mani, aiutando i giardinieri nella manutenzione giornaliera di viali e sentieri.

(adattato da: www.fondoambiente.it)

Vero o falso?

		😊	🙁
1.	Il Parco Villa Gregoriana è lontano da Roma.	○	○
2.	Nel parco ci sono anche dei templi romani.	○	○
3.	È un parco creato nel 1850 circa.	○	○
4.	Il parco ha ispirato anche artisti.	○	○

5. Quali di questi compiti sono previsti per chi partecipa al campo?
- ○ dare il benvenuto ai visitatori
- ○ fare la guida turistica nel parco
- ○ aiutare a sistemare i giardini
- ○ raccogliere fondi
- ○ svolgere lavori d'ufficio
- ○ organizzare attività per i bambini
- ○ occuparsi della libreria
- ○ partecipare a degli incontri sugli aspetti storico-artistici del luogo

Lo sapevate che...?

E per finire ciao. La parola ciao, molto conosciuta anche al di fuori dell'Italia, deriva dal dialetto veneziano. La formula di saluto schiavo suo o schiavo vostro deriva dal tardo latino sclavus, pronunciato in veneziano s'cia(v)o, da cui si è sviluppata infine la forma di saluto ciao, ancora oggi viva e usatissima.
Ciao si adotta anche in molte altre lingue forse perché è un saluto comodo: in italiano si usa incontrandosi e congedandosi, in altre lingue, come per esempio il tedesco, solo congedandosi.
È una parola che denota generalmente un atteggiamento simpatico e sorridente che gode sempre di ottima popolarità. In latino la parola per indicare lo schiavo in realtà era servus, parola che, ancora oggi, si utilizza come formula di saluto in molte zone di lingua tedesca.

ALMA Edizioni

VERBI	presente	imperfetto	passato pross.	passato remoto	futuro sempl.	condizionale	congiuntivo	imperativo
andare	vado, vai, va, andiamo, andate, vanno	andavo	sono andato/-a	andai, andasti	andrò	andrei	vada, andiamo, andiate, vadano	va'/vai, vada
aprire	apro, apri, apre, apriamo, aprite, aprono	aprivo	ho aperto	aprii, apristi	aprirò	aprirei	apra, apriamo, apriate, aprano	apri, apra
avere	ho, hai, ha, abbiamo, avete, hanno	avevo	ho avuto	ebbi, avesti	avrò	avrei	abbia, abbiamo, abbiate, abbiano	abbi, abbia, abbiate
bere	bevo, bevi, beve, beviamo, bevete, bevono	bevevo	ho bevuto	bevvi, bevesti	berrò	berrei	beva, beviamo, beviate, bevano	bevi, beva
capire	capisco, capisci, capisce, capiamo, capite, capiscono	capivo	ho capito	capii, capisti	capirò	capirei	capisca, capiamo, capiate, capiscano	capisci, capisca
cercare	cerco, cerchi, cerca, cerchiamo, cercate, cercano	cercavo	ho cercato	cercai, cercasti	cercherò	cercherei	cerchi, cerchiamo, cerchiate, cerchino	cerca, cerchi
chiedere	chiedo, chiedi, chiede, chiediamo, chiedete, chiedono	chiedevo	ho chiesto	chiesi, chiedesti	chiederò	chiederei	chieda, chiediamo, chiediate, chiedano	chiedi, chieda
chiudere	chiudo, chiudi, chiude, chiudiamo, chiudete, chiudono	chiudevo	ho chiuso	chiusi, chiudesti	chiuderò	chiuderei	chiuda, chiudiamo, chiudiate, chiudano	chiudi, chiuda

VERBI IRREGOLARI

VERBI	presente	imperfetto	passato pross.	passato remoto	futuro sempl.	condizionale	congiuntivo	imperativo
conoscere	conosco, conosci, conosce, conosciamo, conoscete, conoscono	conoscevo	ho conosciuto	conobbi, conoscesti	conoscerò	conoscerei	conosca, conosciamo, conosciate, conoscano	conosci, conosca
dare	do, dai, dà, diamo, date, danno	davo	ho dato	diedi/detti, desti	darò	darei	dia, diamo, diate, diano	da'/dai, dia
decidere	decido, decidi, decide, decidiamo, decidete, decidono	decidevo	ho deciso	decisi, decidesti	deciderò	deciderei	decida, decidiamo, decidiate, decidano	decidi, decida
dire	dico, dici, dice, diciamo, dite, dicono	dicevo	ho detto	dissi, dicesti	dirò	direi	dica, diciamo, diciate, dicano	di', dica
dovere	devo, devi, deve, dobbiamo, dovete, devono	dovevo	ho dovuto	dovetti/dovei, dovesti	dovrò	dovrei	debba, dobbiamo, dobbiate, debbano	
essere	sono, sei, è, siamo, siete, sono	ero	sono stato/-a	fui, fosti	sarò	sarei	sia, siamo, siate, siano	sii, sia, siate
fare	faccio, fai, fa, facciamo, fate, fanno	facevo	ho fatto	feci, facesti	farò	farei	faccia, facciamo, facciate, facciano	fa'/fai, faccia
leggere	leggo, leggi, legge, leggiamo, leggete, leggono	leggevo	ho letto	lessi, leggesti	leggerò	leggerei	legga, leggiamo, leggiate, leggano	leggi, legga

ALMA Edizioni

VERBI	presente	imperfetto	passato pross.	passato remoto	futuro sempl.	condizionale	congiuntivo	imperativo
mettere	metto, metti, mette, mettiamo, mettete, mettono	mettevo	ho messo	misi, mettesti	metterò	metterei	metta, mettiamo, mettiate, mettano	metti, metta
piacere	piace, piacciono	piaceva	è piaciuto/-a, sono piaciuti/-e	piacque, piacquero	piacerà	piacerebbe	piaccia, piacciano	
potere	posso, puoi, può, possiamo, potete, possono	potevo	ho potuto	potei/potetti, potesti	potrò	potrei	possa, possiamo, possiate, possano	
prendere	prendo, prendi, prende, prendiamo, prendete, prendono	prendevo	ho preso	presi, prendesti	prenderò	prenderei	prenda, prendiamo, prendiate, prendano	prendi, prenda
rimanere	rimango, rimani, rimane, rimaniamo, rimanete, rimangono	rimanevo	sono rimasto/-a	rimasi, rimanesti	rimarrò	rimarrei	rimanga, rimaniamo, rimaniate, rimangano	rimani, rimanga
riuscire	riesco, riesci, riesce, riusciamo, riuscite, riescono	riuscivo	sono riuscito/-a	riuscii, riuscisti	riuscirò	riuscirei	riesca, riusciamo, riusciate, riescano	
sapere	so, sai, sa, sappiamo, sapete, sanno	sapevo	ho saputo	seppi, sapesti	saprò	saprei	sappia, sappiamo, sappiate, sappiano	sappi, sappia, sappiate
scegliere	scelgo, scegli, sceglie, scegliamo, scegliete, scelgono	sceglievo	ho scelto	scelsi, scegliesti	sceglierò	sceglierei	scelga, scegliamo, scegliate, scelgano	scegli, scelga

VERBI IRREGOLARI

VERBI	presente	imperfetto	passato pross.	passato remoto	futuro sempl.	condizionale	congiuntivo	imperativo
scoprire	scopro, scopri, scopre, scopriamo, scoprite, scoprono	scoprivo	ho scoperto	scoprii, scopristi	scoprirò	scoprirei	scopra, scopriamo, scopriate, scoprano	scopri, scopra
sedere	siedo, siedi, siede, sediamo, sedete, siedono	sedevo	sono seduto/-a	sedei, sedesti	siederò	siederei	sieda, sediamo, sediate, siedano	siedi, sieda
stare	sto, stai, sta, stiamo, state, stanno	stavo	sono stato/-a	stetti, stesti	starò	starei	stia, stiamo, stiate, stiano	sta'/stai, stia
succedere	succede, succedono	succedeva	è successo/-a	successe, successero	succederà	succederebbe	succeda, succedano	
tenere	tengo, tieni, tiene, teniamo, tenete, tengono	tenevo	ho tenuto	tenni, tenesti	terrò	terrei	tenga, teniamo, teniate, tengano	tieni, tenga
uscire	esco, esci, esce, usciamo, uscite, escono	uscivo	sono uscito/-a	uscii, uscisti	uscirò	uscirei	esca, usciamo, usciate, escano	esci, esca
vedere	vedo, vedi, vede, vediamo, vedete, vedono	vedevo	ho visto	vidi, vedesti	vedrò	vedrei	veda, vediamo, vediate, vedano	vedi, veda
venire	vengo, vieni, viene, veniamo, venite, vengono	venivo	sono venuto/-a	venni, venisti	verrò	verrei	venga, veniamo, veniate, vengano	vieni, venga
vivere	vivo, vivi, vive, viviamo, vivete, vivono	vivevo	sono vissuto/-a, ho vissuto	vissi, vivesti	vivrò	vivrei	viva, viviamo, viviate, vivano	vivi, viva
volere	voglio, vuoi, vuole, vogliamo, volete, vogliono	volevo	ho voluto	volli, volesti	vorrò	vorrei	voglia, vogliamo, vogliate, vogliano	

ALMA Edizioni

Verbi importanti con il pronome diretto

aiutare qd	guardare qd / qc	seguire qd / qc
ascoltare qd / qc	guidare qd / qc	sentire qd / qc
aspettare qd / qc	iniziare qc	sognare qd / qc
cambiare qd / qc	mettere qc	sposare qd
cercare qd / qc	ricordare qd / qc	suonare qc
chiamare qd	ringraziare qd	tagliare qc
cominciare qc	salutare qd	tenere qd / qc
desiderare qd / qc	sapere qc	vedere qd / qc
dimenticare qd / qc	sbagliare qc	vincere qc
frequentare qc	scegliere qd / qc	visitare qc
finire qc	scusare qd / qc	

Verbi importanti con il pronome indiretto con preposizione

chiedere a qd	iscriversi a qc	rispondere a qd / qc
credere a qd / qc	occuparsi di qd / qc	sembrare a qd
dedicarsi a qd / qc	parere a qd	sposarsi con qd
domandare a qd	piacere a qd	succedere a qd
giocare a qc	parlare di qd / qc	telefonare a qd
interessare a qd	ricordarsi di qd / qc	voler bene a qd

Verbi importanti con il pronome diretto e indiretto con preposizione

chiedere qc a qd	insegnare qc a qd	raccontare qc a qd
concedere qc a qd	mandare qc a qd	regalare qc a qd
consigliare qc a qd	mostrare qc a qd	ripetere qc a qd
dare qc a qd	offrire qc a qd	ringraziare qd per qc
dire qc a qd	ordinare qc a qd	scrivere qc a qd
domandare qc a qd	parlare a qd di qd / qc	spedire qc a qd
donare qc a qd	presentare qd / qc a qd	spiegare qc a qd
imparare qc da qd		

Costruzione con l'infinito

Verbo + infinito

amare	occorre	preferire
bisogna	piacere	sapere
desiderare	potere	volere
dovere		

Verbo+ a + infinito

andare	iniziare	provare
aiutare	insegnare	riuscire
cominciare	invitare	spingere
imparare		

Verbo + di + infinito

accontentarsi	immaginare	sperare
cercare	occuparsi	avere bisogno
chiedere	promettere	avere voglia
consigliare	proporre / proporsi	essere capace
finire	scegliere	essere soddisfatto

LA CONCORDANZA DEI TEMPI

1. La concordanza dei tempi all'indicativo

a. Frase reggente in una forma temporale del presente

La scelta del tempo verbale nella frase secondaria dipende sia dal tempo
della frase principale che dal rapporto temporale tra la frase principale
e quella secondaria (anteriorità, contemporaneità, posteriorità).

frase principale	frase secondaria	
So	che Laura	ieri **è andata** al mare.
		andò al mare solo una volta, nel 1930.
		da bambina **andava** sempre al mare.
		da bambina **era** timida.
		va al mare ogni anno.
		andrà al mare anche il prossimo anno.

Se nella frase principale si trova un verbo in uno di questi tempi e modi: presente,
futuro, passato prossimo, imperativo, allora nella frase secondaria si usano i seguenti tempi:

▸ per indicare anteriorità → passato prossimo / passato remoto / imperfetto
   (la scelta di uno di questi tempi si fa invece in base a quanto detto nelle Unità 2 e 6)
▸ per indicare contemporaneità → indicativo presente
▸ per indicare posteriorità → futuro semplice
   Se si tratta di un futuro imminente si può usare al posto del futuro semplice l'indicativo presente.

Osservate:
Ho saputo che Laura è ancora al mare.
Ho saputo che Laura ieri **è andata** al mare.

Il passato prossimo appartiene al gruppo dei tempi presenti quando esprime un passato molto vicino.

b. Frase reggente in una forma temporale del passato

Frase principale		Frase secondaria
Vidi		mia sorella **era dimagrita**.
Le **spiegò**	che	**ero** una brava bambina.
Gli **avevano promesso**		**sarebbero tornati** in Cina.

Se nella frase principale si trova un verbo al passato (passato prossimo, imperfetto,
trapassato prossimo, passato remoto) allora nella frase secondaria si usano le seguenti forme temporali:

▸ per indicare anteriorità → trapassato prossimo
▸ per indicare contemporaneità → imperfetto
▸ per indicare posteriorità → condizionale passato

ALMA Edizioni

2. La concordanza dei tempi al congiuntivo

a. Frase reggente in una forma temporale del presente

Analogamente alla concordanza dei tempi all'indicativo, anche al congiuntivo
la scelta nella frase secondaria dipende sia dal tempo della frase principale
che dal rapporto temporale tra la frase principale e secondaria.

Frase principale	Frase secondaria	
Penso	che Laura	ieri **sia andata** al mare.
		sia andata al mare solo una volta, nel 1930.
		da bambina **andasse** sempre al mare.
		da bambina **fosse** timida.
		vada al mare ogni anno.
		andrà al mare anche il prossimo anno.

Se la frase principale è al presente, si usano nella frase secondaria i tempi seguenti:

▶ per indicare anteriorità → congiuntivo passato / imperfetto
▶ per indicare contemporaneità → congiuntivo presente
▶ per indicare posteriorità → indicativo futuro

Osservate:
Credo che il nonno di Mario **sia nato** nel 1920.
Penso che fra dieci anni **diventerò** traduttore.
Carlo spera che Maria **arrivi** puntuale.

▶ Il congiuntivo non ha il passato remoto, per cui per esprimere azioni che si sono svolte
in un passato molto lontano, si usa il congiuntivo passato.
▶ Il congiuntivo non ha il futuro, per cui si usa l'indicativo futuro per esprimere posteriorità
con i verbi che reggono il congiuntivo. Quando si tratta di un futuro imminente si usa invece
il congiuntivo presente.

b. Frase reggente al passato

Frase principale	Frase secondaria	
Riteneva		il carico di turisti **avesse superato** il limite.
Ho pensato	che	quello **fosse** il futuro.
Non **pensavo**		**sarebbe rimasto** qui molto.

Se nella frase principale il verbo è al passato, si usano nella frase secondaria le forme temporali seguenti:

▶ per indicare anteriorità → congiuntivo trapassato
▶ per indicare contemporaneità → congiuntivo imperfetto
▶ per indicare posteriorità → condizionale passato

Per indicare posteriorità si può usare anche il congiuntivo imperfetto (vedi Lezione 7).

IL DISCORSO INDIRETTO

1. Frase reggente al presente

Marina: «Matteo, Alice viene al cinema con *noi*.»
Marina **dice / ha detto** a Matteo **che** Alice **va** al cinema con *loro*.

Matteo: «Mentre (*io*) tornavo a casa, ho incontrato Paolo e Francesca.»
Matteo **dice / ha detto che** mentre (*lui*) **tornava** a casa **ha incontrato** Paolo e Francesca.

Mario: «*Qui*, in *questi* borghi, mi sento come se fossi a casa *mia*.»
Mario **dice / ha detto che** lì, in *quei* borghi, **si sente** come se **fosse** a casa *sua*.

▸ Il discorso indiretto viene introdotto da un verbo al presente (**dire, raccontare, rispondere**) + **che**.
▸ L'uso delle forme temporali nel discorso indiretto segue la regola della concordanza dei tempi.
  Quando il verbo della frase reggente è al presente, futuro o passato prossimo – riferito
  ad un passato molto imminente – la forma temporale del discorso indiretto rimane uguale
  a quella della frase del discorso diretto.
▸ La persona del verbo cambia a seconda del contesto.
▸ Nel passaggio tra discorso diretto a quello indiretto possono avvenire altri cambiamenti
  a seconda del contesto. Questi interessano:

i pronomi personali soggetto, per es. io → lui/lei
i pronomi personali oggetto, per es. noi → loro
i pronomi riflessivi, per es. mi sento → si sente
gli aggettivi possessivi, per es. a casa mia → a casa sua

gli avverbi di luogo, per es. qui/qua → lì/là
gli aggettivi dimostrativi, per es. questo → quello
alcuni verbi particolari, per es. venire → andare

2. Frase reggente al passato

Mio padre disse: «*Questa* è la trave portante, *qui* è tranquillo.»
Mio padre disse che *quella* **era** la trave portante e che *lì* **era** tranquillo.

Dissi a mia madre: «Katia **è scesa**.»
Dissi a mia madre che Katia **era scesa**.

Mia madre disse: «Nessuno può prevedere niente, perché quello che deve ancora succedere
non si sa come **succederà**.»
Mia madre disse che nessuno poteva prevedere niente perché quello che doveva ancora
succedere non si sapeva come **sarebbe successo**.

Dissi a mia madre: «Giorgio *ieri* non **stava** bene.»
Dissi a mia madre che Giorgio *il giorno prima* non **stava** bene.

Il dietologo mi disse: «**Mangiando** di meno, **potrebbe** dimagrire.»
Il dietologo mi disse che **mangiando** di meno **avrei potuto** dimagrire.

L'uso della forma temporale segue anche qui la regola della concordanza dei tempi.
Se nella frase principale il verbo è al passato, si segue lo schema seguente:

▸ presente → imperfetto (anche al congiuntivo)
▸ passato prossimo → trapassato prossimo (anche al congiuntivo)
▸ futuro → condizionale passato
▸ condizionale presente → condizionale passato

Osservate: imperfetto (anche al congiuntivo) e gerundio non cambiano.

Mia sorella disse: «**Se imparo** l'inglese, **posso fare** un semestre Erasmus a Londra.»
                        «**Se imparassi** l'inglese, **potrei fare** un semestre Erasmus a Londra.»
                        «**Se avessi imparato** l'inglese, **avrei potuto fare** un semestre Erasmus a Londra.»
Mia sorella disse che **se avesse imparato** l'inglese, **avrebbe potuto fare** un semestre Erasmus a Londra.

Per qualsiasi tipo di periodo ipotetico, nel discorso indiretto si usa sempre
il congiuntivo trapassato + condizionale passato.

Mi disse: «L'Italia **è** un Paese ricco di bellezze artistiche.»
Mi disse che l'Italia **è** un Paese ricco di bellezze artistiche.

La forma temporale non cambia se un'affermazione è di validità generale o senza tempo.

Anche gli avverbi di tempo subiscono alcuni cambiamenti:

oggi → quel giorno   l'anno scorso → l'anno prima / precedente
ieri → il giorno prima / precedente   l'anno prossimo → l'anno dopo / successivo
domani → il giorno dopo / successivo   fra un mese → il mese dopo
adesso / ora → allora   un mese fa → il mese prima

3. Il discorso indiretto all'imperativo

Farmacista: «**Prenda** lo sciroppo ogni quattro ore.»
Il farmacista dice / ha detto **di prendere** lo sciroppo ogni quattro ore.

Quando il discorso indiretto è all'imperativo, questo si esprime nella frase secondaria indiretta
con **di** + infinito.

4. L'interrogativa indiretta

Paolo e Francesca mi **hanno chiesto** *se* andiamo al cinema con loro.
Chiesi a mio padre *che cosa* stesse succedendo.

L'interrogativa indiretta vine introdotta dai verbi **chiedere, domandare, non sapere, non capire** ecc.
così come da avverbi e congiunzioni interrogativi quali **che cosa, perché, chi, quando, come, dove, se.**
L'uso dei tempi segue la regola della concordanza dei tempi.

L'interrogativa indiretta può essere espressa sia dall'indicativo che dal congiuntivo.
La scelta del modo dipende soprattutto dallo stile. L'indicativo viene usato perlopiù nella lingua parlata,
il congiuntivo nella lingua scritta. Con il congiuntivo si esprime soprattutto insicurezza e dubbio.

PRONOMI

1. I pronomi personali soggetto

singolare	io
	tu
	lui/lei/Lei
plurale	noi
	voi
	loro

Mi chiamo Enrica e sono di Firenze.
A che ora vai all'università?

I pronomi personali soggetto vengono normalmente omessi, poiché il verbo con la sua desinenza già fornisce le informazioni relative a persona e numero (si veda il punto 3c).

2. I pronomi riflessivi

		alzarsi
singolare	(io)	mi alzo
	(tu)	ti alzi
	(lui/lei/Lei)	si alza
plurale	(noi)	ci alziamo
	(voi)	vi alzate
	(loro)	si alzano

A che ora **ti** alzi la mattina? Non **mi** alzo tardi normalmente, ma stamattina **mi** sono alzato alle 10.

I pronomi riflessivi accompagnano i verbi riflessivi e si trovano davanti al verbo coniugato.
La negazione **non** si trova davanti al pronome riflessivo.

Domani **mi** devo alzare presto.
Domani devo alzar**mi** presto.

Se un verbo modale precede un verbo riflessivo il pronome riflessivo si trova prima del verbo modale oppure unito all'infinito. In questo caso cade la -**e** dell'infinito (vedi la regola della posizione del pronome al punto 5).

3. I pronomi personali complemento oggetto

a. I pronomi indiretti atoni

Singular	mi
	ti
	gli
	le
	Le
Plural	ci
	vi
	gli

Mi piace la musica.
Anna **mi** ha scritto un'e-mail ma io non **le** ho risposto.

I pronomi indiretti atoni sono usati in combinazione con verbi che richiedono un oggetto indiretto oppure quando questo sia già stato nominato.
I pronomi indiretti si trovano davanti al verbo coniugato.
La negazione non si trova davanti al pronome.
I pronomi non vengono mai apostrofati.

Le devo rispondere.
Devo risponder**le**.

Se il pronome accompagna un verbo modale allora lo si trova davanti al verbo stesso, oppure unito all'infinito. In questo caso cade la -**e** dell'infinito (vedi la regola della posizione del pronome al punto 5).

b. I pronomi diretti atoni

singolare	mi
	ti
	lo
	la
	La
plurale	ci
	vi
	li
	le

Lei va in Piazza Nettuno, **la** attraversa ed è già
in Piazza Maggiore.
Dov'è Roberto? – Non **lo** so.

I pronomi diretti si usano per sostituire un oggetto già nominato
in precedenza. Si trovano davanti al verbo coniugato.
La negazione **non** si trova davanti al pronome.

Non **lo** voglio vedere
Non voglio veder**lo**.

Quando il pronome accompagna un verbo modale, lo si trova davanti al verbo oppure unito all'infinito.
In questo caso cade la -**e** dell'infinito (vedi la regola della posizione del pronome al punto 5).

Franca non è ancora arrivata, **l'**aspetto da un'ora.
E Paolo? – **L'**ho chiamato, ma non risponde.

Lo e **la** vengono apostrofati davanti a parole che iniziano per vocale o per **h**.

c. Pronomi tonici

	soggetto	oggetto
singolare	io	me
	tu	te
	lui/lei/Lei	lui/lei/Lei
plurale	noi	noi
	voi	voi
	loro	loro

Accanto alla forma atona i pronomi
hanno anche una forma tonica.

I pronomi tonici vengono usati per:

mettere in risalto una persona o una cosa;	Io non vado mai in discoteca, e **tu**?
	Conosci i Rossi? – Conosco solo **lui**.
in una contrapposizione;	Vi piace la pizza? – A **me** sì, a **lui** no.
	Hanno chiamato **me**, non **te**.
dopo preposizioni;	Chi viene al cinema con **me**?
	Secondo **te** chi vince il campionato?
	La routine quotidiana è una condanna per **lei**.
quando seguiti da un altro complemento oggetto.	Ho visto **lui** e sua moglie.

I pronomi tonici possono trovarsi sia davanti al verbo coniugato che dopo.
Possono essere usati anche senza verbo.

PRONOMI

4. Pronomi combinati

	lo	la	li	le	ne
mi	me lo	me la	me li	me le	me ne
ti	te lo	te la	te li	te le	te ne
gli/le	glielo	gliela	glieli	gliele	gliene
ci	ce lo	ce la	ce li	ce le	ce ne
vi	ve lo	ve la	ve li	ve le	ve ne
gli	glielo	gliela	glieli	gliele	gliene

I pronomi combinati sono formati da due pronomi atoni, uno indiretto e uno diretto.
Osservate: al pronome indiretto segue sempre il pronome diretto.
La combinazione può risultare anche da un pronome indiretto e la particella pronominale **ne**.

Mi diventa **me** e viene scritto separato da **lo**, **la**, **li**, **le** e **ne**.
Così come **ti** → **te**, **ci** → **ce** e **vi** → **ve**.
Gli e **le** diventano **glie-** e si uniscono a **lo**, **la**, **li**, **le** e **ne**.

Mi lavo sempre le mani prima di mangiare. → **Me le** lavo sempre prima di mangiare.

Se un pronome riflessivo viene unito ad un pronome diretto atono, la **i** si trasforma in **e**.

Piero si dimentica spesso le chiavi di casa. → Piero **se le** dimentica spesso.

Con i verbi riflessivi si hanno alla terza persona singolare e plurale le forme **se lo**, **se la**, **se li**, **se le**, **se ne**.

Scusa, mi presti la penna? – Non posso prestar**tela** / non **te la** posso prestare, è l'unica che ho.

All'infinito i pronomi combinati possono essere uniti al verbo oppure trovarsi davanti al verbo principale.

5. La posizione del pronome

a. Posizione proclitica

I pronomi precedono il verbo nei casi seguenti:

davanti a verbi coniugati, anche nel caso di verbi composti;	**Ti** chiamo stasera. Il caffè non **mi** piace. Quando vieni? – **Te lo** dico domani. Il film non **mi** è piaciuto.
davanti all'imperativo della forma di cortesia (**Lei**).	**Mi** scusi! **Me lo** dica, per favore!

b. Posizione enclitica

I pronomi formano un'unica parola con quella che precede nei seguenti casi:

con l'infinito (in questo caso cade la -e dell'infinito);	Sono contento di veder**ti**. Mi dispiace dir**telo**.
con l'imperativo affermativo della seconda persona singolare (**tu**) e plurale (**voi**) così come della prima persona plurale (**noi**);	Scusa**mi**! Dite**glielo**! Vediamo**ci** domani!
con il gerundio;	Alzando**si** Filippo pensava all'esame.
con **ecco**.	Dov'è il libro? – Ecco**lo**!

c. Posizione proclitica o enclitica

In questi casi i pronomi sono davanti o dietro al verbo:

con i verbi modali il pronome può stare sia davanti al verbo coniugato che essere unito all'infinito;	Domani **mi** devo alzare presto. / Domani devo alzar**mi** presto. Non **te lo** posso dire. / Non posso dir**telo**.
con la negazione dell'imperativo della seconda persona singolare (**tu**) e plurale (**voi**) e della prima persona plurale (**noi**) il pronome può stare sia prima che dopo l'infinito.	Non **lo** mangiare! / Non mangiar**lo**! Non **glielo** dite! / Non dite**glielo**! Non **lo** compriamo! / Non compriamo**lo**! Non **ne** parliamo! / Non parliamo**ne**!

PREPOSIZIONI

Le preposizioni uniscono i diversi elementi di una frase. In italiano si hanno le seguenti preposizioni: **di, a, da, in, con, su, per, tra / fra**. Le preposizioni articolate sono formate da un articolo determinativo e le preposizioni **di, a, da, in, su**.

+	il	lo	l'	la	i	gli	le
di	del	dello	dell'	della	dei	degli	delle
a	al	allo	all'	alla	ai	agli	alle
da	dal	dallo	dall'	dalla	dai	dagli	dalle
in	nel	nello	nell'	nella	nei	negli	nelle
su	sul	sullo	sull'	sulla	sui	sugli	sulle

Ogni preposizione assume funzioni diverse a seconda del contesto.
Per questa ragione si consiglia di imparare le preposizioni nelle espressioni in cui vengono utilizzate. Qui sotto trovate una sintesi delle preposizioni e delle loro funzioni più importanti nel livello B1/B2.

La preposizione di

▶ per definire più precisamente un luogo (+nome)	la città di Mantova l'isola di Pianosa
▶ per definire più precisamente una cosa	30 minuti di movimento ormoni del buonumore mal di schiena concerto del 1° maggio diario di viaggio diploma di maturità il tema del turismo turismo di massa piano di recupero
▶ per indicare appartenenza (cose o persone)	la terra dei miei nonni la casa di Olivia i genitori dei miei compagni di classe
▶ per indicare appartenenza (tempo, epoca)	le mamme degli anni Ottanta
▶ per indicare appartenenza (luogo)	il sindaco di Venezia una maga del quartiere
▶ per indicare un argomento	Si discute di numero chiuso... Capii che parlava di me.
▶ per indicare una quantità	quattro milioni di passeggeri
▶ in combinazione con più / meno nel comparativo	Pif è più divertente di Zalone. Alice è più esperta di me.
▶ in combinazione con alcuni aggettivi	Sono capace di lavorare in gruppo. Sono appassionato di arte.

▸ in combinazione con alcuni sostantivi	il bisogno di imparare il rispetto della natura la tutela del paesaggio
▸ in combinazione con alcuni verbi ed espressioni	Ho bisogno di riposo. Occupati del criceto! È importante che la legge tenga conto di tutti i modelli familiari.

La preposizione a

▸ per indicare modo	un film a colori accesso a numero chiuso Scappai a piedi nudi.
▸ per indicare frequenza	mezz'ora di sport al giorno otto mesi all'anno
▸ per indicare luogo	all'estero a scuola a una festa al lavoro un patrimonio culturale unico al mondo a Venezia a Capri
▸ per indicare i punti cardinali	a nord a sud a est a ovest
▸ in combinazione con alcuni aggettivi	Sono abituata al contatto con il pubblico. un turismo attento all'ambiente
▸ in combinazione con alcuni verbi, per esempio per formare un pronome indiretto	Telefona a un amico! Pensa alle relazioni sociali! Voglio imparare a cucinare. I giovani preferiscono la convi- venza al matrimonio. E voi credete a questi buffoni? Alle domande della maestra non rispondevo. La maestra mi spingeva a raccontare. Molti vengono a vedere il Festival della letteratura.

PREPOSIZIONI

La preposizione da

▶ per indicare fine o scopo	occhiali da sole occhiali da sub costume da bagno
▶ per indicare luogo riferendosi ad una persona	Sono /Vado dal dentista. da una parte … dall'altra parte

▶ per indicare provenienza	I prodotti provengono
	    da agricoltura sostenibile.
	    da aree in crisi.
	    dal carcere.

▶ per indicare l'agente in una costruzione con il passivo	Sono stata assunta dall'ospedale.
▶ per indicare distanza	da nord a sud
▶ in combinazione con un infinito (anche come indicazione di necessità)	Oggi ho molto da fare. un mondo da conservare nella memoria

La preposizione in

▶ per indicare il mezzo di trasporto
e il modo
	Viaggio in treno.
	    in aereo.
	    in macchina.
	    in bicicletta.
	    in nave.
	    in autostop.
	un film in bianco e nero

▶ per inidcare il decennio o il millennio	negli anni Ottanta nel Novecento / nel XX secolo
▶ per indicare moto o stato a luogo	in palestra in lungo e in largo in vacanza in banco con me in città in campagna in Rete in Internet in tutto il mondo
▶ in combinazione con alcuni aggettivi	Sono bravo in italiano.

La preposizione con

▶ per indicare unione o relazione	le persone con cui frequento il corso E la cultura, che cosa c'entra con l'industria?
▶ per indicare il modo	Me lo ha detto con tono stupito. ...disse mio padre con l'aria da architetto
▶ per indicare il mezzo di trasporto	Non è possibile raggiungere l'isola con le proprie barche.

La preposizione su

▶ indicazione di luogo	sulla carta geografica sul nostro pianeta su Internet sulle banchine
▶ indicazione di dati statistici	un italiano su tre
▶ indicare l'argomento	il dibattito sul numero chiuso
▶ in combinazione con alcuni verbi	Credo ci abbia riflettuto un po' su.

La preposizione per

▶ per indicare il motivo	Faccio sport per dovere. per motivi religiosi Vengono per l'eredità lasciata dai Gonzaga.
▶ per indicare il fine	un corso per principianti
▶ per indicare lo scopo	Faccio sport per tenermi in forma.
▶ per indicare stato e moto a luogo	girare per la città la navetta per il centro storico
▶ in combinazione con alcuni sostantivi	la cura per gli altri Ho una grande passione per la musica.
▶ in combinazione con alcuni aggettivi	Eravamo pronti per l'apertura.
▶ in combinazione con alcuni verbi	Ti ringrazio per l'informazione.

PREPOSIZIONI

La preposizione fra/tra

▸ per indicare un momento nel futuro	Incontriamoci fra due ore!
▸ per indicare distinzione	I confini fra la città e la campagna.
▸ per indicare l'appartenenza ad un gruppo o a una categoria	Tra i sostenitori del turismo a numero chiuso vi è Mario Tozzi.

Altre preposizioni

La preposizione durante

▸ durante in combinazione con sostantivi	E magari vi siete perse *Bella ciao* durante una pausa?

CONNETTORI

I connettori sono elementi di congiunzione che permettono di strutturare un testo in modo coerente.
Possono fungere da connettori le congiunzioni, i pronomi e gli avverbi.
Qui sotto una sintesi dei connettori più importanti per il livello B1/B2.

Alla fine

Alla fine introduce un elemento che si trova all'ultimo posto nella successione di più eventi.

Alla fine ogni gruppo presenta la sua statistica.

Anche se

Anche se introduce una restrizione.

Ci sono delle diversità, anche se un pezzo di società è contrario.

Anzi

Anzi esprime una contrapposizione oppure un potenziamento.

Sorridi! Anzi: ridi!

Crediamo che la felicità non si raggiunga unicamente tramite il profitto. Crediamo anzi
che la massima soddisfazione sia quella di poter fare ciò che veramente ci appassiona.

Cioè

Cioè introduce una spiegazione.

Movimento? Cioè: sport?!?

Dato che

Dato che introduce una motivazione.

Dato che fa bene alla salute, faccio un po' di movimento.

Dunque

Dunque può essere usato in diversi contesti:

▸ **Dunque** introduce una conseguenza.

Già allora, dunque, qualcuno riteneva che il carico di turisti avesse superato il limite.

▸ **Dunque** può introdurre una risposta.

Che domande fanno? – Beh, dunque, di solito si comincia con domande generiche.

Eppure

Eppure esprime una restrizione.

Spesso il consumatore non si chiede perché un prodotto costa poco. Eppure qualcosa sta cambiando.

Ad esempio / Per esempio

Ad / Per esempio introducono un esempio.

L'Enpa protegge e cura gli animali, ad esempio i cani abbandonati.

Finalmente

Finalmente esprime sollievo e soddisfazione di fronte ad un avvenimento che ha avuto luogo dopo lunga attesa.

Finalmente ho vinto un concorso per la mia regione.

In conclusione

In conclusione introduce una considerazione finale.

In conclusione, io sono favorevole / contrario al numero chiuso per i turisti.

Infatti

Infatti introduce un'aggiunta esplicativa.

Negli utimi trent'anni, infatti, il centro storico ha perso due terzi dei residenti.

Infine

Infine serve ad introdurre l'ultima informazione di una sequenza o l'ultimo punto di un'argomentazione.

Infine parlatene con tutta la classe.

Consideriamo, infine, un ultimo aspetto della questione.

CONNETTORI

Innanzi tutto / Prima di tutto

Innanzi tutto e **prima di tutto** servono ad introdurre l'ultima informazione di una sequenza o l'ultimo punto di un'argomentazione.

Innanzi tutto bisogna dire che il turismo crea posti di lavoro.

Il turismo sostenibile è importante prima di tutto per l'ambiente.

Inoltre

Inoltre aggiunge un elemento supplementare ad una lista o ad una descrizione.

Inoltre crediamo che la possibilità di muoversi liberamente sul nostro pianeta sia un diritto di tutti gli esseri umani.

In primo / secondo / terzo... ultimo luogo

In primo / secondo / terzo... ultimo luogo introducono argomenti in una sequenza logica in ordine di importanza.

Non sono d'accordo per diversi motivi.
In primo luogo...

Mentre

La coniugazione **mentre** si usa in combinazione con verbi e può avere diverse funzioni.

▸ **Mentre** può indicare la contemporaneità di due o più azioni.

   Mentre uno studiava una cartina enorme, l'altro cercava di scoprire dov'era il nord.

▸ **Mentre + imperfetto + passato prossimo** si usa per esprimere che un'azione al passato non è ancora conclusa mentre un'altra azione vi si sovrappone.

   Mentre tornavo a casa, ho incontrato Paolo e Francesca.

▸ **Mentre** può anche indicare una contrapposizione.

   Le donne italiane preferiscono fare colazione a casa, mentre gli uomini spesso non fanno colazione.

Nemmeno / Neppure / Neanche

Nemmeno, **neppure** e **neanche** servono a ribadire una negazione.

Non mi usciva nemmeno mezzo suono.

Ma certo non è tutto un sogno. Neppure qui.

Senza neanche una persona.

Non solo... ma anche

Non solo... ma anche servono ad allineare elementi diversi.

Questa storia non è solo divertente, ma anche commovente.

O / Oppure

O e **oppure** esprimono che tra due o più possibilità solo una può essere considerata dato di fatto.

Porta a spasso il cane o gioca con il gatto.

Guarda un film divertente oppure incontrati con gli amici.

Perché

Perché introduce una motivazione quando la frase causale si trova dopo la frase principale.

Faccio sport perché mi piace.

Per questo

Con **per questo** si introduce un motivo.

Ho una grande passione per l'Italia e anche per la letteratura. Per questo, dopo la maturità, ho deciso di studiare l'italiano all'università.

Prima

Prima è un avverbio di tempo e può essere usato in diversi contesti:

▶ **Prima** può significare in precedenza, un tempo.

　Oggi si va al cinema meno di prima.

　Non era più bella come due anni prima.

▶ **Prima di + sostantivo**

　La sera prima di un esame è meglio evitare gli alcolici.

▶ **Prima di + infinito**

　Prima di partire avevo dei dubbi.

▶ **Prima che + congiuntivo**

　Prima che tu parta, passo da te per salutarti.

▶ **Prima... poi** indica una sequenza di tempo.

　Ho fatto due interviste telefoniche, prima in italiano e poi in inglese.

Poi

Poi può essere usato in molteplici contesti, per esempio:

▶ **Poi** è un avverbio di tempo e significa dopo.

　È venuto a prenderci e poi ha cucinato per noi.

▶ **Poi** introduce un elemento supplementare ad una lista di descrizioni.

　Ci sono poi numerosi bar e ristoranti.

▶ **Prima o poi** significa un giorno, più tardi oppure una volta.

　È una cosa che voglio fare, prima o poi.

CONNETTORI

Quando

Quando è un avverbio di tempo e può essere usato in contesti diversi:

▸ **Quando** rimanda ad un momento ben preciso.

Quando ho finito questo lavoro, ti avverto.

Quando avevo sei anni, ci fu il terremoto.

Quando mi sono laureata era difficile trovare lavoro.

▸ **Quando** indica un'abitudine o una situazione che si ripete regolarmente.

Quali oggetti sono utili per voi quando viaggiate?

Quando litigavamo in assemblea, tu mediavi.

Quindi

Quindi può essere usato in diversi contesti, per esempio:

▸ **Quindi** introduce una conseguenza.

Non ho ancora visto il film, quindi non so com'è.

▸ **Quindi** si riferisce ad una sequenza temporale.

Completate le frasi e formulate delle domande. Fate quindi le domande a un compagno.

Sia... sia / sia... che

Sia... sia / sia... che servono a mettere in ordine uno dopo l'altro gli elementi di una frase.

Bisogna considerare sia gli aspetti positivi sia quelli negativi.

Se

Se introduce una condizione. Lo si trova spesso nelle frasi condizionali.

Se sono triste, ascolto musica.

Ma si potrebbe fare di più, se i nostri prodotti fossero distribuiti ovunque.

Siccome

Siccome introduce una motivazione quando la frase causale si trova prima di quella principale.

Siccome tu lavori nell'ufficio del personale, vorrei chiederti un consiglio.

Soprattutto

Soprattutto serve a mettere in risalto un'informazione.

C'era tantissima gente, soprattutto giovani.

È apprezzata soprattutto la nostra preparazione completa.

ALMA Edizioni

Soluzioni del libro degli esercizi

UNITÀ 1

1 attività individuali all'aperto: fare una passeggiata, leggere un libro, nuotare, meditare, fare jogging, fare un'escursione nella natura; attività individuali al chiuso: guardare un film, leggere un libro, nuotare, meditare; attività di gruppo all'aperto: fare una passeggiata, nuotare, fare un picnic, giocare a calcio, meditare, fare jogging, fare un'escursione nella natura; attività di gruppo al chiuso: guardare un film, organizzare una cena con amici, meditare

2 a. 1. respira, concentrati; 2. pianifica, dedica, andare, Dormi; 3. perdere, smetti, diventare, Esci, divertiti; 4. fare, Fai; 5. liberati, seleziona, regalali

3 1. hanno bisogno, ci vogliono, bisogna; 2. ci vogliono; 3. ci volevano, ci vogliono, ci vuole, bisogna; 4. bisogna; 5. ho avuto bisogno; 6. ci vuole, bisogna; 7. avevo bisogno, ci vogliono; 8. bisogna, ci vogliono; 9. ci sono voluti, bisogna

4 orizzontale: 3. pallacanestro; 5. ciclismo; 6. pallavolo; verticale: 1. arrampicata; 2. sci; 4. nuoto

5 a. fare una proposta: Che ne dici di...?; Hai voglia di...?; accettare: Bella idea!; Volentieri!; rifiutare: Mi dispiace, ma ho da fare.; Non posso proprio, ho un altro impegno.; Peccato, ma devo proprio...; prendere un appuntamento: Facciamo alle...?; Fra un'ora da/a/in...?

6 2. guardiamolo; 3. facciamolo; 4. visitiamola, diciamolo; 5. facciamola; 6. andiamoci

7 a. 1. ha più memoria.; ha meno problemi cognitivi.; ha il cervello più grande.; resiste di più alle malattie.; 2. vero; 3. falso; 4. vero; 5. vero

8 testa, occhi, naso, orecchie/orecchi, bocca, labbra, labbro, labbra, bocca, denti, collo, braccia, braccio, mano, dita, dito, pancia, gambe, gamba, ginocchio, piedi, dita, dito, sedere, schiena

9 a. 2, 1, 3; b. dito, testa, braccia, spalla, schiena, mano, ginocchio, gamba, caviglia, piede; c. 1. a) il guerriero; b) l'albero; c) il guerriero; 2. a) l'albero; b) il triangolo; c) il guerriero

10 1. Prenda; 2. Vada; 3. Provi; 4. Faccia

11 Arrivi, finisca, Porti, spieghi, si arrabbi, abbia, ripeta, Aiuti, dia, Organizzi, Cerchi, sia, sia, Faccia

12 faccia, lo faccia, mangi, la cucini, prenda, la mangi, metta, lo beva, beva, ne beva, esageri, li eviti, Le elimini, ceda, faccia, telefoni, mangi, pensi, si innervosisca, Stia, esca, vada, si addormenti, la spenga, Ritorni

13 a. formale: 2, 4, 6, 7, 8; informale: 1, 3, 5; b. 1. Venga alle 14:00, salga al terzo piano e chieda di Conte.; 2. Compila il modulo in stampatello, per favore.; 3. Non sia così antipatico e poi non fumi qui perché dà fastidio.; 4. Vai/Va' prima all'ufficio relazioni internazionali.; 5. Finisca di fare i compiti e poi esca con i Suoi amici.; 6. Dammi una mano, per favore. La borsa è troppo pesante.; 7. Fai/Fa' come dico io.; 8. Dimmi per favore quando posso trovare il Prof. Fazio.

14 Studi, scriva, ascolti, li ascolti, legga, dimentichi, Cerchi, esca

15 1. Mi faccia; 2. dille; 3. dirgli; 4. Mi dica; 5. Mi dia; 6. fammi; 7. Dacci; 8. Ci vada; 9. dillo

UNITÀ 2

1 1. la guida turistica; 2. i guanti; 3. il costume da bagno; 4. il passaporto; 5. il sacco a pelo; 6. lo zainetto; 7. la patente; 8. la macchina fotografica; 9. la crema solare; 10. lo spazzolino

2 sono state, Sono rimaste, sono andate, è piaciuto, hanno cantato, hanno girato, hanno visitato, hanno visto, ha fatto

3 1. le è venuta voglia; 2. ci è venuta voglia; 3. gli è venuta voglia; 4. ti è venuta voglia?; mi è venuta

4 a. di cui, che, che, di cui, che, con cui, a cui, in cui; b. di cui, che, che, in cui, che, che, che

5 1. fine settimana, vacanze lunghe (più di 10 giorni); 2. un fine settimana al mese e due viaggi lunghi all'anno circa; 3. riposo, fare nuove esperienze, visitare posti nuovi, altro: uscire dalla routine quotidiana; 4. da solo/a, con gli amici; 5. in aereo, in treno, altro: in autobus; 6. appartamento in affitto, altro: amici, campeggio; 7. Puglia, Nuova Zelanda

6 1. propria; 2. propri; 3. propria; 4. proprie; 5. propri

7 basso costo, vitto, alloggio, manuali, suonare, gratuita, mezzo, usanze, innato

8 a cui, chi, chi, chi, che, che, con cui, che, con cui, con cui, di cui, in/su cui

9 1. Parlando, facendo; 2. Essendo; 3. tornando; 4. Leggendo, studiando, perdendo; 5. Scrivendole, ripetendole

11 a. 1. è una metafora per dire che il vero modo di scoprire il mondo è sviluppare un modo nuovo di guardare le cose.; 2. non dovrebbe avere effetti particolarmente negativi sui luoghi visitati.; dovrebbe regalare sensazioni uniche e dare la possibilità di vedere paesaggi bellissimi.; dovrebbe rispettare le comunità locali.; b. sostenere; convinto; il valore; promettere

12 siete state, era, avevamo, abbiamo deciso, c'erano, venivano, è durato, è iniziato, è finito, era, faceva, c'erano, poteva, è piaciuto, l'ha suonata, hanno cantato, Era, siamo tornate

13 a. 1. era, viveva, si è trasferita; 2. eravamo, andava, giocavamo, facevamo, ci divertivamo, hanno preferito; 3. ha studiato, ha vissuto, amavano; 4. ci siamo visti, parlava, mangiavo, Avevamo, ci siamo sposati, sei nato/a; b. Esempi: descrivere una situazione: Laura viveva a Brescia; descrivere una persona: Quando io e mio fratello eravamo piccoli; raccontare un'azione abituale: la nostra famiglia andava sempre in vacanza a Sondalo; raccontare singole azioni concluse / fatti compiuti: Marco ha studiato in Francia per due anni; raccontare un fatto nuovo, che indica un cambiamento: Nel 1999 si è trasferita a Berlino

14 1. esisteva, c'erano, sono nati; 2. costava, c'erano, comprava, è nata; 3. andavano

15 prima: studiava giurisprudenza; abitava a Bayreuth; sapeva l'italiano, ma non bene; stava tutto il giorno

SOLUZIONI

all'università; usciva sempre con le stesse persone; andavano sempre nei soliti locali; non conosceva tanta gente; a un certo punto: ha deciso di cambiare facoltà e città; si è trasferita a Bologna; ha conosciuto Lorenzo e si sono messi insieme; adesso: studia al DAMS; fa un sacco di cose interessanti; conosce molta gente; fa teatro d'improvvisazione e non si sente frustrata; non è più insieme a Lorenzo ma lo vede spesso; ha un altro ragazzo

16 duravano, finivano, era, abbandonavano, esisteva, era, facevano, c'è stata, ha cambiato, durano, vuole, può, dura, si chiama

17 si è laureata, ha cominciato, era, ha incontrato, hanno deciso, sono partiti, hanno dormito, si spostavano, hanno fatto, avevano, facevano, Giravano, cercavano, mangiavano, sono andati, chiacchieravano, ospitavano, sembrava, ho scoperto, hanno imparato

18 Per me; Sì, però; È vero, ma; sono d'accordo; Sì, è vero, ma; Secondo me; Secondo me, invece

UNITÀ 3

1 1. divertimento; 2. relax; 3. creatività; 4. fantasia; 5. viaggio; 6. apprendimento; 7. ritmo; 8. movimento; 9. comunicazione

2 storici, fantascienza, commedia, drammatico, giallo, dell'orrore

3 1. scomodo; 2. sfortunato; 3. sgradevole; 4. spro-porzionato; 5. scoperto; 6. sfiducia; 7. spiacevole; 8. scontento; 9. svantaggio; 10. scarico

4 1. Il regista; 2. Lo sceneggiatore; 3. Il produttore; 4. L'attore/L'attrice

5 1. prevedibile; 2. introvabili; 3. inimmaginabile; 4. incredibile; 5. accettabile; 6. incontenibile; 7. invidiabile; 8. inimitabile; 9. immancabile; 10. indimenticabile; 11. irriconoscibili; 12. memorabile

6 La Sapienza è l'università più grande d'Europa.; A Bologna c'è l'università più antica d'Europa.; Il Colosseo è il monumento più visitato di Roma.; Il Po è il fiume più lungo d'Italia.; Il David è la statua più famosa di Michelangelo.; La Valle d'Aosta è la regione più piccola d'Italia.; La *Divina Commedia* è l'opera più famosa di Dante Alighieri.; La Scala è il teatro d'opera più importante di Milano.

7 1. Volevo, ho dovuto; 2. voleva; 3. Ha potuto; 4. doveva

8 Volevo, ero, mi sono alzata, Mi sono fatta, era, sono potuta/ho potuto, dovevo, avevo, è/ha potuto, si è rotto, dovevamo, sono potuta/ho potuto, è dovuta/ha dovuto, stava, voleva, sono dovuta/ho dovuto, avevo

9 1. dormivo, studiava, suonava, cucinavano, giocavano, sono arrivati; 2. ero, ha telefonato, parlavamo, ascoltava; 3. sono andato/a, riuscivo, cercavo, è entrato, ho smesso, leggevo, pensavo

10 studiavo, è entrato, giocavo, è venuta, discutevamo, è arrivato, provavo, è suonato, ridevo, si è alzata, ha detto, si è lamentato, litigavano, è fuggito

11 1. Che ne dici?; Perché no; se lo dici tu; perché non; 2. Ti va invece di; che ne dici di; volentieri; ho già un impegno; D'accordo

12 attuale ↔ datato; avvincente = appassionante; coinvolgente = trascinante; monotono = noioso; complicato ↔ semplice; interessante ↔ noioso; piacevole = bello; banale ↔ originale

13 a. Il film *La grande bellezza* è piaciuto a Cinzia e Antonella, non è piaciuto a Davide.; *Fuocoammare* è piaciuto a Cinzia.; *La dolce vita* è piaciuto ad Antonella.; *Quo Vado* è piaciuto a Davide, non è piaciuto ad Antonella.; b. commovente, serio, noioso, stereotipato, divertente, trascinante, improbabile, banale, appassionante, attuale, difficile, originale, geniale, pesante, convincente, coinvolgente

14 1. di, che; 2. che, dell'; 3. che, che; 4. dei, dei; 5. che, che, dell'; 6. che, che; 7. dei, che; 8. di

15 1. peggio; 2. meglio, minori; 3. maggiore, minore; 4. meglio; 5. maggior; 6. migliori; 7. peggiori; 8. peggio; 9. migliore

16 1. più, di, la, più; 2. più, del, il, il più; 3. più, che, le più; 4. più, che, i, più; 5. più, della, la più; 6. più, degli, i più

17 2. avevo comprato da mangiare; 3. l'aveva presa mia sorella; 4. avevano già finito l'esame; 5. mi ero dimenticata di studiare; 6. avevo letto; 7. avevo studiato molto

18 Soluzioni possibili: aveva festeggiato fino a tardi; si era addormentato a casa della sua ragazza; non avevano ancora lavato i piatti; lui non aveva mai visto; li avevano usati per la festa; non gli avevano detto niente

19 diventa più empatico nella vita reale.; pensa in modo più strutturato.; vive più esperienze.

UNITÀ 4

1 1. andrà, studierà, leggerà, si annoierà; 2. lavoreranno, Avranno, vedranno, Si divertiranno; 3. andrete, farete, incontrerete, Vedrete, berrete; 4. andrai, rimarrai

2 sarà, potrà, dovrà, saranno, diventerà, diventerà, sarà, si riempirà, organizzerà, circonderanno, cambierà, continuerà, vorrà, potranno, crescerà, andrà

3 Soluzioni possibili: volete imparare a ballare: cercherò di conoscere un/a bravo/a ballerino/a; mi iscriverò a un corso di ballo; volete trovare l'amore: uscirò più spesso; chiederò a tutti quelli che conosco di presentarmi amici single; volete cambiare città / Paese: metterò un annuncio per cercare lavoro; cercherò di scoprire nuove città in vacanza; volete concentrarvi di più sullo studio: smetterò di navigare in Internet; spegnerò il cellulare durante lo studio

4 1. Continuerò; 2. Finirò; 3. Andrò; 4. Mi trasferirò; 5. Dovrò; 6. andremo

5 si sarà laureata, si sarà trasferita, sarà diventata, avrà viaggiato, avrà aperto, avranno vissuto, avranno deciso, avranno trovato, sarà entrato, avrò scritto, ci saremo sposati, avremo fatto, avrete fatto

6 coppia di fatto; matrimonio civile / matrimonio in chiesa; famiglia di fatto / famiglia allargata; unione civile / unione di fatto

7 essere: sia, sia, sia, siate, siano; avere: abbia, abbia, abbiamo, abbiate, abbiano; andare: vada, vada, andiamo, andiate, vadano; fare: faccia, faccia, faccia,

facciamo, facciano; dire: dica, dica, diciamo, diciate, dicano; dare: dia, dia, diamo, diate, diano; uscire: esca, esca, esca, usciamo, usciate; bere: beva, beva, beviamo, beviate, bevano; venire: venga, venga; veniamo, vengano; rimanere: rimanga, rimanga, rimanga, rimaniamo, rimaniate

8 1. studi, finisca, prendano; 2. parta, conosciate, preferiscano; 3. legga, voglia, si trasferisca; 4. si sveglino, mi vesta, sappiamo

9 diano, facciano, abbiano, vadano, esca, beva, rimanga, sia, dicano, diano, vada

10 conviviamo, sia, acquisti, possa, è, debba, riguardano, offra, deve, tutela; dia, significhi, voglia, crei, si sposa, si ama, hanno, debba

11 1. divorzi / vero; 2. decida / vero; 3. preferiscano / falso; 4. sia / vero; 5. abbiano / falso; 6. esistano / falso; 7. diminuiscano / falso; 8. conviva / vero; 9. resista / vero; 10. reagisca / falso

12 1. crei (Crediamo che); 2. consista (Riteniamo che); 3. condividano (Desideriamo che); 4. è; imparino (è importante che); 5. scopra (Vogliamo che); aiuti (Non crediamo che); 6. debba (Pensiamo che); può; 7. capisca (Speriamo che); ritorni (Speriamo che); 8. sappia (ci sembra che); 9. costruiscono; faccia (credere che); diminuisca (credere che); costringa (credere che); 10. sia (crediamo che); si trovi (pensiamo)

13 1. di fare, fumi; 2. superi, di partire; 3. arrivi, di arrivare; 4. di laurearsi, si laurei

14 Soluzioni possibili: Non riesco a andare regolarmente a lezione.; Ho cominciato a studiare l'italiano un anno fa.; In estate mi piace fare sport all'aria aperta.; È difficile svegliarsi tutte le mattine alle 6.00.; Credo di partire per Londra fra un mese.; Anna ha deciso di trasferirsi a Bologna.; Dopo l'università andrò a fare un master in Inghilterra.; Studio medicina per diventare medico.; È importante prendere un bel voto all'esame.; Avete qualcosa da mangiare?; Claudio ha finito di scrivere la sua tesi di laurea due settimane fa.; Spero di finire di leggere quel noiosissimo libro.

15 molti, qualche, ogni, tutte, alcuni, qualche, Molti, alcuni, Tutti, ognuno, qualche, Ogni

16 qualche, troppa, tutto, alcune, altre, qualche, Ogni, molte, Ogni, tutti, tutti, alcuni, alcuni, ognuno

17 1. sognatore, ottimista; 2. passiva, individualista, pigra; 3. di persone più riflessive.; 4. spera di vivere in Italia.; si sarà laureato.; vorrà lavorare nel sociale.; 5. vuole adottare dei bambini.; 6. sono possibili.

UNITÀ 5

1 1. il giornalista / la giornalista; 2. la guida turistica; 3. l'assistente sociale; 4. il traduttore / la traduttrice; 5. il veterinario / la veterinaria; 6. l'impiegato / l'impiegata; 7. il parrucchiere / la parrucchiera; 8. il poliziotto / la poliziotta

2 direttrice, ingegnere, giornalista, cantante, artisti, scrittore, poeta, avvocato / avvocata / avvocatessa, impiegato, veterinaria, farmacista, professore, insegnante, assistente sociale, interprete, guida turistica

3 a favore: Luca Serianni (secondo lui è solo un problema di generazioni: gli anziani fanno fatica ad accettare il cambiamento) e Sergio Lepri (il problema secondo lui è che non si vuole accettare che le donne facciano lavori maschili); contro: Giuseppe Conte (suona male e i problemi delle donne non si risolvono mettendo una ‹a› ai nomi di professioni)

4 1. avrebbe voluto, sarebbe piaciuto, Avrebbe cantato, Avrebbe conosciuto; 2. avrebbe preferito, Si sarebbe divertito, avrebbe speculato, avrebbe voluto, sarebbe piaciuto; 3. avrei dovuto, Mi sarei sposata, mi sarei innamorata, avrei tradito, avremmo vissuto, avremmo avuto, sarebbe stata, si sarebbe ricordato, saremmo finiti

5 a. tradurre, originale, grande, iscriversi, divertirsi, creativo, muoversi, ricco, banale, giovane, pubblicare, bello; b. verbo, aggettivo

6 1. e; 2. a; 3. b; 4. d; 5. c

7 a. 1. Il corso di italiano è stato seguito da molti studenti.; 2. Credo che la lingua moderna sia stata influenzata dalle nuove tecnologie.; 3. Fino al 1989 Berlino era divisa da un muro.; 4. In futuro dal mercato del lavoro saranno richieste professioni legate alla digitalizzazione.; 5. I risultati della ricerca sono stati presentati dal professore alla conferenza.; 6. Un anno di studio all'estero è considerato da molte aziende un requisito importantissimo.; 7. Secondo le ultime ricerche la depressione sarebbe provocata anche da alcuni lavori.; 8. Paolo era stato avvisato del ritardo da Stefano con un sms.; 9. Fra qualche mese un nuovo manuale d'italiano sarà pubblicato dalla casa editrice Hueber.; b. 1. L'Istat realizza molti studi statistici sull'Italia.; 2. Nel 1911 un impiegato del Louvre, un certo Vincenzo Perruggia, ha rubato la Gioconda.; 3. In futuro gli smartphone sostituiranno probabilmente il telefono fisso.; 4. Tantissime persone in tutto il mondo hanno letto il libro *L'amica geniale* di Elena Ferrante.; 5. I vicini di casa avevano avvisato la polizia.

8 viene / è realizzata, vengono / sono creati, vengono / sono decise, è stata fatta, sono / vengono amati, sono stati istituiti, vengono / sono progettati, è stato premiato

9 [...] sarò / verrò seguita da un tutor [...] se lo stage non è / viene riconosciuto dall'università? E poi sarò / verrò pagata dalla scuola? [...] che sarà / verrà scritta dal tuo tutor [...] i due moduli erano stati consegnati alla segreteria di facoltà dal tutor [...] solo se il tirocinio è / viene svolto dallo studente [...] magari il tirocinio non sarà / verrà accettato dall'università [...] queste informazioni mi erano state date dalla segreteria [...] di solito i tirocinanti non sono / vengono retribuiti dalla scuola [...] magari ti saranno / verranno rimborsate le spese

10 1. vanno frequentate; 2. vanno lavati; 3. andava compilato; 4. vanno consegnate; 5. va spento; 6. va organizzato; 7. vada fatto

11 b. Sorge; confermare; adattamento; remoto; dedicarsi; c. 1. vero; 2. falso; 3. vero; 4. falso; 5. falso; 6. falso

12 1. h; 2. d; 3. f; 4. i; 5. a; 6. g; 7. b; 8. e; 9. c

13 Nome: Sofia Lupo; Istruzione e formazione: liceo scientifico, laurea in giurisprudenza (prossimo

SOLUZIONI

aprile), anno Erasmus a Madrid; Esperienze
lavorative: tirocinio di tre mesi in uno studio legale
italo-spagnolo; Lingue straniere: spagnolo e inglese;
Competenze personali: persona molto aperta,
disponibile, dinamica, capace di lavorare in team,
con grandi doti comunicative e capace di trovare
soluzioni adatte ai problemi; Interessi e attività
extraprofessionali: volontariato in un centro per
migranti

UNITÀ 6

1 1. Arte figurativa: Tiziano, Sandro Botticelli, Giotto,
Leonardo da Vinci; 2. Geografia: Procida, Etna, Le
Cinque Terre, Alberobello; 3. Letteratura – musica –
cinema: Federico Fellini, Giovanni Boccaccio,
Giacomo Puccini, Alessandro Manzoni, Umberto Eco,
Giuseppe Verdi; 4. Made in Italy: Gianni Versace,
Barilla, Ferrari, Alessi; 5. Personaggi storici:
Cristoforo Colombo, Maria Montessori, Giuseppe
Garibaldi, Caterina de' Medici, Rita Levi-Montalcini

2 1. d; 2. a; 3. f; 4. e; 5. b; 6. c

3 VALERIA: Oggetto portafortuna: slip rossi; Riti
scaramantici il giorno dell'esame: saluta le foto
appese in camera sua; indossa degli slip rossi; Cosa
non fa perché porta sfortuna: evita di vestirsi di
viola; non passa in mezzo alle due colonne
dell'università ALBERTO: Oggetto portafortuna:
penna bic blu; Riti scaramantici il giorno
dell'esame: usa sempre una penna bic blu con cui
aveva scritto l'esame di maturità; quando ha un
esame si sveglia alle quattro, ripassa gli appunti,
alle sette si fa la doccia, fa colazione al bar
dell'università con un cappuccino e un cornetto con
la marmellata; Cosa non fa perché porta sfortuna:
non legge l'oroscopo

4 1. Roma, La Sapienza: non guardare dritto negli occhi
la statua della Dea Minerva; 2. Roma, Tor Vergata: non
attraversare la stella che decora la pavimentazione;
3. Pisa: non salire sulla torre pendente; 4. Milano,
Università Cattolica: evitare la scalinata con le due
colonne; 5. Napoli, Università Federico II: non visitare
Il Cristo velato; 6. Bologna: non visitare la Torre degli
Asinelli, non attraversare P.za Maggiore in diagonale;
7. Firenze: non visitare il campanile di Giotto

5 incontrò, si innamorò, si sposarono, finì, cominciò,
morì, dové/dovette, fallì, si trasferirono, trovò,
arrivò, Partirono, restarono

6 perdere: perdesti, perse, perdemmo, persero;
crescere: crebbi, crescesti, crebbe, crescemmo,
cresceste; leggere: lessi, leggesti, leggemmo,
leggeste, lessero; decidere: decisi, decidesti,
decidemmo, decideste, decisero; nascere: nacqui,
nascesti, nascemmo, nasceste, nacquero; vivere:
vissi, vivesti, visse, vivemmo, viveste; venire:
venisti, venne, venimmo, veniste; bere: bevvi,
bevesti, bevemmo, beveste, bevvero

7 nacque, Frequentò, fece, conobbe, si innamorò,
cominciò, morì, dedicò, raccontò, si sposò, ebbe,
dové / dovette, scrisse, Morì

8 1. scrisse / U; 2. morì / N; 3. nacque / M; 4. ambientò /
A; 5. andò, pubblicò / T; 6. Amò, diventò, raccontò /
T; 7. Scolpì, scrisse / O; 8. Fece, decise / N; 9. visse /

E. Soluzione: UN MATTONE

9 a. era passato, ricevette, Partì, sentì, chiese, Disse,
sorrise, completò, andò, aspettava, ricevette, Aveva,
disse, si rese conto, accettò, Rivide b. ricevette,
corse, Aspettava, accostò, scese, Portava, Disse,
diceva, Si allontanarono

10 1. mi sarei integrata, mi sarei laureata, avrei trovato;
2. ci saremmo trovati, sarebbe mancato; 3. avrei
imparato; 4. ti saresti sposato, mi sarei innamorato

11 orizzontale: 4. sgargiante; 5. loquace; 6. muto;
7. prole; verticale: 1. cassetto; 2. insulto; 3. leccornie

12 1. Credo che Liam e Babak abbiano scelto...; 2. Credo
che Miriam si sia iscritta...; 3. Credo che Sophie
abbia preferito...; 4. Credo che Lily non si sia
pentita...; 5. Credo che Mark e David si siano
laureati...; 6. Credo che tu e Tatjana abbiate
perso...; 7. Credo che Mary e Valerie dopo la laurea
siano andate...

13 Credo che tu abbia frequentato... (A), preferisca...
(C); Spero che Linda prepari... (F), si sia divertita...
(A); Penso che Fabrizio e Massimo abbiano smesso...
(A), cerchino... (C)

14 abbia deciso, abbia seguito, abbia ascoltato, siano
state, abbiano, possa, duri, rappresenti, debba, sia,
faccia, sia già andata, sia, abbia preso, si penta

UNITÀ 7

1 l'età media, imprese, il tasso di disoccupazione,
ecologica, piste ciclabili, la raccolta differenziata
dei rifiuti, associazioni ricreative e culturali,
inquinamento, provincia, culturale

2 1. si trasferiscano; 2. abbia; 3. sia, apprezzino;
4. sappiano, piacciano; 5. ospiti; 6. siano

3 a. essere: fossi, fosse, foste, fossero; bere: bevessi,
bevessi, bevesse, bevessimo, bevessero; dare: dessi,
dessi, dessimo, deste; fare: facessi, facesse,
facessimo, faceste, facessero; stare: stessi, stesse,
stessimo, stessero
b. La prima e la seconda persona singolare sono
sempre uguali.
c. orizzontale: 5. dicessero; 6. facessi; verticale:
1. traducessi; 2. dicessimo; 3. bevesse; 4. proponesse

4 a. 1. sia; 2. si trovi; 3. reciti; 4. cominci; 5. abitino
b. 2. Credevo che Mantova si trovasse in Emilia-
Romagna e invece si trova in Lombardia.; 3. Mi
sembrava che Oscar Farinetti recitasse nella serie
televisiva Gomorra e invece è il fondatore di Eataly.;
4. Mi sembrava che il Festival della Letteratura
cominciasse sempre in aprile e invece comincia in
settembre.; 5. Pensavo che a Mantova abitassero
circa 500.000 persone e invece ci abitano circa
50.000 persone.

5 1. Mi sembrava che Mantova fosse una città con molti
aspetti interessanti.; 2. Credevo che Raffaella vivesse
a Mantova e lavorasse al Festival della Letteratura.;
3. Speravo che Danila e Giulia facessero con me il
giro in bicicletta della Pianura Padana.; 4. Antonella
non credeva che io leggessi molti libri.; 5. Davide
sperava che tu e Gianpiero andaste con lui alla festa
di Carlo.; 6. Mi sembrava che a Milano Eataly si
trovasse in un edificio della vecchia fiera.; 7. Patrizia
pensava che a Palazzo Te a Mantova si potessero bere

dei tipi particolari di tè.

6 stia, parli, sappia, si annoino, ci fosse, si divertisse, abbia, sia, perda, aspetti, cerchi, viva, possa, salutassero, sappiano, offrissero

7 1. avesse, comprerebbe; 2. perderebbero, facessero, mangiassero; 3. parlerei, fosse; 4. faresti, finissi; 5. fossi, giocherei; 6. andassero, andremmo; 7. Mi concentrerei, facessero; 8. fossi, sarei; 9. fosse, porterebbe

8 1. dovessi, porteresti; 2. fossi, preferiresti; 3. nascessi, piacerebbe; 4. vorresti, ci fosse

9 Soluzioni possibili: 1. …mi trasferirei in Francia.; 2. …leggessi più regolarmente i giornali italiani.; 3. …parlerebbero meglio una lingua straniera.; 4. …lavorassero di meno. 5. …avessi tempo.

10 1. Se non dovesse preparare l'esame, Martina andrebbe in Italia.; 2. Se non dovessi studiare, mi piacerebbe moltissimo passare un fine settimana a Napoli.; 3. Se lavorasse di meno, avrebbe tempo di uscire con gli amici.; 4. Se leggessi di più i giornali, saprei di più di politica italiana.; 5. Se facessero più esercizi, avrebbero meno difficoltà con il periodo ipotetico.

11 a. oggetto diretto: ringraziare qualcuno, incontrare qualcuno, seguire qualcuno, chiamare qualcuno, accompagnare qualcuno; oggetto indiretto: chiedere (qualcosa) a qualcuno, domandare (qualcosa) a qualcuno, rispondere a qualcuno
b. l', le, gli, la, l', l', l', le, gliel', le, le, gli, lo, la, le, l', le, le

12 1. Gliela; 2. Te le; 3. ve li; 4. Glielo; 5. Me ne

13 1. te l'; 2. me li; 3. Me ne, Gliene; 4. Te l', me l'; 5. Glieli; 6. ve ne; 7. Glieli, me li, te lo

14 Ma come, non te l'ha detto?; Roberto me l'avrebbe detto; l'ultimo minuto e poi ve lo dice; adesso la chiamo e glielo chiedo; Figurati se non ce lo dice; Tu gliel'hai già comprato?; e gliela devo consegnare lunedì; se vuoi gliela compriamo insieme; Te li posso dare sabato?; Se me li dai alla festa; E di bottiglie di spumante gliene compro tre, va bene?

15 1. Me l'ha dato; 2. Me le ha regalate; 3. Ce li hanno mandati; 4. gliel'ho già portata; 5. gliel'ha regalato

16 1. Ve lo posso mostrare / Posso mostrarvelo; 2. Gliela devo consegnare / Devo consegnargliela; 3. glieli voglio mandare / voglio mandarglieli; 4. Te li posso riportare / Posso riportarteli; 5. ve lo posso portare / posso portarvelo

17 1. compra i prodotti regionali.; 2. più spesso al supermercato.; 3. la carne, le uova, il pesce; 4. entrambe le cose.; 5. cerca di riciclare tutto.; 6. la lentezza e l'importanza del cibo genuino siano valori da riscoprire.; 7. consapevole.

UNITÀ 8

1 a. 1. città di interesse storico e artistico; 2. località marine; 3. località di lago; 4. località montane; 5. località collinari e di interesse vario; 6. località termali (da: http://www.enit.it/it/studi.html)
b. Veneto, Trentino-Alto Adige, Lombardia, Toscana, Lazio, Emilia-Romagna, Campania, Sicilia (da: http://www.enit.it/it/studi.html)

2 1. c; 2. a; 3. b

3 1. l'armonia tra viaggiatore e territorio è di fondamentale importanza.; 2. considera anche aspetti come gli alloggi e gli spostamenti.; 3. far conoscere zone meno conosciute.; 4. sono nel centro storico.; 5. tutto l'anno.; 6. in bicicletta.; 7. fa attenzione anche al cibo.

4 1. avessero fatto; 2. fosse stato; 3. vi foste trasferiti; 4. avesse vissuto; 5. avessi letto; 6. avesse vinto

5 Turismo sì: Innanzitutto, Inoltre, poi, quindi, non solo, ma anche; Turismo no: In primo luogo, in secondo luogo, Inoltre, poi, In conclusione, quindi

6 da finire, da fare, da imparare, da leggere, da consegnare, da decidere, da vedere

7 1. Il campanile; 2. La torre; torre, la torre; 3. Le mura, le mura; 4. vicoli; 5. La piazzetta

8 1. la Cappella degli Scrovegni; Padova; ---; Gli affreschi realizzati da Giotto sono il capolavoro della pittura del Trecento.; 2. Castel del Monte; Puglia; Risale alla prima metà del Duecento.; È noto per la sua forma ottagonale e le suggestioni simboliche. Fa parte del patrimonio mondiale dell'umanità.; 3. la Reggia di Caserta; Caserta; I lavori iniziarono a metà del Settecento.; Il giardino della Reggia di Caserta ricorda quello di Versailles. Nell'edificio ci sono 1200 stanze. È uno dei monumenti più visitati d'Italia.; 4. Colosseo; Roma; Venne inaugurato nel primo secolo d.C.; Il nome Colosseo deriva da un'enorme statua di Nerone che si trovava vicino all'edificio. Inizialmente si chiamava Anfiteatro Flavio. I lavori di costruzione durarono otto anni.

9 1. fosse diventato; 2. fossi arrivato/a; 3. ci conoscessimo; 4. mangiassi; 5. sapesse; 6. fosse mai stata

10 a. 1. e; 2. a; 3. d; 4. c; 5. b
b. 1. falso; 2. vero; 3. falso; 4. falso; 5. vero

11 Ho conosciuto, sapevo, sapevo, conoscevo, sapevo, ho conosciuto, ho saputo, ho conosciuto, sapevo, ho saputo, ho conosciuto, sapeva, ha conosciuto

12 1. mi fossi addormentato, sarei andato, mi sarei divertito; 2. fosse uscito, avesse studiato, avrebbe preso; 3. avessi detto, si sarebbero arrabbiati; 4. avessimo fatto, avremmo speso; 5. fosse andata, si sarebbe annoiata, si sarebbe preparata; 6. fossero partiti, avessero trovato, avrebbero fatto

13 1. arriveremmo; 2. fosse/fosse stato; 3. mi sarei sposata, avrei avuto; 4. telefona; 5. andranno; 6. avrebbe ottenuto; 7. dovrei; 8. compra; 9. foste andati; 10. si laureeranno; 11. fosse uscito

14 a. 1. a; 2. b; 3. a; 4. d; 5. c; 6. a
b. 1. presente + presente / futuro + futuro / presente + imperativo; 2. congiuntivo imperfetto + condizionale presente; 3. congiuntivo trapassato + condizionale composto

15 scriveresti, sarei, avrei scritto, riuscissi, decidessi/decidi/deciderai, avresti/hai/avrai, avessi; mi sarei organizzata, sarei venuta, potrei, fossi, puoi, ci fosse, avessi scritto, sarei venuta, dimmelo

16 1. falso; 2. falso; 3. vero; 4. vero; 5. dare il benvenuto ai visitatori; aiutare a sistemare i giardini, occuparsi della libreria, partecipare a degli incontri sugli aspetti storico artistici del luogo

TRASCRIZIONI

Trascrizioni dei dialoghi del libro degli esercizi

UNITÀ 1

9

Ragazzi, avete mai praticato lo yoga? No? Eccovi allora un assaggio. Magari vi viene poi voglia… Lo yoga è un metodo di pratiche fisiche, respiratorie e mentali che aiutano a trovare il benessere personale in modo naturale, graduale e adatto a tutti. Iniziamo con qualche esercizio per scaldare il corpo e rilassare il cervello.

1. La posizione dell'albero prevede di trovare l'equilibrio su una gamba con le braccia unite sopra la testa. Sembra facile ma vediamo subito che non è così semplice rimanere in equilibrio su una gamba. Spostate per prima cosa il peso sul piede sinistro, lentamente cominciate a piegare la gamba destra e prendete con le mani la caviglia destra. Portate con l'aiuto delle mani il piede destro sulla gamba sinistra. Ora unite le mani e portatele sopra la testa. Questa figura, che prevede di rimanere immobili come un albero nella terra, ci insegna stabilità, calma ed equilibrio.

2. Adesso invece vi descrivo la posizione del triangolo, che permette di ritrovare l'equilibrio tra la parte destra e la parte sinistra del corpo. Tutti noi abbiamo infatti piccole diversità tra le due parti del corpo e se non si fanno esercizi regolarmente, le differenze si ingrandiscono e si potrebbero trasformare in dolori, soprattutto dolori alla schiena. Per prima cosa allargate le gambe fino a raggiungere una larghezza di circa un metro. Sollevate le braccia alla stessa altezza delle spalle. A questo punto respirate profondamente e piegatevi verso sinistra. Entrambe le gambe dovrebbero rimanere distese. La mano sinistra dovrebbe toccare per terra, ma all'inizio va bene anche se tocca la gamba. Ora alzate l'altro braccio verso l'alto. Se potete, girate la testa e guardate la mano in alto, altrimenti guardate un punto fisso davanti a voi. Restate nella posizione circa un minuto, poi ripetete tutto dall'altra parte. Questa posizione aumenta la forza e la stabilità nelle gambe, diminuisce lo stress e riduce le differenze tra una parte e l'altra del corpo.

3. Adesso un'altra figura fondamentale, la posizione del guerriero o del vincitore. È ottima per rinforzare tante parti del corpo, come le gambe, la schiena, le spalle e le braccia. Inoltre è anche un'ottima posizione per migliorare l'equilibrio del corpo. Ecco come eseguire la posizione del vincitore. Allargate le gambe di circa un metro e contemporaneamente allargate le braccia e portatele alla stessa altezza delle spalle. Le mani devono essere rivolte verso il basso. Ora girate il piede destro verso destra e piegate il ginocchio. La gamba sinistra resta allungata. Infine alzate le mani verso l'alto puntando il dito indice verso l'alto come in segno di vittoria. Restate nella posizione per un minimo di 20 secondi. Ripetete la posizione dall'altro lato. Questa posizione aiuta a credere di più in sé stessi, ad aprirsi con più sicurezza nei confronti degli altri e aumenta anche la capacità di concentrazione.

UNITÀ 2

5

● Ciao Stella! Senti, so che tu sei una a cui piace molto viaggiare, posso farti qualche domanda su come viaggi?

■ Certo, fai pure.

● Comincerei chiedendoti se preferisci fare viaggi veloci e frequenti oppure preferisci fare viaggi più lunghi e quanti viaggi fai in media in un anno?

■ Mah, dipende, a volte mi piace fare un fine settimana lungo in qualche città europea per esempio, e a volte preferisco fare viaggi più lunghi. In genere più di due settimane perché, per staccare davvero, hai bisogno di almeno tre settimane. In genere faccio un fine settimana al mese da qualche parte e almeno due viaggi più lunghi all'anno.

● Quando si parla di viaggi, sorge spontanea la domanda ‹Perché viaggi?›. C'è qualche motivo particolare?

■ Beh, anche in questo caso dipende un po' dal viaggio, a volte parto per uscire dalla routine quotidiana, poi mi piace fare nuove esperienze e vedere posti mai visti perché ti rendi conto che la realtà in cui vivi è solo una delle realtà, ma ce ne sono anche altre molto diverse dalla tua. Se vai in posti lontani ti rendi conto di come tutto cambia. Durante il mio ultimo viaggio in India per esempio era normale vedere gli elefanti che attraversavano la strada. A me sembrava di essere in un film di fantascienza… A volte hai semplicemente bisogno di riposarti.

● Con chi viaggi e come viaggi?

■ Allora, se riesco sempre in compagnia di qualche amica perché è bello condividere le esperienze, ma se non c'è nessuno che può venire con me, mi piace anche viaggiare da sola. Poi in giro comunque conosci sempre gente. Per i viaggi lunghi mi sposto in aereo e poi lì con il treno o l'autobus. E in generale a me piace tantissimo anche viaggiare in treno.

● Dove dormi? Che tipo di alloggio preferisci?

■ Premetto che proprio non sopporto gli hotel, dove ho amici vado volentieri da loro, altrimenti preferisco prendere un appartamento in affitto. Lo trovo più autentico. Quando sono nella natura va benissimo anche il campeggio.

● Quali luoghi vorresti vedere la prossima volta? E che tipo di viaggio vorresti fare?

■ Allora, in Italia non sono ancora stata in Puglia e così quella sarà la mia prossima tappa. Guarda, ci vado proprio fra un mese per una settimana. All'estero è da un po' che voglio andare in Nuova Zelanda. Mi piacerebbe proprio. Dicono tutti che sia bellissima. In Puglia mi piacerebbe vedere sia le città come Lecce sia anche la costa e il Salento e mi piacerebbe proprio conoscere meglio le tradizioni del posto. In Nuova Zelanda vorrei davvero vedere la natura. Ho un amico, John, che abita ad Auckland e mi porterebbe a visitare il paese. Dice che la natura è favolosa. Ci sono un sacco di vulcani spenti e geyser che a me piacciono tantissimo e così mi piacerebbe

vederli con qualcuno del posto.
● Bene, grazie e buon viaggio! Divertiti in Puglia!

15
● Ciao Karin, come va? Sei pronta per qualche domanda?
■ Sì, sì, fai pure.
● Allora, adesso se non sbaglio studi Discipline arte musica e spettacolo al DAMS di Bologna, ma mi sembra è una novità?
■ Sì, finalmente studio quello che mi piace. Prima studiavo giurisprudenza, ma in realtà non mi interessava per niente e quindi a un certo punto ho deciso di cambiare facoltà e città.
● E dove vivevi prima?
■ Abitavo a Bayreuth, una piccola città in Baviera. Bayreuth è carina, ma troppo piccola e provinciale. Mi annoiavo da morire e così mi sono trasferita a Bologna.
● Ma tu Bologna la conoscevi già?
■ Sì, ci sono stata la prima volta nel 2015 per il programma Erasmus. La città mi è piaciuta un sacco e per questo ho deciso di tornare.
● E ora sei contenta?
■ Sì, sicuramente sì. Faccio un sacco di cose interessanti, conosco molta gente, non mi sento più frustrata. La mia passione è il teatro e a Bologna ho l'opportunità di fare teatro d'improvvisazione con alcuni amici.
● Bello.
■ Sono contenta e poi finalmente ho imparato l'italiano...
● Come ‹imparato l'italiano›? Ma tu lo conoscevi già l'italiano.
■ Insomma, lo sapevo, ma non bene.
● Ho capito. E prima, da studentessa di giurisprudenza come vivevi, come passavi le tue giornate?
■ Stavo tutto il giorno all'università, uscivo sempre con le stesse persone, andavamo sempre nei soliti locali. Insomma non conoscevo tanta gente. Dopo un po' mi sembrava tutto uguale e per questo ho preso la decisione di lasciare Bayreuth. E ho preso la decisione giusta.
● Anche perché qui a Bologna hai conosciuto una persona particolare, no?
■ Sì anche, ma non solo. Lorenzo l'ho conosciuto quando ero a Bologna per l'Erasmus. Abitavo con lui e con altre tre ragazze. Lui mi piaceva un sacco e ci siamo messi insieme un giorno.
● E ora? Com'è la vostra relazione?
■ Ora lo vedo spesso, ma non siamo più insieme. Lui ha un'altra ragazza e anch'io ho un altro ragazzo. Però siamo rimasti amici.
● Va bene, ti ringrazio.

UNITÀ 3
13
● Allora Cinzia, mi diresti il titolo e il regista di due film che hai visto recentemente e che ti sono particolarmente piaciuti? Magari me li descriveresti anche con qualche aggettivo?
■ Dunque, fammi pensare. Come primo film direi che mi è piaciuto moltissimo *La grande bellezza*, di

Sorrentino, quello che ha vinto l'Oscar come miglior film straniero. Che dire? Il tema non è semplice, a molti potrebbe sembrare complicato, ma l'attore protagonista è geniale e in generale il film secondo me è davvero coinvolgente. Un altro film che mi ha colpito è *Fuocoammare*, il documentario sulla vita a Lampedusa e la situazione dei migranti. È un documentario sicuramente attuale e molto commovente.

● Davide, e a te che tipo di film piacciono?
▲ Direi che non mi piacciono i film troppo seri. Quando vado al cinema voglio ridere e così cerco sempre un film divertente. Per esempio *Quo vado?* è davvero piacevole, anche perché la storia è comunque originale e i personaggi convincenti.
● Hai visto *La grande bellezza*?
▲ Sì, ma a me non è piaciuto. L'ho trovato noioso e pesante. L'attore, Toni Servillo, è bravo, veramente convincente, ma in generale il film l'ho trovato ‹una pizza›. E poi anche alcuni personaggi mi sembravano improbabili.

● Antonella, tu so che sei un'appassionata del neorealismo e anche del cinema italiano degli anni Sessanta. Hai un film preferito di quell'epoca e lo descriveresti con tre aggettivi?
◆ Allora, io adoro *La dolce vita* di Fellini. Che dire: la storia è divertente, appassionante e i personaggi sono veramente ben interpretati. Un capolavoro ancora oggi attuale.
● E tra i film più recenti? Cosa mi dici de *La grande bellezza*?
● Beh, anche quello è un gran bel film. Molto trascinante e che fa pensare anche se il tema è un po' difficile.
● E *Quo vado?* l'hai visto?
◆ Sì, ma non è proprio il mio genere. È banale e stereotipato.

UNITÀ 4
17
● Come ti definiresti e come credi che siano i ragazzi e le ragazze della tua generazione?
■ Allora, io studio filosofia, quindi mi definirei poco realista, poco pratico e probabilmente sognatore. Però credo che in futuro ci sarà sempre più bisogno di persone con un titolo di studio umanistico perché anche le aziende avranno bisogno di persone flessibili, capaci di immaginare e proporre soluzioni innovative e creative e queste competenze si trovano di più in chi fa studi umanistici. È difficile dare un giudizio sulla mia generazione, perché ci sono dentro anch'io. Però forse direi che siamo un po' passivi e pigri. C'è un forte individualismo e non abbiamo obiettivi comuni. E poi forse siamo poco combattivi. Molti pensano che la realtà si cambi mettendo like. Ma fortunatamente non sono tutti così.
● Di cosa credi abbia bisogno la nostra società?
■ Forse mi ripeto, ma mi sembra davvero che manchi una formazione umanistica di base solida che dia gli strumenti per interpretare la realtà che ci circonda.

Internet ha cambiato davvero la vita, ma mi pare anche che il sapere che diffonde sia superficiale e temporaneo. Quando leggo un libro o un giornale di carta ho la sensazione che le informazioni rimangano più tempo in testa. E quindi abbiamo bisogno di gente riflessiva e con uno spirito critico sviluppato. Abbiamo bisogno di meno gente che urla e di più persone che sanno analizzare a fondo i fenomeni e provano realmente a cambiare quello che non va.

● Hai mai pensato di cambiare strada?

■ No, per adesso sono contento così. Mi piace molto studiare filosofia. Poi magari se mi farai la stessa domanda fra dieci anni quando avrò finito di studiare, sarò disoccupato e sarò costretto a vivere ancora con i miei, probabilmente risponderò in modo diverso. Ma sono fiducioso e se non riuscirò a trovare qualcosa di interessante in Italia, non ho problemi ad andarmene. Ormai il mondo è mobile.

● Quanto è importante che i ragazzi si impegnino nel sociale?

■ Eh, credo sia un'esperienza fondamentale. Perché il contatto diretto con realtà più svantaggiate ti fa capire quanto in fondo siamo privilegiati e aiuta a sviluppare maggiore sensibilità ed empatia, qualità fondamentali per aiutare a creare una società con meno disuguaglianze.

● Dove vedi il tuo futuro fra dieci anni e come lo vedi?

■ Spero che sia in Italia. Credo ci sia molto da fare qui. Vorrei lavorare nel sociale perché voglio che la mia esperienza e quello che ho imparato venga messo a disposizione della comunità. Se avrò i soldi, dopo la laurea magistrale farò un'esperienza all'estero, ma poi spero di poter tornare e realizzare i miei progetti. In fondo sono ottimista e secondo me ci riuscirò.

● Ti sposerai?

■ Oddio, questo non lo so proprio. Ora ho un compagno con cui sto molto bene. Ma vedremo in futuro. Per ora sono contento che finalmente in Italia esista una legge sulle unioni civili tra persone dello stesso sesso. Però in futuro mi piacerebbe adottare dei bambini. Questo sì. Vedremo a che punto sarà la legislazione.

UNITÀ 5
13

● Buongiorno.

■ Buongiorno. Si accomodi pure.

● Grazie.

■ Senta, io ho qui il suo curriculum che mi sembra molto interessante... Vedo che ha già fatto molte esperienze... per esempio è stata per un breve periodo in Inghilterra e anche in Spagna, a Madrid.

● Sì.

■ Bene, bene. Mi racconti qualcosa del suo soggiorno in Spagna.

● Sì, dunque, ci sono stata per un anno, all'inizio sono partita con il programma Erasmus e poi lì a Madrid ho trovato uno studio legale italo-spagnolo in cui ho fatto un tirocinio di tre mesi.

■ Ah, sì. Perfetto.

● Sì, e poi all'università ho frequentato due corsi e ho fatto anche due esami, ho fatto diritto privato e filosofia del diritto. Poi finito l'anno di Erasmus ho trovato, grazie alla facoltà di giurisprudenza dell'università, un tirocinio in uno studio legale italo-spagnolo e, come ho detto, mi sono fermata lì per tre mesi circa.

■ Ho capito, benissimo. E... di che cosa si occupava lì?

● Beh, dunque, l'avvocato che mi seguiva stava lavorando a un caso di concorrenza internazionale tra un'azienda di Madrid e una di Milano e io più che altro aiutavo... lo aiutavo nelle pratiche. Magari andavo in tribunale a portare i documenti, facevo qualche piccola traduzione, insomma cose di questo tipo.

■ Bene, bene, molto bene... e quindi ha cominciato ad entrare in contatto con la realtà lavorativa concreta degli studi legali.

● Sì, sì, esatto.

■ E... certamente lo spagnolo lo parlerà senza problemi, lo parlerà perfettamente.

● Beh, magari perfettamente no, però sicuramente non ho nessun tipo di problema, ecco. Io l'avevo già studiato prima e quindi ho avuto la possibilità sostanzialmente di approfondirlo e di impararlo poi molto bene. Direi che non ho più grandi problemi nell'espressione e nemmeno nella comprensione. Ho forse ancora qualche difficoltà a scriverlo.

■ Eh, sì, e altre lingue?

● Allora, come ho scritto nel curriculum vitae sono stata anche in Inghilterra, a Londra, come ragazza alla pari.

■ Sì, sì, vedo.

● Questo subito... subito dopo la maturità e lì ho acquistato sicurezza nel parlato e poi anche all'università ho fatto parecchi corsi, quindi direi di saper bene anche l'inglese. A livello C1.

■ Benissimo... senta, lei si sta laureando in giurisprudenza all'Università Luiss di Roma...

● Sì, esatto. Dunque, se tutto va bene, prevedo di laurearmi il prossimo aprile. Ora sto scrivendo la tesi sul diritto della concorrenza internazionale, che è un ambito in cui ho acquisito un po' di esperienza anche grazie al tirocinio fatto e per questo mi piacerebbe appunto lavorare nel suo studio perché appunto si occupa di questo.

■ E sì. Diciamo che il nostro studio è specializzato proprio in diritto della concorrenza internazionale e quindi abbiamo a che fare moltissimo con paesi stranieri, soprattutto europei naturalmente. Senta, vediamo un po' qualche altra informazione... Dunque, vedo che ha frequentato il liceo scientifico...

● Sì.

■ E dal suo curriculum risulta che ha svolto anche attività di volontariato in un centro per migranti.

● Sì, esatto. Ho iniziato con un'amica... così per caso direi... però secondo me è molto importante essere attivi anche nel sociale, insomma aiuta proprio anche a vedere la vita da un altro punto di vista.

■ Certo, certo. Anche perché purtroppo in Italia l'azione dei volontari è fondamentale... Ma questo è un altro tema. Continuando a parlare di lavoro... noi qui lavoriamo molto in team...

● Sì, sì, beh, dunque io mi considero una... una persona molto aperta, disponibile e poi ho già

lavorato in gruppo e non ho mai avuto problemi.
- ▣ Sì, nella lettera di referenze viene descritta come una persona dinamica, con grandi doti comunicative e che sa analizzare le situazioni e trovare soluzioni ai problemi.
- ● Direi che mi riconosco nella descrizione anche perché mi piace molto questo lavoro e per questo ho fatto domanda da Lei.
- ▣ Sì, bene, bene. Un'ultima domanda: Lei sarebbe interessata anche a un contratto part-time a tempo determinato?
- ● Ma... Dunque, finché non mi laureo non ci sarebbero problemi. Però dopo confesso che mi piacerebbe crescere professionalmente.
- ▣ Sì, certo. Ho capito. Comunque, diciamo che poi si può sempre vedere... insomma, da cosa nasce cosa... Benissimo, sì... Direi che è tutto... ho preso nota di tutto. Ora non Le posso dire nulla ma Le faremo sapere il prima possibile. Va bene?
- ● D'accordo. Perfetto. Grazie mille.
- ▣ Sono io a ringraziare Lei. Arrivederci.
- ● Arrivederci.

UNITÀ 6
3
1. ● Valeria, tu ti stai laureando mi sembra, no?
   - ▣ Certo, sì.
   - ● Discuterai la tesi di laurea a marzo m'hai detto.
   - ▣ Sì, esatto.
   - ● E hai una media di voti piuttosto alta, no?
   - ▣ Mah, abbastanza, sì.
   - ● Senti, ma è tutto merito tuo o anche... c'è stata anche un po' di fortuna?
   - ▣ Beh, oddio. Sicuramente il merito c'è, oserei dire, perché ho sempre studiato molto, però devo dire che ho avuto anche molta fortuna, sì.
   - ● A proposito di fortuna, senti... sei superstiziosa?
   - ▣ Un po' sì...
   - ● Aha, allora hai qualche...
   - ▣ ...pochino però.
   - ● Allora hai qualche oggetto portafortuna o non so hai dei riti scaramantici magari prima di fare un esame?
   - ▣ Beh, oddio, proprio riti riti, no. Però c'è qualcosa che faccio prima... sempre prima di ogni esame. A dire la verità mi vergogno un po' a dirlo però... saluto... saluto sempre le foto appese in camera... sì, e chiedo loro di portarmi fortuna.
   - ● Eh, sì, certo ma... scusa che foto... che foto sono? Sono foto di persone o...
   - ▣ Sì, sono foto miste a dire la verità. Sono foto con le mie amiche e poi foto dei miei di quando erano giovani... poi c'è la foto di mio... del matrimonio di mio fratello... Insomma un po' di tutto. Prima avevo anche un poster di Vasco Rossi che però poi l'ho tolto.
   - ● Ah, sì. Quindi saluti queste foto... C'è anche qualche altro rito, qualche altra cosa che fai?
   - ▣ Beh, sì! Ad essere sincera ho anche... ho anche un paio di slip rossi che mi avevano regalato...
   - ● Ah!
   - ▣ ...sì, degli amici a Capodanno tanti anni fa e

li indosso sempre prima di ogni esame, sì.
- ● Ah... pensa!
- ▣ Porta fortuna, sì.
- ● ...è strano perché in genere questa è una tradizione che riguarda l'ultimo dell'anno...
- ▣ Sì, sì.
- ● ... che... insomma si dice che porta fortuna, ma l'ultimo dell'anno.
- ▣ Sì, esatto. Io non... non so perché, però li indosso sempre prima degli esami forse perché la... la prima volta che li ho indossati ho preso 30 e lode...
- ● Ah!
- ▣ Esatto, e allora sono diventati il mio oggetto portafortuna. E li metto anche in ogni occasione importante...
- ● Ho capito.
- ▣ ... non solo per gli esami.
- ● Ho capito. Senti, una domanda al contrario. C'è qualcosa che non fai?
- ▣ Mmm... che non faccio... dunque forse sì, evito di vestirmi di viola. Non so perché ma ho la sensazione come... che mi porti sfortuna, ecco. E poi mai passare in mezzo alle due colonne dell'università. Quella porta proprio una sfortuna pazzesca... proprio... veramente sì...
- ● Aha, senti l'ultima domanda: leggi l'oroscopo la mattina prima di un esame per esempio?
- ▣ Oddio no, l'oroscopo prima dell'esame mai, no. Poi non è che ci creda. Magari lo leggo dopo... però dopo aver fatto l'esame comunque per curiosità semplicemente.
- ● Ho capito.

2. ● Senti, Alberto e tu? Sei superstizioso?
   - ▣ Sì, sinceramente sì, un po' sì. Guarda, visto e considerato che studio ingegneria dovrei essere piuttosto razionale però un qualche rito scaramantico ce l'ho anch'io.
   - ● Ah vedi. E... quali sono questi riti?
   - ▣ Guarda, io ad esempio c'ho una penna, una comunissima bic blu, con la quale ho scritto l'esame di maturità, che tra l'altro è andato molto bene. Quindi la uso in tutte le occasioni importanti... E poi ad esempio quand'ho un esame, la mattina dell'esame mi sveglio alle quattro, mi faccio un caffè, ripasso tutti gli appunti e poi alle sette mi faccio la doccia, esco, vado a fare colazione al bar dell'università dove tra l'altro non ci vado mai e prendo un cappuccino e cornetto con la marmellata, dopodiché me ne vado all'esame.
   - ● Aha, ma, scusami, e se l'esame è di pomeriggio, cosa fai?
   - ▣ Niente, non cambio, non cambio mica niente. Il programma rimane invariato. Vado all'università un po' più tardi, ho un po' più tempo di ripassare, ma la sveglia rimane puntata alle quattro. E il cornetto con la marmellata non me lo toglie nessuno.
   - ● Sì, ma scusami... e poi non sei stanco?
   - ▣ Beh, no, sinceramente no. Perché cerco di andare

TRASCRIZIONI

a letto tipo alle nove la sera prima. Generalmente la stanchezza mi prende poi una volta finito l'esame, quando mi posso un attimino rilassare diciamo così.

● Certo, certo. E senti c'è anche qualcosa che non fai per scaramanzia?

■ Sì, una cosa. Non leggo l'oroscopo perché... sono... guarda, sono sicuro che mi porta sfortuna. Se vuoi ti racconto un piccolo aneddoto...

● Dimmi.

■ Una volta una mia compagna di corso che aveva l'esame con me mi ha detto che aveva letto l'oroscopo e che il suo esame sarebbe andato bene. Dopo parlando ho scoperto che era del mio stesso segno zodiacale. Alla fine però lei l'hanno promossa e a me bocciato! Quindi da quella volta per me l'oroscopo è tabù.

● Non esiste più.

UNITÀ 7
17

● Ciao, stiamo facendo un'indagine su quanto sono ecologici gli studenti dell'università di Milano. Posso farti qualche domanda?

■ Certo, volentieri. È un tema che mi interessa molto.

● Quando fai la spesa stai attenta alla provenienza del prodotto?

■ Normalmente sì, cerco di comprare la frutta di stagione e sto attenta a comprare prodotti della regione. Io vivo a Milano, le mele del Trentino Alto Adige per esempio sono buonissime, non vedo perché devo comprare le mele cinesi per esempio.

● E dove fai la spesa? Nei negozietti più piccoli o al supermercato?

■ Decisamente al supermercato. Lì trovo tutto quello che mi serve e ormai ci sono anche tanti prodotti biologici ed equosolidali. Spesso è anche una questione di tempo, vado al supermercato e trovo tutto. Lo so che sarebbe meglio sostenere i negozi più piccoli, ma confesso che è anche una questione di prezzi; spesso i negozietti hanno, anche giustamente, prezzi molto più alti e non posso permettermi di pagare lo stesso prodotto di più.

● Ci sono prodotti che compri solo ed esclusivamente biologici?

■ Sì, le uova biologiche per me sono un obbligo, anche solo eticamente: non si possono vedere le immagini di quelle povere galline nelle gabbie una attaccata all'altra. La carne e il pesce pure: ne mangio e compro talmente poco che sto attenta solo alla qualità. Il resto dipende. A volte compro il latte, a volte la frutta. Però ecco uova, carne e pesce sempre biologici.

● Ok. Credi che sia importante favorire questi tipi di prodotti?

■ Certo! Sicuramente per questioni etiche, preferisco comprare prodotti dove spero che non siano stati sfruttati i lavoratori, e poi mi sembra giusto che venga rispettato in qualche modo l'ambiente, ma anche per questioni di salute. Ormai è risaputo che certe sostanze contenute in alcuni pesticidi o tutti gli antibiotici che danno agli animali, beh... non

sono certo sane. Quindi è importante sviluppare una coscienza ecologica.

● E in casa fai la raccolta differenziata dei rifiuti?

■ In genere sì, soprattutto vetro e carta li separo sempre. A volte non so se una cosa va nel bidone dell'organico o del generico, ma diciamo che in generale sto attenta a tutto. E soprattutto sto attenta a non produrre troppi rifiuti. Dove posso, riciclo.

● E conosci Slow Food?

■ Slow Food sì, ho letto e sentito di Carlo Petrini, il suo fondatore, e sono perfettamente d'accordo con lui. Alcuni valori come la lentezza e l'importanza del cibo genuino sono valori che vanno recuperati. Una volta ho letto una sua citazione in cui diceva che l'agricoltura, che dovrebbe fondarsi su un'alleanza tra uomo e natura, è diventata invece una guerra. E ha ragione. Dobbiamo ritrovare l'equilibrio con la natura. Per questo io, nel mio piccolo, cerco di fare il possibile.

UNITÀ 8
3

● Paola Zuffellato lavora presso un'agenzia specializzata in viaggi sostenibili in Italia e all'estero. Le facciamo qualche domanda per capire meglio cosa si intende per turismo sostenibile. Innanzitutto ci può raccontare cosa è il turismo sostenibile?

■ Secondo l'organizzazione mondiale del turismo, il turismo sostenibile è un modo di viaggiare che soddisfa i bisogni dei viaggiatori e delle regioni che li ospitano e contemporaneamente migliora le opportunità per il territorio. Da un punto di vista ambientale il turismo sostenibile non è solo la vacanza in cui un turista va a vedere un posto, rimanendo in un certo senso estraneo al luogo che visita, ma prende invece in considerazione anche tutto ciò che riguarda l'organizzazione del viaggio, dai mezzi di trasporto al cibo agli alloggi. È un turismo non di massa che preferisce le aree naturali e che mantiene l'equilibrio tra popolazioni locali e visitatori. In Italia è un tipo di turismo in crescita proprio perché, soprattutto in alcune zone, il turismo è diventato un problema più che una risorsa e sta diventando appunto insostenibile.

● Qual è lo scopo del turismo sostenibile?

■ Innanzitutto far conoscere anche altri luoghi del nostro Paese. Infatti oltre a città d'arte, chiese e monumenti ci sono anche estese aree di interesse naturalistico che hanno molto da offrire. Il nostro obiettivo è quello di far scoprire queste zone al visitatore e dargli la possibilità di immergersi in stili di vita autentici. Anche gli alloggi sono autentici. Dove possiamo utilizziamo per esempio gli alberghi diffusi che sono alberghi che si trovano spesso negli edifici originali dei vecchi centri storici e utilizzano così strutture già esistenti. Inoltre una cosa che noi promuoviamo è iniziare il viaggio non nei periodi di alta stagione, sfruttando invece tutti gli altri periodi dell'anno per evitare l'afflusso turistico sempre negli stessi mesi.

● Ci fa qualche esempio di meta o di elementi che

fanno parte di un viaggio sostenibile?

▨ Per esempio abbiamo delle proposte in bicicletta della durata di una settimana in Puglia e toccano varie tappe importanti, da Otranto, a Gallipoli, a Santa Maria di Leuca. Elementi tipici di un viaggio sostenibile sono per esempio spostamenti in autobus a metano o elettrici come succede già in diverse località delle Dolomiti. Inoltre in tanti ristoranti che promuovono il turismo sostenibile c'è la tendenza a proporre ‹menù a chilometri zero›. Alcuni alberghi propongono alimenti con il marchio IGP (identificazione geografica protetta) e i prodotti tipici locali, così da dare più spazio all'economia e all'operato delle piccole aziende del posto.

● Come va il settore in Italia? Funziona?

▨ Gli italiani che dichiarano di praticare un turismo sostenibile e responsabile sono, secondo i dati di una ricerca, circa il 16 per cento e la consapevolezza cresce. Lo afferma il sesto rapporto ‹Italiani, turismo sostenibile ed ecoturismo›, quindi direi che le cose vanno bene e speriamo che vadano ancora meglio.

● Grazie.

▨ Prego, non c'è di che.

8

1. La Cappella degli Scrovegni, che si trova a Padova, è da considerarsi il capolavoro della pittura del Trecento italiano ed europeo, ed è il ciclo più completo di affreschi realizzato da Giotto, il grande maestro toscano, nella sua maturità.

2. Universalmente noto per la sua inconfondibile forma ottagonale, per le suggestioni simboliche e per essere il più misterioso tra gli edifici voluti da Federico II di Svevia, Castel del Monte è una delle principali mete turistiche della Puglia. Castel del Monte è prima di tutto un castello medievale. Risale alla prima metà del 1200. A parte brevi periodi di feste, il castello venne usato per lo più come carcere. Alla fine del 1800 il castello venne acquistato dallo Stato italiano. Per le sue caratteristiche uniche l'UNESCO l'ha dichiarato, nel 1996, patrimonio mondiale dell'umanità.

3. La Reggia di Caserta, spettacolare Reggia del 1700 progettata dall'architetto Luigi Vanvitelli, con il grande parco tutto giardini e cascate che ricorda quello di Versailles, si trova appunto a Caserta e fu voluta da Carlo Di Borbone. I lavori iniziarono intorno al 1750. Nell'edificio ci sono 1200 stanze, all'epoca lussuosamente arredate; molti di quegli appartamenti storici sono visitabili ancora oggi. Sono numerosissimi i turisti che ogni anno visitano questo splendido Palazzo. Si trova infatti sempre ai primi posti dei monumenti più visitati d'Italia.

4. Il nome Colosseo non è probabilmente quello originale. Alcuni lo fanno derivare da un'enorme statua di Nerone che si trovava vicino all'edificio. Fu Vespasiano a dare il via ai lavori. Voleva un grandioso edificio dove si dovevano svolgere gli spettacoli. Si chiamava inizialmente Anfiteatro Flavio, ma tutti oggi lo conoscono come il Colosseo. I lavori di costruzione durarono otti anni e il Colosseo venne inaugurato nell'80 d. C.

CREDITI FOTOGRAFICI

P. 6 © 123RF/Cathy Yeulet P. 7 © 123RF/Dean Drobot, © 123RF/Nikolay Dubrovin, © 123RF/dolgachov, © fotolia/Alliance P. 9 © Thinkstock/iStock/OcusFocus, © GraphicBurger P. 10 © iStockphoto/Spanishalex, © fotolia/WavebreakMediaMicro, © Thinkstock/iStock/stefanschurr, © Thinkstock/iStock/extravagantni, © Thinkstock/iStock/monkeybusinessimages, © 123RF/kzenon, © iStockphoto/Daniel BOITEAU, © fotolia/dima_sidelnikov, © PantherMedia/Benis Arapovic, © fotolia/ilcondor, © fotolia/SolisImages, © fotolia/kilam, © PantherMedia/diego cervo, © 123RF/Ivan Smuk P. 11 © 123RF/Antonio Guillem P. 12 © mauritius images/Rubberball P. 13 © 123RF/Denis Ismagilov P. 14 © Thinkstock/Wavebreak Media P. 16 © fotolia/mangostock P. 19 © 123RF/luckybusiness, © 123RF/yanlev, © 123RF/William Perugini, © iStock/Boarding1Now P. 20 © Thinkstock/Hemera, © Thinkstock/iStock/Alexander Bedrin, © 123RF/Anton Starikov, © 123RF/Veniamin Kraskov © fotolia/fusolino, © fotolia/Tetiana Zbrodko, © Thinkstock/Zoonar RF, © iStock/lleerogers, © iStockphoto/walik, © Thinkstock/iStock/MatteoCozzi, © 123RF/Prapan Ngawkeaw, © 123RF/Konstantin Faraktinov, © Thinkstock/iStock/Chimpinski, © 123RF/Joris Croese P. 21 © Umbria Jazz, © fotolia/Syda Productions P. 22 © fotolia/Dangubic P. 23 © 123RF/langstrup P. 25 © fotolia/Lieson, © 123RF/Wavebreak Media Ltd P. 26 © 123RF/Tzogia Kappatou P. 27 © Alamy Stock Photo/Stockimo/John Goodlife, © 123RF/Dmytro Sidelnikov P. 31 © 123RF/Michael Simons, © Jean-Daniel von Lerber, © Sammy Miller & The Congregation, Photo by Umbria Jazz, © Festival del Film Locarno/Massimo Pedrazzini P. 34 © 123RF/Jason Salmon, © fotolia/Freesurf P. 35 © 123RF/Luca Bertolli P. 36 © imago/ecomedia/robert fishman P. 37 © Thinkstock/iStock/urfinguss P. 38 © Disegno di Niccolò Ammaniti. Progetto grafico di Riccardo Falcinelli. © Giulio Einaudi editore P. 39 © Thinkstock/iStock/tatyana_tomsickova P. 40 © 123RF/Wavebreakmedia Ltd P. 45 © mauritius images/Westend61/Mauro Grigollo, © 123RF/Katarzyna Białasiewicz, © 123RF/Oksana Kuzmina, © fotolia/pyrozenko13 P. 46 © fotolia/Daniel Ernst, © Thinkstock/iStock/Ridofranz, © 123RF/theartofphoto, © Thinkstock/iStock/bst2012, © fotolia/Drobot Dean P. 49 © fotolia/contrastwerkstatt, © COOP Italia, © 123RF/Wavebreak Media Ltd P. 51: © iStock/marconofri P. 52: © 123RF/stokkete P. 54: © Thinkstock/iStock/william87 P. 59 © fotolia/stokkete, © 123RF/Dzianis Apolka, © 123RF/Igor Daniel, © 123RF/Milan Gonda P. 60 © 123RF/Cathy Yeulet, © 123RF/Sebnem Ragiboglu, © 123RF/Hongqi Zhang, © 123RF/racorn, © fotolia/135pixels, © iStock/Alija, © iStock/wdstock, © 123RF/auremar, © fotolia/JackF, © 123RF/racorn P. 61 © 123RF/Antonio Guillem, © iStock/Lux_D P. 62 © 123RF/Siarhei Lenets P. 63 © 123RF/Daniel Ernst

P. 64 © Colourbox.de P. 67 © fotolia/contrastwerkstatt P. 68 © fotolia/contrastwerkstatt P. 71 © Alamy Stock Photo/RossHelen editorial, © Thinkstock/iStock/Ossiridian, © Thinkstock/iStock/Wavebreakmedia, © Alamy Stock Photo/Stefano Politi Markovina P. 72 © Riccardo Falcinelli P. 73 © fotolia/ilolab P. 75 © fotolia/Boggy P. 76 © 123RF/Ekaterina Belova, © Illustrazione di Caterina Giuliani, Benger & Talleri, 2012 P. 77 © 123RF/Wavebreak Media Ltd P. 78 © Alamy Stock Photo/Liam White P. 85 © 123RF/William Perugini, © Alamy Stock Photo/Stefano Montesi, © fotolia/ArTo, © iStock/wwing P. 86 e P. 87 © Colourbox.de P. 88 © Alamy Stock Photo/anna quaglia P. 89 © 123RF/Fabio Formaggio P. 90 © 123RF/Tyler Olson, © 123RF/Olena Danileiko P. 91 © fotolia/Minerva Studio P. 92 © 123RF/Ivan Kruk, © 123RF/Luca Lorenzelli P. 93 © 123RF/William Perugini P. 97 © Thinkstock/iStock/Janoka82, © fotolia/Freesurf, © fotolia/Dan Breckwoldt, © 123RF/giuseppemasci P. 98 © Colourbox.de P. 99 © fotolia/ArTo P. 100 © 123RF/sborisov, © fololia/baldas1950 P. 101 Touring Club Logo: "Il Touring Club Italiano è un'associazione no profit che dal 1894 fa viaggiare gli italiani, difendendo il territorio e promuovendo un turismo etico e sostenibile. Maggiori informazioni su www.touringclub.it" P. 102 © 123RF/Marco Saracco P. 103 © fotolia/Freesurf P. 104 © fotolia/Monkey Business P. 105 © fotolia/tinx P. 106 © www.caritaP.it, © LIPU Onlus – BirdLife Italia, ©ENPA, © www.fondoambiente.it P. 110 © 123RF/Jacek Sopotnicki, © 123RF/citalliance P. 117 © 123RF/BlueOrange Studio P. 119 © fotolia/contrastwerkstatt P. 122 © 123RF/Denis Ismagilov P. 125 © iStock/miralex P. 126 © 123RF/Maksym Yemelyanov P. 127 © 123RF/paffy P. 130 © 123RF/E+/Portra P. 131 © 123RF/iStock/arkanex P. 133 © 123RF/iStock/nyul P. 134 © fotolia/DWP P. 136 © 123RF/dolgachov P. 137 © Thinkstock/iStock/stock_shoppe P. 138 © 123RF/auremar P. 139 Illustrazione Jens Rassmus, Hamburg P. 141 © 123RF/dolgachov P. 143 © fotolia/sognolucido P. 144 © fotolia/simoballero P. 148 © 123RF/dolgachov P. 149 © Elena Carrara P. 150 © 123RF/lightpoet P. 152 © fotolia/kasto P. 156 © 123RF/Katarzyna Białasiewicz P. 157 © Alamy Stock Photo/Art Kowalsky P. 158 © fotolia/BestPhotoStudio P. 159 © 123RF/Dmitriy Shironosov P. 160 © fotolia/Alberto Masnovo, © fotolia/Alberto Masnovo P. 161 © fotolia/orangeblossom11, © fotolia/KseniiaRodina P. 163 © fotolia/Rawpixel.com, © 123RF/Antonio Veraldi P. 164 © 123RF/feverpitched P. 165 © 123RF/jakobradlgruber P. 168 © adobe stock P. 170 © 123RF/dolgachov P. 171 © iStock/franckreporter P. 172 © 123RF/Wavebreak Media Ltd P. 173 © alessandro_pinto stock.adobe.com P. 175 © fotolia/ArTo P. 176 © fotolia/Vladimir Khirman P. 180 © PietroEbnerv stock.adobe.com

UniversItalia 2.0 B1/B2
corso di italiano

direzione editoriale per l'edizione internazionale: Massimo Naddeo
redazione: Valerio Vial, Anna Colella, Letizia Porcelli, Marco Dominici
copertina, progetto grafico e impaginazione: Lucia Cesarone, Studio Sieveking
illustrazioni: Mascha Greune

si ringrazia per la supervisione e consulenza didattica: Maria Balì, Marcello Ferrario,
Elena Gallo, Livia Novi, Daniela Rocca, Enrico Serena, Laura Tiego-Eckstein

©2018 ALMA Edizioni
Printed in Italy
ISBN 978-88-6182-595-6
prima edizione: gennaio 2018

ALMA Edizioni
viale dei Cadorna 44
50129 Firenze
tel. +39 055 476644
fax +39 055 473531
alma@almaedizioni.it
www.almaedizioni.it